JN066356

エリア・スタディーズ
98
現代バスク
を知るための
60
章
【第2版】
萩尾　生
吉田浩美
（編著）
明石書店

# 第２版刊行にあたって

本書は、２０１２年に上梓した『現代バスクを知るための50章』の改訂増補版と位置づけられます。初版の刊行から10年以上の歳月が流れましたが、この間に、日本のみならず、世界の多くの国や地域において、「バスク」に対する関心が、かつてないほど高まっています。バスク語とバスク文化の対外普及を任務とするエチェパレ・バスク・インスティテュートが２００７年に設立され、バスク人自らがバスク文化の魅力を対外発信するようになったことは、こうした関心の高まりに少なからず寄与しているにちがいありません。

けれども、今日の「バスク・ブーム」の根本は、スペインおよびフランスからの分離独立闘争を展開してきたＥＴＡ（エタ）《祖国バスクと自由》が、２０１１年に恒久的な武装放棄を宣言し、２０１８年に組織を解散したことに、むしろ求められるでしょう。１９５９年にさかのぼって半世紀以上活動したこの組織の存在は、バスク地方に対する負の印象をつねに喚起してきたのですが、ここに至ってバスク地方は、「安全」で「新しい」市場として、飲食、観光、文化、芸術、スポーツ、研究開発イノベーション等の各方面から、がぜん注目され始めたのです。折しも、バスク地方とは反対に独立問題が昨今くすぶりだしたカタルーニャの情勢は、バスク地方への投資行動を相対的に強める誘因になっているとも言われています。

今日の「バスク・ブーム」の立て役者は、日本全国で目下流行している「バスク風チーズケーキ」の例を引くまでもなく、明らかにガストロノミー産業です。日本での流行は世界に先駆けていましたが、『ニューヨーク・タイムズ』紙（2020年12月20日）が、このチーズケーキを「2021年の一番人気（Flavor of the Year）」と予測するや、その高評は世界を駆け巡ったのでした。20世紀末にビルバオ＝グッゲンハイム美術館が開館した時もそうでしたが、文化資源の商品化という点において、英語圏メディアの影響力は圧倒的です。しかも、近年のICT（情報通信技術）の急激な革新は、情報の発信・受容のあり方を劇的に変えつつあり、その影響は、国境を越えた人の新たな移動形態とあいまって、バスク社会の隅々にまで波及しています。

本書は、そのような2010年代以降のバスク地方の状況を、政治・経済・社会・文化の各方面から、編者が重要だと判断する事象を中心に新たに書き足しました。執筆陣を初版から少し入れかえて増やし、6部50章であった初版の章立て構成を、7部60章に膨らませ、第Ⅶ部はすべて書き下ろしとしました。ちなみに、第Ⅰ部から第Ⅵ部までの章タイトルは、初版のタイトルをほぼ踏襲していますが、各章の内容は一部もしくは全部を書き改めています。

一方、章の数を増やした反面、紙幅の制約上、初版に掲載していた6つの「フィールド・ノート」を削除しました。いずれも今となっては40年、50年前の記録として歴史的価値を持つ叙述ではあったのですが、苦渋の決断を迫られた次第です。このほか、初版に載せていた「人名一覧」は削除し、一部の人名についてのみ、本文初出時にアルファベット表記を併記しました。インターネットの検索機能を用いて、十分な情報を得ることができるようになったからです。また、初版の巻末に載せていた「文献案内」の更新においては、サイバー空間上のデータアクセスの便に配慮しています。

本書の目指すところは、初版から10年以上経った今でも、そこに大きな変化はありません。初版の

# 第２版刊行にあたって

序文に当たる「はじめに」のほぼ全文をこの第2版に再掲しますので、本書を一読されるに当たっては、まずはそこからお目通しいただければ幸いです。

なお、この第2版においては、初版と同様、全体構想と章立て構成を萩尾が行い、バスク語のカナ表記の基準を吉田がとりまとめました。２０２０年3月に始まったパンデミックの影響で、執筆作業はしばしば滞りましたが、それでもなんとか刊行に辿り着けたのは、ひとえに執筆者一人一人の熱意のおかげであり、自分たちのことをより良く知ってもらいたいと願うバスクの人びとの絶えざる協力のおかげでもあります。そしてまた、明石書店編集部の長島遥氏には、編集作業の多方面にわたって、微細な点まで目配りしていただきました。格段のお礼を申し上げます。

初版に引き続き、本書が現代バスクに対する読者のより深い理解に少しでも資することができればと、心より望んでおります。

２０２３年4月

編者を代表して　萩尾　生

※　本書の執筆に際しては、日本学術振興会科学研究費補助金の支援を受けた以下の研究課題の成果の一部を援用しました。この場を借りて謝意を表します（課題番号２１５１０２５８、２２５２０４４０、２４５１０３４０、１５Ｋ０１８７３）。

# はじめに（初版）［抜粋］

「バスク」というカタカナ語は、日本社会において、いつ頃から広く知られるようになったのだろうか。

幕末・明治維新以後、19世紀後半から20世紀の初めにかけて、日本では数多くの西洋の文献と概念が翻訳された。翻訳に際しては漢語が多用され、国名や都市名のような固有名詞においても、「亜米利加（アメリカ）」や「馬徳里（マドリード）」のように、漢字表記が生まれた。しかし、中国語で「巴斯克」と表記される「バスク」の日本における漢字表記は、今日まで慣用例が確認されていない。

民族呼称あるいは地域名称としての「バスク」という字句は、初期の段階で、大きく二つの経路を通って日本に入ってきたと考えられる。一つは19世紀西欧のロマン主義文学を通して、もう一つは比較言語学を通してである。

19世紀西欧のロマン主義文学は、近代化の波にもまれることのない牧歌的なバスク社会を描き出した。バスクの民は、古風で特異な言語と文化を堅持し、自由闊達で独立心が強いと同時に、カトリック信仰に篤い敬虔なる人びととして描写された。そこには、現実を理想化した異国趣味が、大いに反映されていた。こうしたイメージの断片は、プロスペル・メリメの『カルメン』（1914年初訳）やピエール・ロティの『ラマンチョオ』（1924年初訳）など、バスク地方を舞台とするフランス文学作品を通して、大正時代の日本の教養層に浸透していった。また、ロマン主義には属さないが、スペインの1898年世代に属するピオ・バロハの短編を集めた『バスク牧歌』（1924年初版）が出版されたのも、同じこの時期であった。

他方、18世紀末以降西欧で急速に展開した比較言語学は、バスク語の系統を探ることに腐心していた。19世紀から20世紀初頭にかけての学説の中には、バスク語と日本語、あるいはバスク語とアイヌ語の類縁関係を説くものが散見される。したがって、比較言語学を輸入して教授していた日本の帝国大学においても、バスク語の存在は、日本語の系統をさかのぼる観点から、多分に注目されていたと察せられる。この点で、日本の言語学界にバスク語の存在を周知させることになったのは、泉井久之助の『フンボルト』（1938年）であろう。この著作は、ヴィルヘルム・フォン・フンボルトの生涯と研究成果を詳解する。フンボルトは1799年と1801年にバスク地方を訪問し、周囲のインド＝ヨーロッパ系諸語と言語構造のまったく異なるバスク語に大きな関心を示した。泉井の著作は、必然的にバスク語について少なからぬ紙幅を割いたのであった。

たしかに1930年前後より、木下杢太郎の『えすぱにあ・ぽるつがる記』（1929年）、坂口安吾の『風博士』（1931年）、野上弥生子の『欧米の旅』（1942〜1943年）などのように、バスク地方に言及する紀行文や物語が刊行されており、日本の文化人の視野に、「バスク」という対象が入ってきたかに見える。また、宮川貞次郎が1937年2月の『外交時報』に寄せた小論「スペーン革命戰とバスク族問題」は、当時としては詳細な情勢分析を行っている。だが、日本社会全般においては、事情がまったく異なっていた。たとえば、バスク地方の政治的自治の象徴であるゲルニカの町が空爆を受けた（1937年4月26日）ことは、日本で関心を引かなかった。同年4月28日付けの『東京朝日新聞』がわずかに14行ほど報じていたが、その『朝日新聞』にしても、次にバスク地方の記事を掲載するには、1970年末のブルゴス軍事裁判まで待たなければならなかったのである。

フランコ独裁の軍事法廷がバスク独立運動家に対して即断した死刑判決をめぐっては、ジャン＝ポール・サルトルらの知識人が批判声明を出すなど、国際的な反響を呼んだ。ここに、フランコ独裁に抗う抑圧されたバスク民族、という図式が世界的に知れ渡った。日本では学生運動に翳りが見えはじめた時期だったが、バスク民族の武力独立闘争に一種のロマンチシズムを感じる若者がいたとしても、不思議ではなかろう。この図式は、スペインに民主政治が復活し、バスク地方に広範な自治権が付与された後の1980年代になっても、維持されていった。

その1980年代に、日本における「バスク」への関心は、飛躍的に高まった。もっとも、その伏線として、梅棹忠夫らの京都大学ヨーロッパ学術調査隊が、1967年にバスク地方に3〜4カ月滞留したことを指摘しておかねばなるまい。彼らの滞在記録は、桑原武夫の編集により、『素顔のヨーロッパ』（1968年）として一般向けに刊行され、バスク人の日常生活を広く日本人に知らしめたのである。こうしたことがなければ、1980年代の「バスク・ブーム」はなかったかもしれない。

いくつかの例を見てみよう。永川玲二が雑誌『展望』に発表した「バスクばんざい」（1977年）、民族文化映像研究所の姫田忠義がフランスのコレージュ・ド・フランスと協力して撮影した記録映画『アマルール』（バスク語で《母なる土地》の意味、1981年）、堀田善衞の『情熱の行方』（1982年）、司馬遼太郎が『週刊朝日』に連載した「街道をゆく　南蛮のみちⅠ」（1983年）、バスク伝統スポーツを素材にした武田薬品工業のテレビCMシリーズ（1983年）などは、日本の大衆に「バスク」に対する関心を喚起した。また、下宮忠雄の先駆的著作『バスク語入門』（1979年）をはじめ、バスク語アカデミー名誉会員でもある田村すず子の早稲田大学におけるバスク語勉強会（1982年）、渡部哲郎の『バスク　もう一つのスペイン』（1984年）など、バスクの言語・文化・政治史を日本国内で学ぶ機会が、文献や講義を通して提供されはじめたのが、1980年代前半であった。

ヒト・モノ・情報の大規模移動が加速化し、グローバリゼーションが進行した1990年代に入ると、日本人の「バスク」に対する関心は、さらに多様化する。なかでも、1997年のビルバオ＝グッゲンハイム美術館開館によるバスク地方のイメージ刷新は、決定的であった。20年前には考えられなかったことだが、いまやビルボ（ビルバオのバスク語名）を掲載しないスペイン観光ガイドブックは皆無である。バスク地方に滞在あるいは生活し、現地の情報をブログで発信する日本人の数も増加の一途である。今日の日本人が「バスク」に興味を持つきっかけは、かつて主流であった言語学的関心や独立運動への浪漫というよりも、スポーツ（サッカー、伝統競技）、芸術（民俗音楽、造形美術）、グルメ（バスク新料理）の三つに対する好奇心が主となっている。

昨今、2006年には、「日本バスク友好会」なる任意団体が東京に発足している。また、バスク自治州政府が公認する海外バスク系コミュニティの一つが、2009年、同じく東京に設立された。日本とバスクとの人的交流は、一般市民レベルでダイナミックに始動しつつある。

＊＊＊

現地の生活情報をはじめ、メディア記事、統計資料、公文書から、百科事典や古典文学に至るまで、新旧各種情報がインターネットを通して容易に入手できる今日、現代バスクを取り上げる本書は何を目指すか。

まずは、一定程度の年月の経過に耐えうる基本的事項の説明である。本書の収められている「エリア・スタディーズ」シリーズは、現地の日常生活に密着した情報の提供を売りの一つとしている。しかし今日では、そのような情報の入手は、現地在住の日本人のブログなどを通して、日本語によってもかなり可能である。とはいえ、日本に入ってくるバスク関連情報は、まだまだ断片的であり、往々にして不正確な情報やバイアスのかかった印象が散見される。そこで本書では、基本的事項の叙述をできるだけ重視した。

二つ目は、多方面の情報源に基づいた叙述である。少なくとも日本のメディアに掲載されている時事記事は、スペインやフランスの全国メディアに依拠していることが多い。

本書では、バスク地方のメディアにも目配りすると同時に、ともすれば特定政党の意向を反映しがちな公的機関の資料だけに頼らないよう、注意した。

そして三つ目は、本書で用いる「バスク地方」の用語を、とくに断りのないかぎり、スペイン領のバスク自治州のみならず、同じくスペイン領のナファロア自治州と、さらにはフランス領バスク地方をも含むものとして取り扱う、という点である。なぜなら、本書の第1章でも触れるように、「バスク人」意識を持つ人びとにとっての「バスク地方」とは、バスク自治州に留まらない空間領域として認識されているからである。もちろん、こうした認識は、バスク・ナショナリストの言説と重なる。本文の叙述にあたっては、彼らの言説を参照しつつも、それに無条件に取り込まれないよう、留意したつもりである。

なお、このような「バスク地方」を「バスク・ホームランド」ないし「バスク本土」と呼ぶことがあるのは、世界中に散らばって生活している在外バスク系同胞との対比を念頭に置いている場合である。一方、単なる「バスク」という表現は、人間集団としてのバスク人と地理的空間としてのバスク地方の双方を緩やかに指している、と理解していただければよい。また「現代」とは、おおよそ１９６０年頃から２０１０年頃までの半世紀を想定している。ただし、現代を理解するための史的背景を叙述した箇所が多々ある。

以上の諸点に関連して、本書で試みたことがいくつかある。まず、バスク語の単語のカタカナ表記についてのガイドラインを設けてみた。これまで、バスク語による地名や人名などのカタカナ表記は、まちまちであった。そのため、様々な誤解を生むことがあった。「バスク」に対するよりよき理解のために、本書に提示したガイドラインが、今後積極的に利用されていくことを願っている。

次に、バスク語の固有名詞のカタカナ表記は、地名に関しては、原則として、バスク語表記に基づくカタカナ表記を優先させた。現地語の音を尊重したカタカナ表記という日本の翻訳のよき伝統は、スペインに関する昨今の記述を見渡しただけでも、カタルーニャやガリシアを対象とする場合に、スペイン語ではなく、それぞれの地域に固有な言語のカタカナ表記を尊重する態度に見て取れる。バスク語が公用語の地位を得ていないフランス領バスク地方の地名にもバスク語のカタカナ表記を適用するのかと、異論もあろうが、たとえばフランスのブレイス（ブルターニュ）地方に関する叙述でも、状況は変わりつつある。ただし人名に関しては、慣用例などを参考にして、個別に判断した。

さらに、地名については、バスク語表記とスペイン語表記ないしフランス語表記の対照表を設けた。（中略）このほか、略記号一覧を付すとともに、定訳のある日本語訳についても、原語にさかのぼって見直した。たとえば、非合法テロ組織としてメディアに頻出するETA（エタ）は、《バスク祖国と自由》と訳出されている。しかし、通常の日本語では、「祖国日本」や「祖国スペイン」という言い方をしても、「日本祖国」や「スペイン祖国」とはあまり言わない。よって、本書では《祖国バスクと自由》と訳出しなおした。

（中略）

ちなみに本書の執筆者は、全員が、各自固有の関心から、四半世紀以上にわたって「バスク」と密接に関わってきて、現在もその関係を維持している者である。とはいえ、日本における「バスク学」は、まだまだ未熟である。本書の執筆にあたっては、執筆者の専門領域と異なる分野の叙述を強いられることがしばしばあった。思いもよらぬ誤りを犯しているかもしれないが、見識ある読者の叱責を待つばかりである。また、本書が網羅していない領域が多々あることも、素直に認めざるをえない。たとえば、経済活動や欧州連合（EU）との関連。はたまた、バスク地方に住んでいる非バスク系住民の言説などである。こういった不備を承知しつつも、現代バスクに対するよりよき理解に、たとえわずかであっても寄与できればとの熱い思いから、本書を上梓するに至った次第である。

２０１２年３月

萩尾　生

現代バスクを知るための60章【第2版】

目次

## I 土地・ひと・ことば

## Ⅱ 移ろいゆくものと留まるもの



## Ⅲ 「バスク地方」の形成と再編

## Ⅳ　われわれ意識をつくる

CONTENTS



## V　きずなとしがらみの間

## Ⅵ　古くて新しいもの

## 【バスク地方略図】

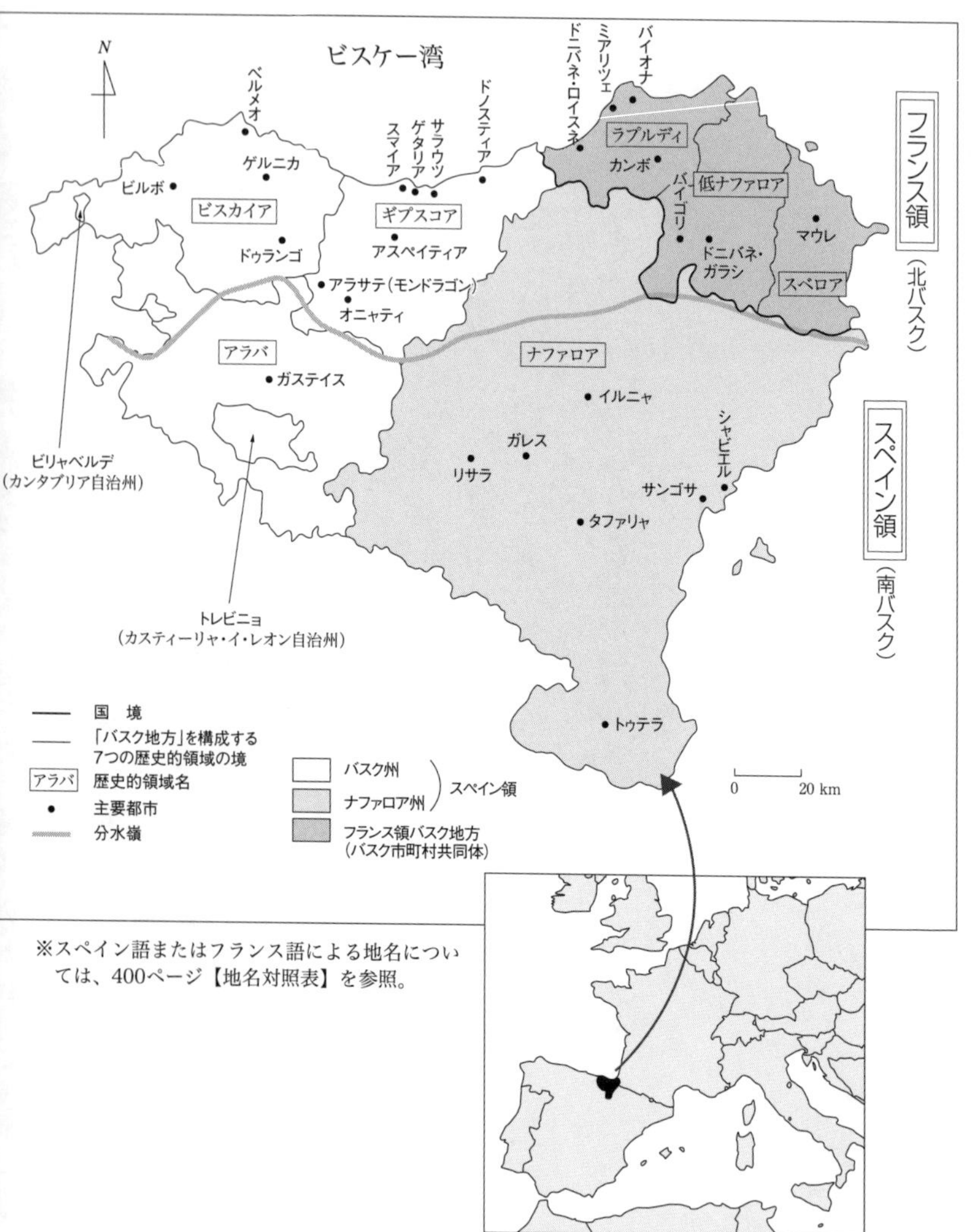


※スペイン語またはフランス語による地名については、400ページ【地名対照表】を参照。

## 【バスク語の語のカタカナ表記に関するガイド】

・本書におけるバスク語の語のカタカナ表記は、本ガイドに準ずるものとする。

・ただし固有名詞については、日本語におけるカタカナ表記が習慣上固定されてしまっているものはそれに従う（たとえば、ザビエル、ロヨラなど)。ただし、慣用的表記が存在する場合でも、それが明らかに間違っている、あるいは不適切であると編者が判断する場合は、このガイドに沿った表記とする。

・例として挙げた語のうち、大文字で始まっているものは固有名詞であり、日本語訳は付さない。それ以外のものには日本語訳を付した。

### 【1】母音

①a, i, u, e, o：ア、イ、ウ、エ、オ。原則として「アー」「イー」などの「長音」は使わない。

②ai, ei, oi, ui, ia, aia, oie ……など、母音が二つ以上連なる場合も、一つ一つの母音をア、イ、ウ、エ、オと表記する。L*ei*tza＝レイツア、*Oia*rtzun＝オイアルツン、Bizk*aia*＝ビスカイア、Etxetg*oie*n＝エチェゴイエン、など。ただし、Iruñ*ea*は例外とし、「イルニェア」でなく「イルニャ」とする。

### 【2】子音：後ろに母音をともなう場合

③ba, bi, bu, be, bo：バ、ビ、ブ、ベ、ボ。*Bi*l*bo*＝ビルボ。

④da, di, du, de, do：ダ、ディ、ドゥ、デ、ド。*Di*ma=ディマ、*Du*rango＝ドゥランゴ。

⑤dda, ddi, ddu, dde, ddo：ジャ、ディ、デュ、ジェ、ジョ。Ma*ddi*＝マディ。

⑥fa, fi, fu, fe, fo：ファ、フィ、フ、フェ、フォ。Na*fa*rroa＝ナファロア。

⑦ga, gi, gu, ge, go：ガ、ギ、グ、ゲ、ゴ。*Gi*puzkoa＝ギプスコア。

⑧ha, hi, hu, he, ho：スペイン領ではア、イ、ウ、エ、オ。フランス領ではハ、ヒ、フ、ヘ、ホとなる場合があるので個々の語ごとに確認する必要がある。*Ho*ndarribia＝オンダリビア。

⑨ja, ji, ju, je, jo：ハ、ヒ、フ、ヘ、ホ／ヤ、イ、ユ、イェ、ヨ／ジャ、ジ、ジュ、ジェ、ジョの3つの場合がある。語によっていずれでもよい場合と、いずれかに決まっている場合があるので、個々の語ごとに確認する必要がある。*Jo*n＝ヨン、*Jo*seba＝ヨセバ／ジョセバ／ホセ

バ、*Jo*xe ＝ホシェ、Mari*jo* ＝マリジョ／マリホ。

⑩ ka, ki, ku, ke, ko：カ、キ、ク、ケ、コ。Laz*ka*o ＝ラスカオ。

⑪ la, li, lu, le, lo（直前に i がない場合）：ラ、リ、ル、レ、ロ。Bete*lu* ＝ベテル。

⑫ la, li, lu, le, lo（直前に i がある場合）：ラ、リ、ル、レ、ロまたはリャ、リ、リュ、リェ、リョ。mi*la* ＝ミラ／ミリャ〈千〉。地域差により両方の発音が認められている。ただし、語によってはどちらかに決まっている場合があるので、個々の語ごとに確認する必要がある。

⑬ lla, lli, llu, lle, llo：リャ、リ、リュ、リェ、リョ。Pe*llo* ＝ペリョ。

⑭ ma, mi, mu, me, mo：マ、ミ、ム、メ、モ。Ber*me*o ＝ベルメオ。

⑮ na, ni, nu, ne, no（直前に i がない場合）：ナ、ニ、ヌ、ネ、ノ。Zea*nu*ri ＝セアヌリ。

⑯ na, ni, nu, ne, no（直前に i がある場合）：ナ、ニ、ヌ、ネ、ノまたはニャ、ニ、ニュ、ニェ、ニョ。bai*na* ＝バイナ／バイニャ〈しかし〉。地域差により両方の発音が認められている。ただし、語によってはどちらかに決まっている場合があるので、個々の語ごとに確認する必要がある。

⑰ ña, ñi, ñu, ñe, ño：ニャ、ニ、ニュ、ニェ、ニョ。O*ña*ti ＝オニャティ、Abadi*ño* ＝アバディニョ。

⑱ pa, pi, pu, pe, po：パ、ピ、プ、ペ、ポ。*Pa*saia ＝パサイア。

⑲ ra, ri, ru, re, ro：ラ、リ、ル、レ、ロ。A*ra*ba ＝アラバ。

⑳ rra, rri, rru, rre, rro：ラ、リ、ル、レ、ロ。Honda*rri*bia ＝オンダリビア。

㉑ sa, si, su, se, so：サ、シ、ス、セ、ソ。Tolo*sa* ＝トロサ、U*su*rbil ＝ウスルビル。ただし、例えばフランス領の人名で Jo*se* を「ジョゼ」と発音する場合は、そのようにカナ表記する。

㉒ ta, ti, tu, te, to：タ、ティ、トゥ、テ、ト。A*ta*un＝アタウン、Por*tu*galete ＝ポルトゥガレテ。

㉓ tsa, tsi, tsu, tse, tso：チャ、チ、チュ、チェ、チョ。I*tsa*su ＝イチャス。

㉔ tta, tti, ttu, tte, tto：チャ、ティ、テュ、チェ、チョ。Ka*tta*lin ＝カチャリン、pi*tti*n ＝ピティン〈少量〉。

㉕ txa, txi, txu, txe, txo：チャ、チ、チュ、チェ、チョ。O*txa*ndio ＝オチャンディオ。

㉖ tza, tzi, tzu, tze, tzo：ツァ、ツィ、ツ、ツェ、ツォ。Abar*tzi*zketa ＝アバルツィスケタ。

㉗ xa, xi, xu, xe, xo：シャ、シ、シュ、シェ、ショ。*Xa*bier ＝シャビエル。

㉘ za, zi, zu, ze, zo：サ、シ、ス、セ、ソ。*Za*rautz＝サラウツ。*Zi*buru＝シブル。

**【3】母音＋子音で終わる場合の語末の子音、および子音の直前にある子音（tz, ts, tx は1文字分と考える）**

㉙短母音を含む単音節の語の語末のtは「ット」とする。（ただしこのような語は極めて少ない。）ba*t*＝バット。また、それらの語を含む2音節以上の複合語や派生語でも同様とする。hainba*t*＝アインバット〈それほどたくさんの〉。
それ以外の語末のtは「ト」とする。zait＝サイト（助動詞の活用形の一つ）。Berna*t*＝ベルナト。Eñau*t*＝エニャウト。Aier*t*＝アイエルト。

㉚子音の直前のtは「ト」とする。*t*rikitixa＝トリキティシャ〈小型のアコーディオン〉。

㉛子音の直前のdは「ド」とする。a*d*reilu＝アドレイリュ〈れんが〉。An*d*rea＝アンドレア。

㉜語末のnおよび子音の直前のnは「ン」とする。Iru*n*＝イルン。O*n*darroa＝オンダロア

㉝上記以外の後末の子音、子音の直前の子音：日本語のウ列のカナで示す。gu*k*＝グク〈私たちが〉、Aza*g*ra＝アサグラ、Eiba*r*＝エイバル、O*r*dizia＝オルディシア、Zarau*tz*＝サラウツ、Ame*z*keta＝アメスケタ、Berri*z*＝ベリス、Gare*s*＝ガレス、eu*s*kara＝エウスカラ〈バスク語〉、Idiazaba*l*＝イディアサバル、Bi*l*bo＝ビルボ。なお、音楽グループの名である Oskorri については、すでに「オシュコリ」というカタカナ表記が定まっているので、これを採用する。

**【上記以外の特筆事項】**

㉞促音「ッ」は、㉙以外のケースでは使用しない。Miarritze＝ミアリツェ（ミアリッツェとしない）。

㉟長音を表す「ー」は使用しない。Xalbador＝シャルバドル（シャルバドールとしない）。

㊱初めに述べたとおり、慣用的表記が固定している表記はそれを優先するが、慣用的表記でもそれが明らかに間違っている、あるいは不適切である場合はこのガイドに沿った表記とする。それ以外のものも、このガイドを適用しつつ、個別に対応すべきと判断されるものは個別に対応する。

㊲共通バスク語と異なる音韻体系を持つ諸方言の語についても、上のガイドに沿わずに個別の対応をすることがある。

注　本文中、特記なき図表、写真は著者が作成または撮影したものである。

# I

# 土地・ひと・ことば
## バスクへの誘い

Erri-alde guzietan toki onak ba-dira,
baiña biotzak dio: «Zoaz Euskal-errira»

どの土地にも良き場所というものがあるけれど、
心が語りかけるのだ、「バスク地方へ行けよ」と

—Jose Maria Iparragirre “Agur euskal-erria’ri”
ホセ・マリア・イパラギレ「バスク地方に挨拶」

I

土地・ひと・ことば

# 1

# バスク地方とは

## ★空間領域の問題★

20世紀に高揚したバスク・ナショナリズムの視点に立てば、「バスク地方」とは、「七つは一つ Zazpiak bat」という標語に見て取れるとおり、七つの「歴史的領域」から構成されるおよそ2万平方キロメートルの地理的範囲を指す〈表1〉および18ページ地図参照)。これらの歴史的領域とは、スペイン国内のアラバ、ビスカイア、ギプスコア、ナファロア、そしてフランス国内のラプルディ、低ナファロア、スベロアの七つである。ピレネー山脈の最西端からビスケー湾へと広がるこれら7領域は、お互いに競合し、あるいは協力し合って、それぞれ固有の歴史を歩んできた。11世紀初頭にナファロア王国がこれらの領域全体をほぼ包含する形で短期間統治したとはいえ、七つの領域が一つにまとまって「バスク」の名称下に主権国家を形成したことは、現在に至るまで一度もない。

今日、スペイン国内の歴史的領域のうち、アラバ、ビスカイア、ギプスコアの3県は1979年以来バスク自治州を構成し、ナファロア県は1982年より単独で自治州を成す。これら二つの自治州は、徴税権を含む独自の財政制度を有するなど、スペインの他の自治州よりも高度な自治権を持つ（以下、本書では

〈表1〉バスク地方7領域の面積と人口

| 国土 | 州／地域圏 | 歴史的領域 | 面積（km²） | 人口（人） | 人口密度（人／km²） |
|---|---|---|---|---|---|
| スペイン | バスク州 | ①アラバ県 | 3,037 | 330,189 | 108.5 |
| | | ②ビスカイア県 | 2,217 | 1,144,123 | 516.6 |
| | | ③ギプスコア県 | 1,980 | 718,887 | 363.4 |
| | ナファロア州 | ④ナファロア県 | 10,391 | 661,537 | 63.7 |
| フランス | ヌーヴェル・アトランティック地域圏、ピレネー・アトランティック県の中の「バスク市町村共同体」 | ⑤ラプルディ地方 | 855 | 266,237 | 311.4 |
| | | ⑥低ナファロア地方 | 1,322 | 31,867 | 24.1 |
| | | ⑦スベロア地方 | 814 | 14,650 | 18.0 |
| | | 計 | 20,616 | 3,167,490 | 153.6 |

※　①②③の人口と人口密度は、バスク統計院（EUSTAT）の2021年1月1日付けデータに基づく。
※　④の人口と人口密度は、ナファロア統計院（NASTAT）の2021年1月1日付けデータに基づく。
※　①②③④の面積は、スペイン国土地理院（IGN）のデータに基づく。
※　⑤⑥⑦のデータは、Gaindegiaの2021年3月9日付けのデータに基づく。

原則としてスペインの「自治州」を「州」と表記する）。これに対しフランス領バスク地方は、ヌーヴェル・アキテーヌ地域圏の中のピレネー・アトランティック県の西半分を占める。この土地を構成するラプルディ、低ナファロア、スベロアの三つの歴史的領域は、旧体制下の領域区分に由来し、革命後のフランスのいかなる行政区分単位とも合致しなかったが、２０１７年に、これら3領域の１５８の基礎自治体（コミューン）が結集してバスク市町村共同体を編成し、地方自治上の限定的な自治体間連携を達成している。なお、スペイン領の四つの県を合わせて「南バスク Hegoalde/Hego Euskal Herria」、フランス領バスク地方のことを「北バスク Iparralde/Ipar Euskal Herria」とも言う。

ややや古いデータだが、バスク研究協会（Eusko Ikaskuntza）が主導してバスク7領域の住民を対象に実施した２００４年の社会調査によれば、「バスク地方」という空間領域に対する住民の認識は、バスク7領域をバスク地方とみなす者と、バスク州をバスク地方とみな

〈表2〉「バスク地方」とは

| 定義される空間領域 | 左記定義に同意する者の割合（%） | |
|---|---|---|
| | 被調査者全員 | うちバスク語話者 |
| 7領域全体を指す | 30 | 44 |
| バスク州のみを指す | 30 | 18 |
| バスク州とナファロア州を指す | 7 | 5 |
| フランス領バスク地方のみを指す | 2 | 2 |
| その他 | 23 | 25 |
| わからない／無回答 | 8 | 7 |
| 計 | 100 | 100 |

出所：Eusko Ikaskuntza, *Euskal nortasuna eta kultura XXI. Mendearen hasieran*, 2006より作成。

す者とが、ともにそれぞれ全体の3割を占める〈表2〉。前者に特徴的な属性は、45歳未満の若い世代、バスク語の話し手、両親と本人ともにバスク7領域内で出生、自らをバスク人と感じている、という四つである。反対に後者に顕著な属性は、バスク語を話せない者、7領域以外からの流入者、バスク人意識の弱い者、の三つである。

残り4割の住民がその他の認識を持っていることから、「バスク地方」の空間領域に対する住民の共通理解は、未だ欠けていると言わざるをえない。とはいえ、「バスク地方」をバスク民族の歴史的郷土たるホームランドとしてバスク7領域に重ね合わせるか、政治・行政上の単位を基準としてバスク州に重ね合わせるか、という二つの大きな傾向があることは、少なくとも認めてよいだろう。事実、2020年にテレスフォロ・モントン財団が実施した同様の社会調査からも、「バスク地方」という領域認識に上述した二つの潮流があることが、はっきり示されている（*Naziometroa*, 2020/11）。本書では、とくに断りない場合、「バスク地方」とは、バスク7領域を指すものとする。

ところで、空間領域の問題をさらに複雑にしているのが、バスク語、スペイン語、フランス語の各言語による「バスク地方」の呼称である。

フランス語の「ペイ・バスク Pays basque」は、狭義にはフランス領バスク地方の3領域のみを指し、広義には7領域全域を指す。スペイン語の「プロビンシアス・バスコンガーダス Provincias Vascongadas」および「パイス・バスコ País Vasco」は、ともにアラバ、ビスカイア、ギプスコアの3県を指すが、後者はバスク7領域を指すことがまれにある。また、バスク7領域を指すスペイン語として「バスコニア Vasconia」の単語が意図的に使われることもある。このように、フランス語とスペイン語の呼称の使い分けは、比較的すっきりしている。

問題はバスク語による呼称である。バスク語には、「エウスカル・エリア Euskal Herria」と「エウスカディ Euskadi」の二つの呼び方が存在する。「エウスカル・エリア」は本来《バスク語の話されるくに》を意味する（「エウスカル《バスク語の》」＋「エリア《くに》」）。ここで平仮名で「くに」としたのは、「エリア」の語が、いわゆる「おくに自慢」の「くに」と同様、「国家」のニュアンスを必ずしも含まないからである。この言い方は、1560年代以降の文字記録において広く確認されている。一方、「エウスカディ」は、バスク・ナショナリズムの始祖サビノ・アラナが19世紀末に案出した新造語である（当初の綴りはEuzkadi）。本来、独立したバスク民族国家を含意したため、通常《バスク国》と訳される。どちらの呼称も、元来バスク7領域を指してきた。

ところが、1979年にスペインでバスク州が成立すると、話が込み入ってくる。バスク州の最高法規である自治憲章（ゲルニカ憲章）は、スペイン語とバスク語の2言語で書かれ、ともに正文である。その第1条がバスク州の名称を規定しているのだが、スペイン語版では「パイス・バスコまたはエウスカディ」、バスク語版では「エウスカディまたはエウスカル・エリア」と、計3種類の呼称を公定したのであった。

これらの呼び方のうち、「パイス・バスコ」は、先述した旧来からの用法に近く、さほど問題にならない。しかし、「エウスカディ」と「エウスカル・エリア」を三つの領域から成るバスク州のみに適用することについては、一部の市民の反発や混乱を招き、今日にまで至っている。バスク語アカデミーは、「エウスカディ」をバスク州を指すのに、「エウスカル・エリア」をバスク7領域を指すのに、それぞれ用いることを提案している。しかし、たとえば強硬なバスク・ナショナリストなどは、「エウスカディ」をバスク7領域から成る将来のバスク独立国家のために留保することを訴えている。

以上のとおり、「バスク地方」といっても、それがどのような地理的空間を指しているかは、個人の立場や政治社会的文脈によって、まちまちである。したがって、新聞記事や統計資料や政党の広報などにしても、そこで用いられている「バスク地方」の呼称が、具体的にどの範囲を指すのかを十分把握しないと、誤解を招きかねない。

余談だが、「エウスカル・エリア」の「エリア」は、じつは地理的空間としての《くに》の意味だけではなく、《人民》や《民族》といった人間集団をも意味する。現にバスク州自治憲章第1条は、州を構成する主体に対して、この「エウスカル・エリア」の語を用いている。この場合の「エウスカル・エリア」は、《バスク地方》ではなく、《バスク人民》ないし《バスク民族》と解釈しなければなるまい。

（萩尾　生）

# 2

# バスク人とは

## ★その起源と自己定義★

今日のバスク地方には、先史時代の遺跡が数多く存在する。低ナファロア地方のイストゥリッツ洞窟、ビスカイア県のサンティマミニェ洞窟ほかで発見された石器群や洞窟画、あるいは山地に点在するドルメン、メンヒル、環状列石（ストーンサークル／クロムレック）といった巨石文化の遺跡など、人類の痕跡とおぼしきものは旧石器時代中期（約15万年前）にまでさかのぼって確認される。

バスク地方で見つかった最古の「人骨」は、約7万5000年前のものである。それらはネアンデルタール人の特徴を有しており、今日のバスク人の先祖ではないと思われる。現バスク人の祖先と想定される人骨の断片は、マドレーヌ文化後期（1万2000〜1万4000年前）の地層からいくつも発見されている。ギプスコア県のウルティアガ遺跡で1935年から翌年にかけて発掘された三つの頭蓋骨のうち一つは、この時代のものと測定され、クロマニョン人の特徴を兼ね備えていた。そのため、バスク人はクロマニョン人の直系の子孫ではないかとの説が広まったが、その後の放射性炭素年代測定により、この頭蓋骨はもっと新しい年代のものだということが判明している。

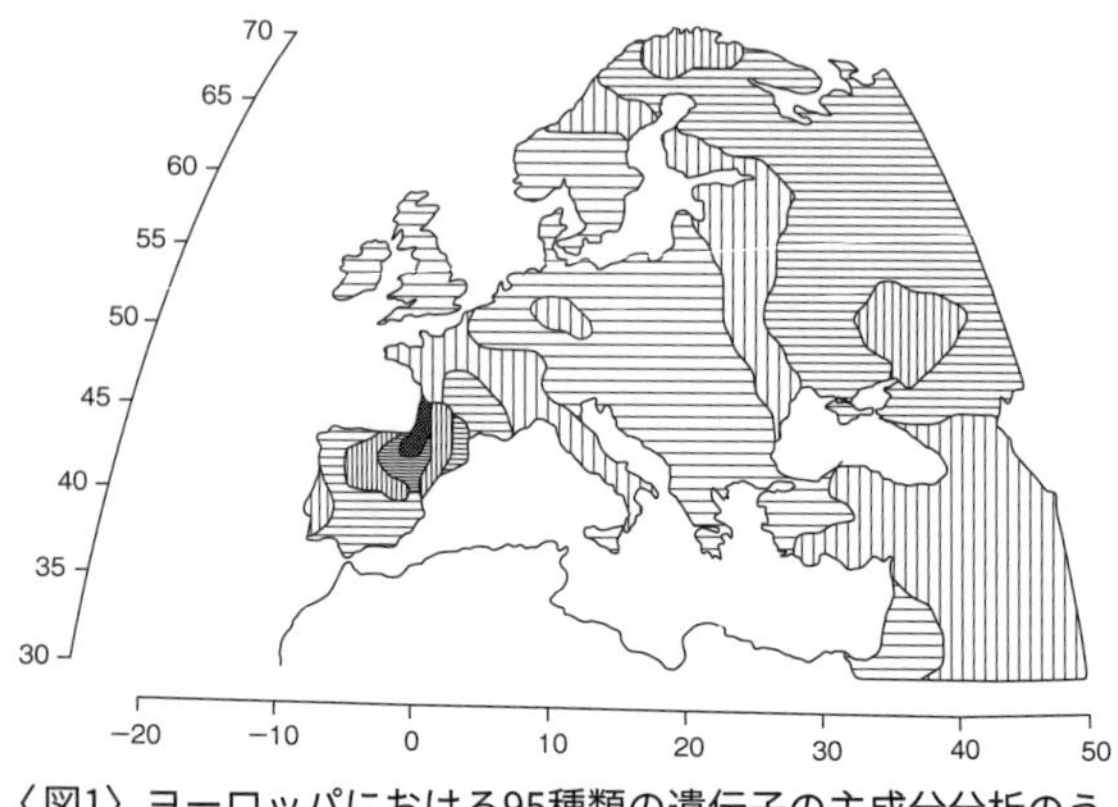


〈図1〉ヨーロッパにおける95種類の遺伝子の主成分分析のうち、第5主成分の分布

直線の間隔が狭いほど高頻度。バスク地方に一つの極があることがわかる。
出所：Cavalli-Sforza, L. L. et al., *The History and Geography of Human Genes*, Princeton University Press, 1994, p. 294.

１９３０年代から１９４０年代に始まり、その後何度も行われた血液型の調査は、バスク７領域出身者に特異な血液型分布を明らかにした。これら一連の調査によれば、当該地域出身者の間でＡＢＯ式のＢ型発現率が２％とヨーロッパにおける最低値を、Ｏ型発現率が75％とヨーロッパにおける最高値を、それぞれ示す。また、劣性遺伝であるＲｈマイナス型の発現率が25％強（Ｒｈマイナス因子保有者はこの平方根であるから、全体の50％強）という、世界的にも突出した数値を記録し、長期に及ぶ集団内婚姻の頻度の高さが推測される。

20世紀末における遺伝子解析技術の急速な進歩は、ミトコンドリアＤＮＡやＹ染色体、あるいはヒト白血球型抗原（ＨＬＡ）の解析を可能にした。１９９０年頃にヨーロッパの遺伝子地図を作成し

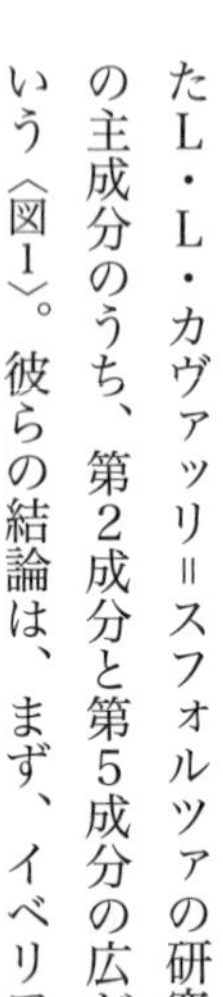
たＬ・Ｌ・カヴァッリ＝スフォルツァの研究グループによれば、ヨーロッパにおける95種類の遺伝子の主成分のうち、第２成分と第５成分の広がりの極が、とくに後者が、今日のバスク７領域にあるという〈図1〉。彼らの結論は、まず、イベリア半島における遺伝子レベルでの最大の差異は、バスク系

住人と非バスク系住人との間に存在する、そして次に、バスク人はおそらく旧石器時代ないし中石器時代の人びとの子孫で、非バスク人は新石器時代にヨーロッパへ押し寄せてきた人びとの子孫ではないか、というものである。ここから、バスク人がクロマニョン人の直系子孫だとの仮説が再浮上している。

その後も、遺伝子解析技術を駆使したバスク人の起源に関する新説が、「最先端科学」の名の下に相次いで発表されている。しかし、新説の中には、複雑多岐な遺伝子情報のごく一部にのみ注目して結論を導いたがため、その後の検証によって否定される事例が少なくない。たとえば、ＨＬＡ解析を通してバスク人北アフリカ起源説を唱えたスペイン人研究グループの仮説は、１９９７年当時反響を呼び、少し遅れて日本でも紹介されたが、その後の研究によって否定されている。こういうわけで、最新の諸説については、今しばらく留保したい。

他方、言語学による地名研究から、バスク語の話し手は、かつて、北はフランスのガロンヌ河流域、東はアンドラを経て地中海沿岸近くまで、かなり広い範囲に居住していたことが示唆されている〈図2〉。また、インド＝ヨーロッパ系言語のものではない語末要素-osや-uesなどを有する地名の分布は、先述の血液型の特異な分布と合致し、その範囲は、カエサルが『ガリア戦記』の中で「アクィーターニー人」と呼んだ人びとの居住地域とほぼ一致することがわかっている。さらには、断片的な碑文や文書から、「アクィーターニー人」のことばがバスク語と類縁関係にあることも、ほぼ定説となっている。

以上のとおり、バスク人の起源については、詳しいことがわからない。たしかに、考古学、人類学、

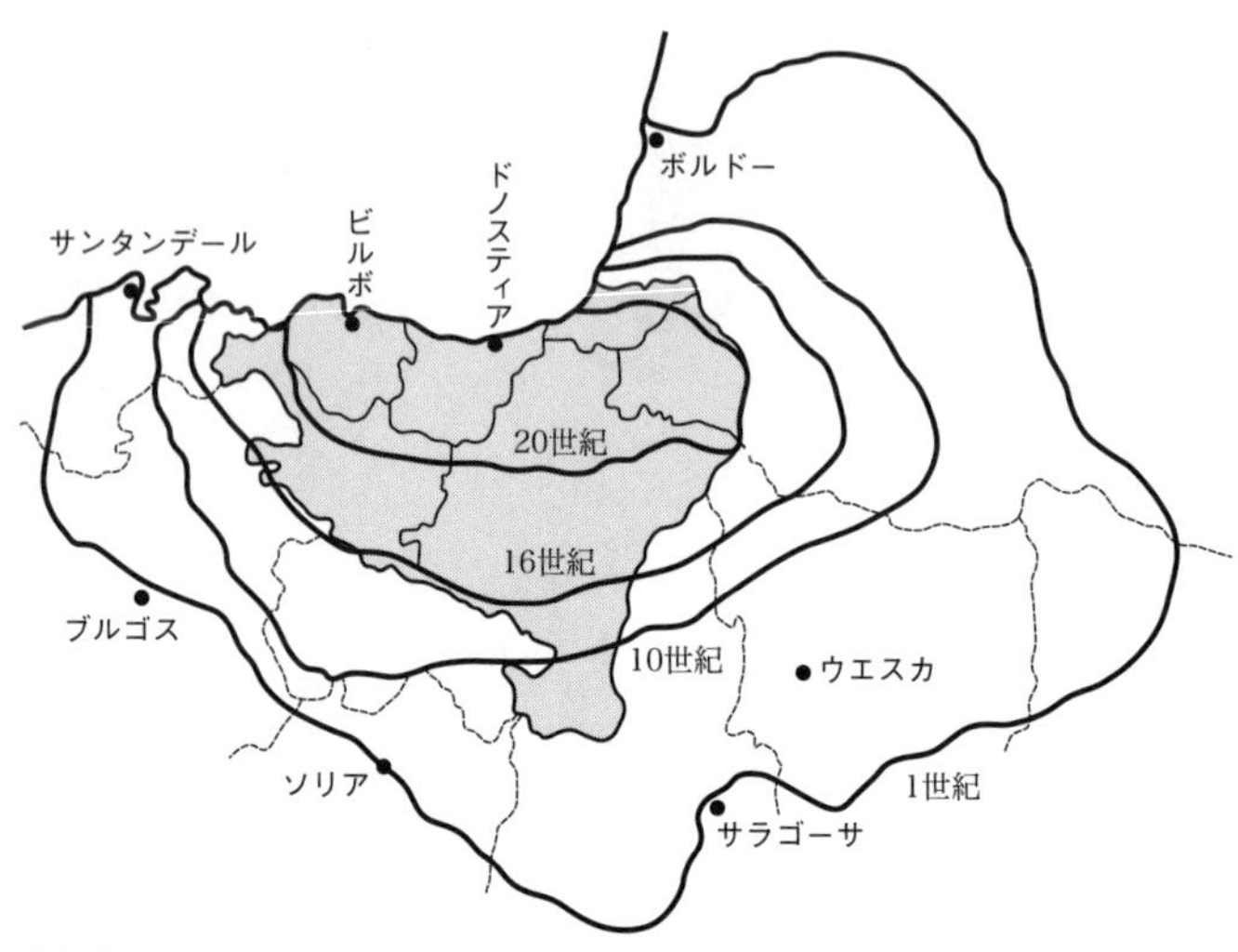


〈図2〉バスク語の話される地理的領域の推移
出所：Euskaltzaindia, *Conflicto lingüístico en Euskadi*, Ediciones Vascas, 1979.

言語学、集団遺伝学のいずれの学問領域も、今から2000年ほど前、現フランス南西部のランド県とピレネー・アトランティック県辺りに居住していた「アクィーターニー人」とバスク人とのつながりを示唆している。だが、それ以上のことは、今後の総合的な研究の進展を待つばかりである。

ところで、バスク人の自称は、エウスカルドゥン（euskaldun）である。これは、辞書の項目に掲載されている語形（絶対格不定数）である。日常生活においては、絶対格単数形語尾 -a を付してエウスカルドゥナ（euskalduna）、あるいはさらに絶対格複数形語尾 -k を付してエウスカルドゥナク（euskaldunak）と呼ばれることのほうが多い。この自称は《バスク語の話し手》を意味し、《バスク語以外の言語の話し手》を意味するエルダルドゥン（erdaldun）に対置される。このように、バスク人とそれ以外の人間集団を区別する上で、バスク語は重要な指標であったことがわかる。そのことは、バスク地方を指すエウスカル・エリアの用語が、《バスク語の話されるくに》を意味することにも象徴されている。なお、今日では、バスク語を母語として育った話し手を「旧バスク語人」、母語とせず後に習得した話し手を「新バスク語人」と、それぞれ呼ぶことがある。

19世紀末にバスク民族意識が高揚する中で、PNV（バスク語ではEAJと略記）《バスク・ナショナリスト党》を創設したサビノ・アラナは、①血族、②言語、③統治と法、④気質と習慣、⑤歴史的人格の五つを、バスクの民族性として定義づけた。言語は一度失われても復活できるが、純血性は一度失われると取り戻せないとの認識から、言語は第2位に置かれている。党員資格要件にも、本人を含め3世代にさかのぼってバスクの姓を持つことが挙げられた。

しかし、その後のヒトの移動が広範囲かつ高頻度になり、バスク系集団と非バスク系集団との間の婚姻が進み、後述するようにバスク語の話し手の割合が低減していった結果、上述のような客観的基準による定義は意味をなさなくなってきた。今日では、バスク人とは「自らをバスク人だと意識している者」だ、といったような主意的な定義づけが主流である。

とはいえ、外国人が片言の挨拶ことばだけでもバスク語を用いるなど、バスク語を重んずる態度を示せば、バスク人の応対が一気に好転することは、多々観察されているところである。

（萩尾　生）

# 3

# バスク語とは

## ★系統不明の謎の言語★

【話者数など】「バスク語」をバスク語でエウスカラ（euskara. 方言によりエウスケラ euskera, エスクアラ eskuara とも）と言う。バスク語はバスク地方で話されているが、そのすみずみで使われているわけではない。南の方ではすでに消滅している〈図1〉。10世紀頃にはすでにナファロアの南端では話されなくなってい た（第2章〈図2〉を参照）。現在の話者数はバスク地方の人口約300万人のうち80万から90万と見積もられている。バスク語話者のほぼ全員がスペイン語またはフランス語とのバイリンガル（または多言語使用者）である。バスク語の話者は固まって暮らしているわけではなく、どの市町村でもバスク語話者と、バスク語話者でない人（おもにスペイン領ではスペイン語、フランス領ではフランス語を母語や第一言語とする話者だが、昨今ではアフリカやアジアや東ヨーロッパなど世界の様々な地域からの移民も増えており、住民の母語も多岐にわたってきている）が混在しているのが普通である（どちらが多いかは所により大きく異なる）。すなわち、住民の100％がバスク語の話者であるという市町村はまずないと言ってよい。

【系統など】バスク語は、他のどの言語とも親縁関係が未だに

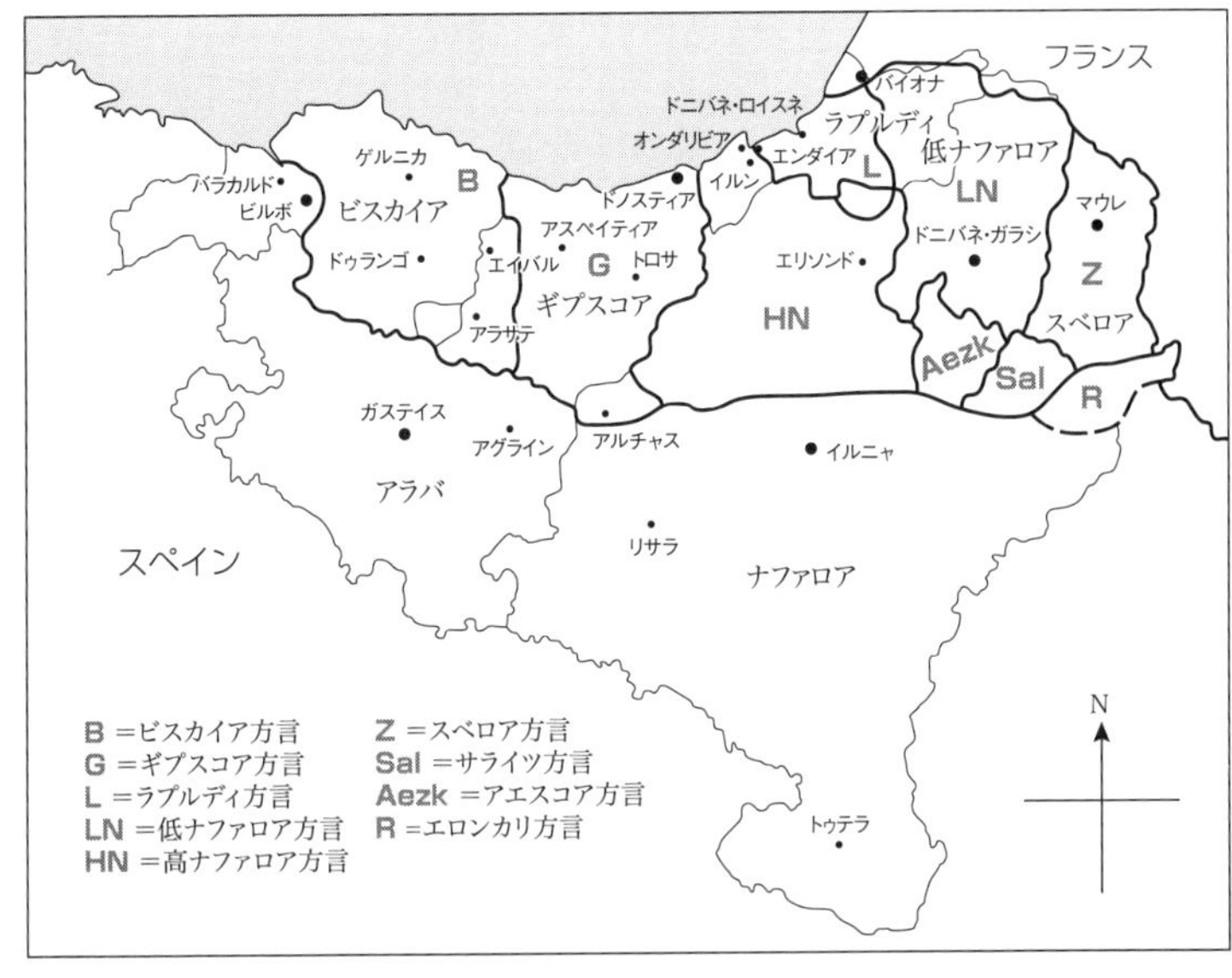


〈図1〉バスク語域（ミチェレナによる方言分類）

出所：R. L. Trask, *The History of Basque*, Routledge, 1997より一部改変。

証明されておらず、系統的には孤立している。これまでジョージア語（グルジア語）をはじめとしていくつかの言語との親縁関係が取り沙汰されてきたが、インド＝ヨーロッパ語族の言語がヨーロッパに広がる以前から今の場所にあった、という説が有力である。系統的には孤立していても、近隣の言語との接触は当然古くからあり、とくに語彙の面で様々な言語から大きな影響を受けている。古くはラテン語から教会関係の語をはじめとして多くの語をじかに借用している。また、数は少ないがケルト語やゲルマン語からの借用語もある。フランス語とスペイン語からは大量の語を借用し続けているだけでなく、文法の面でも影響を受けている部分がある。「書かれたバスク語」として発見されている最古のものは、ローマ時代の墓碑銘などに見られる固有名詞である。12世紀にはフランスの巡礼者ピコーがバスク語の語彙をいくつか書き残している。現在わかっている範囲でのバスク語による最初の印刷本は、低ナファロアの司祭、ベルナト・エチェパレ（Bernat Etxepare）による１１６２行から成る詩集で、１５４５年にボルドーで出版された『リングアエ・ウァスコヌム・プリミティアエ *Linguae Vasconum Primitiae*』《バスク初文集》である。当時の出版物の例に倣い、題名はラテン語である。バスク語の標準語も正書法もなかった時代なので、著者自身の方言で、また著者が工夫した綴りで書かれている。

**【音韻と文字】**母音はスベロア方言を除いて /i, e, a, o, u/ の五つで、日本語の母語話者には易しいが、/u/ だけは日本語の「ウ」と違い、口笛を吹くときのように唇を丸める円唇母音なので注意が必要。スベロア方言ではこれに円唇前舌狭母音の /ü/ が認められる。子音では、歯茎系の三つの無声摩擦音とそれらのカウンターパートである三つの無声破擦音を区別することが特筆されるが、日本語の母語話者にとって困難な音は少ないと言える。文字はラテン文字を使用している。

**【方言・標準語】**狭い地域で少数の人に話されている言語であるにもかかわらず、バスク語は方言が豊富であり、方言間の違いも比較的大きい。方言の大分類の仕方には諸説あり、ミチェレナは〈図1〉のように分けている（エロンカリ方言とサライツ方言は消滅している）。東端のスベロア方言と西端のビスカイア方言では相互理解が困難なほどであり、下位方言間にもかなりの違いがある。たとえば「私たちは〜した」には、genduan, genduen, gendun, genun, giñuen, gindue, gindien, ginuen, günian などの地域変種がある。バスク民族は独立した国家を持ったことがないため、バスク人側からのバスク語の「言語政策」も長い間行われなかったが、１９６０年代に「バスク語アカデミー」（標準語の制定、辞書の編纂、方言調査などに携わる公的機関）により、バスク語のいわゆる標準語である

「共通バスク語」（バスク語でエウスカラ・バトゥア、統一バスク語などとも訳される）の制定が始まった。方言ごとにばらばらであった「書き方（綴りなど）」を統一して「正書法」を定め、名詞や動詞の活用形などをおもにギプスコア方言とラプルディ方言をもとに一つにまとめたものである。語はあらゆる方言のものを取り入れている。共通バスク語はおもに読み書きのために作られたものであるが、教育の場や報道機関、また「スペイン語やフランス語話者の家庭に生まれ育ったにもかかわらず幼少時からバスク語で教育を受けてきた人」には音声言語としても使われている。日常的にバスク語を使う環境に生まれ育ちバスク語を母語とする人は、日常の話しことばとしては各自の方言を用いるのが普通であり、とくに、バスク語での学校教育を受ける機会に恵まれず、共通バスク語を習得していない世代にとっては、バスク語といえばまず何をおいても自身の方言のことである。

**【バスク語の特徴】**二つの点にしぼって見ていく。まず、名詞的な要素における特徴として、いわゆる前置詞言語ではなく、その名詞（句）の文中での役割を示すためには「格語尾」が用いられる。格は研究者により諸説に分かれるが、バスク語アカデミーによると15を数え〈表1〉、分格を除くすべての格に不定数形、単数形、複数形がある。絶対格不定数形は何の語尾も付かない基本形で、辞書の見出し語にもなる。〈表1〉は bide《道》という無生物を表す語の例だが、生き物を表す語では、位置格、方格、奪格、方向格、到格の形が少し異なる（植物を表す語は文法上は無生物として扱われる）。絶対格と能格と与格は動詞・助動詞の活用に関係する。特筆すべきは能格と絶対格の役割である。能格は、例外もあるが基本的にはいわゆる直接目的語がある文において主語になる格である。絶対格は、いわゆる直接目的語のない文において主語になる格であるが、直接目的語のある文での直接目的語にもな

〈表1〉バスク語の格

| 格とその役割 | 不定数形 | 単数形 | 複数形 |
|---|---|---|---|
| 絶対格：基本的に、自動詞文の主語、他動詞の直接目的語を表す | bide《道》 | bidea | bideak |
| 能格：おもに他動詞の主語を表す | bidek | bideak | bideek |
| 与格：〜に、〜から | bideri | bideari | bideei |
| 所有属格：〜の（場所・位置的） | bideren | bidearen | bideen |
| 位置属格：〜の（所有・帰属関係） | bidetako | bideko | bideetako |
| 位置格：〜において（空間的・時間的位置） | bidetan | bidean | bideetan |
| 方格：〜へ | bidetara | bidera | bideetara |
| 奪格：「〜から」（空間的・時間的起点） | bidetatik | bidetik | bideetatik |
| 方向格：〜の方へ | bidetarantz | biderantz | bideetarantz |
| 到格：〜まで | bidetaraino | bideraino | bideetaraino |
| 受益格：〜のために、〜にとって | biderentzat | bidearentzat | bideentzat |
| 動機格：〜のせいで、〜のために | biderengatik | bidea（ren）gatik | bideengatik |
| 共格：〜とともに、〜で（道具・手段） | biderekin | bidearekin | bideekin |
| 具格：〜で（道具・手段・話題） | bidez / bidetaz | bideaz | bideetaz |
| 分格：疑問文・否定文で絶対格の代わりに現れる | biderik（単複の区別なし） | | |

〈表2〉絶対格と能格の例

| 直接目的語のない文 | 直接目的語のある文 |
|---|---|
| (1-a) Eneko etorri da.<br>エネコ（絶対格） 来た<br>「エネコが来た」 | (2-a) Enekok Ane ikusi du.<br>エネコ（能格） アネ（絶対格） 見た<br>「エネコがアネを見た」 |
| (1-b) Ane etorri da.<br>アネ（絶対格） 来た<br>「アネが来た」 | (2-b) Anek Eneko ikusi du.<br>アネ（能格） エネコ（絶対格） 見た<br>「アネがエネコを見た」 |

る。例を見よう〈表2〉。直接目的語のない文（1－a）（1－b）では、それぞれの主語Eneko, Aneは絶対格で表される。一方、直接目的語のある文（2－a）（2－b）では、主語はEnekok, Anekと能格で表され、直接目的語は、直接目的語のない（1－a）（1－b）の文で主語の役割を果たしていた絶対格で表される、というわけである。

次に、動詞述語だが、（1－a）（1－b）のetorri daは「（3人称単数の人・モノが）来た」、（2－a）（2－b）のikusi duは「（3人称単数の人・モノが3人称単数の人・モノを）見た」を表す。これがetortzen, ikustenと不完了形になると、習慣的・反復的な事態を表し、etorriko, ikusikoと未来形になると、未来のことや不確かなことを表す。etorri daのda, ikusi duのduは、助動詞と呼ばれるものの活用形である。助動詞は、文中に現れる能格・絶対格・与格の三つの名詞句の人称と数、現在・過去の時制の別、直説法や条件法などの法の別を表す。daは、直説法現在で、原則として文中に能格も与格もなく、絶対格3人称単数の名詞句（Eneko/Ane）があるときに使われる活用形である。duは、直説法現在で、原則として文中に与格がなく、能格3人称単数の名詞句（Enekok/Anek）と絶対格3人称単数の名詞句（Eneko/Ane）があるときに用いられる活用形である。すなわち、時制と法、そして文中に能格・絶対格・与格の名詞句がどのような組み合わせで現れるかにより、助動詞は活用するわけである。このように、バスク語では、基本的に動詞と助動詞が役割を分担しており、これらを組み合わせることによって一つの事態が表される。中には助動詞をともなわずに、動詞と助動詞が分担している役割を動詞だけで担って活用する形を持つ動詞も少数ある。

（吉田浩美）

# 4

# バスクの「家」

## ★家屋の名前・名字・個人名★

**【バスクの家号】** バスクの農家の家屋には伝統的に名前が付いている。本稿ではこれを家号と呼ぶこととする。家は周囲の人びとによって何らかの名で呼ばれ、その名は代々受け継がれ、家号のついた家の人たちは現代でも名字よりも家号で区別される。かくして、ピリ・オドリオソラは、生家から独立して町のマンションに暮らす今も、ピリ・ムナテギと生家の家号で知られ、アンデル・アギレサバラガもその生家の名で「アゲレ」と呼ばれている。20世紀の即興歌人フェルナンド・アイレ（Fernando Aire）ももっぱら生家の家号からシャルバドル（Xalbador）として知られ、16〜17世紀の文筆家ペドロ・アゲレ（Pedro Agerre）はアシュラル（Axular）の名で知られるが、これも家号である。

家号にはいくつかのタイプがある。エリサルデ、ゴイエネチェは、それぞれ《教会の側、隣》《最も高い所にある家》の意で、その家の立地を表している。ペラツァイレ《蹄鉄職人》、トベラギリェ《粉ひきに用いる円錐形の道具（＝トベラ）を作る職人》、ベンタチョ《小さな宿屋》などは、先祖の、あるいは先祖代々の職業に因む。コルタチキ《小さい家畜囲い》、エ

家の壁に掲げられた様々な家号のプレート。左上「ゴロスティエタ」、右上「バサハウンデギ」、左下の１行目が「アゲレ」でその下に番地と地区名、右下が「アンチュマリアガ」でその下に「オンギ エトリ」《ようこそ》と書かれている

チャンディ《大きな家》などはその家の形態的特徴に着目した名である。フロレンツィオエネア《フロレンツィオの家》、シモネネクア《シモンの家》は、その家の住人（普通は家長）の名を冠している。バサハウンデギ《バサハウン（バスクの伝説に現れる魔物）の場所》、チョコラテ《チョコレート》といったおもしろい名前もある。また、近隣の複数の家が同じ名前を持つことも珍しくなく、その場合は何らかの形で区別する必要がある。たとえば、ある村にイトゥラルデ《泉の側》という名の家が4軒あるが、それぞれ、アスピコア《下の》、ゴイコア《上の》、エルディコア《真ん中の》、シャレチェ《店》といった家の位置や生業を表す要素を後ろに付し、イトゥラルデ・ゴイコアなどとして区別している。

**【バスク語の名字】**スペイン領バスク州におけるバスク語的な「よくある名字」トップ10は次ページ表のとおり。綴りが二つあるものは前者がバスク語、後者がスペイン語式のものである。

バスク語のよくある名字トップ 10

| | |
|---|---|
| 1 | アギレ Agirre/Aguirre |
| 2 | エチェベリア Etxeberria/Echeverría |
| 3 | ビルバオ Bilbao |
| 4 | エチェバリア Etxebarria/Echevarría |
| 5 | サバラ Zabala/Zavala |
| 6 | ゴニ Goñi |
| 7 | ウリアルテ Uriarte |
| 8 | ガルメンディア Garmendia |
| 9 | ウガルテ Ugarte |
| 10 | アリエタ Arrieta |

出所：吉田浩美『バスク語のしくみ』白水社、2009 年。

最も多いとされるアギレは《はっきり見えるもの》の意であるが、普通名詞としては使われない。ビルバオはバスク第一の都市ビルボのスペイン語名ビルバオと同じだが、語源的にはバスク語的要素を含むとされる。6 の Goñi の語源は定かではない。7 の Uriarte は、uri《町》＋ arte《間》、9 の Ugarte は、ur《水》＋ arte《間》だが、ur は ug- と少し姿を変えている。2 の Etxeberria と 4 の Etxebarria は、etxe《家》＋ berri/barri《新しい》に絶対格単数語尾の -a が付いた形、8 の Garmendia は gar《炎》＋ mendi《山》に同じく -a が付いた形。このように、「名詞＋名詞または形容詞（＋絶対格単数語尾 -a）」という複合的構造はよく見られる型である。構成要素となる名詞は alde《側》、ondo《側》、aurre《前》、urruti《遠く》などの空間・位置を表す語、ibai《川》、(h)aran《谷》、zelai《平原》、oi(h)an《林、森》など地形を表す語、etxe《家》、korta/gorta《家畜囲い》、soro《畑》、iturri《泉》、errota《水車場》、ola《工場、鍛冶場》、zubi《橋》など住環境にまつわる語、(h)arri《石》、pago《ブナ》、larre《牧草地》など自然物の名称などが多い。動物の名では otso《狼》が見られる。形容詞では、berri《新しい》、zahar《古い》、garai《高い》、luze《長い》、zabal《広い》などがよく使われる。10 の Arrieta は (h)arri《石》に《〜が豊富にある所》を表す接尾辞 -eta が付いた形。このように「名詞＋接尾辞」という構成もよく見られる。接尾辞にはほかに、-tegi/-degi《場所》、-(r)ena《〜のもの》、-aga《〜がある所》などがある。たとえば、Ariztegi/Hariztegi は haritz《オークの類》＋-tegi, Perurena は Peru《ペル》という男子の名＋-rena, Elorriaga は elorri《サンザシ》＋-aga. 名詞に絶対格単数語尾 -a が付いただけのものとしては、Mendia (mendi《山》＋-a)、Ibarra (ibar《谷、盆地》＋-a) など。5の Zabala は形容詞 zabal《広い》に -a が付いたもので、数少ない型である。なお、以上の語でカッコ付きの h は、普通名詞としては正書法では h を用いる決まりであるが、固有名詞の要素としては落ちることがあるものである。

**【バスク人の名前】** バスク人の名前は、大きく次の5種類に分類できると言える。

① スペイン語またはフランス語の名前。伝統的にスペイン語やフランス語の名前を付ける習慣があったことに加え、スペイン領ではフランコ体制時代にバスク語の使用が禁じられて以来、フランス領ではフランス革命以来、バスク語の名前を付けることができなくなった。スペイン領ではフランコ体制崩壊後に、フランス領では１９６６年以降、バスク語の名前が解禁となったが、それ以前に生まれた人たちはバスク語の名前を持たないのが普通である。

② スペイン語やフランス語の名のバスク語バージョン。スペイン語の Manuel は Imanol（イマノル）、Ignacio は Iñaki（イニャキ）、Pedro は Peru（ペル）/Pello（ペリョ）、Domingo は Txomin（チョミン）、フランス語の François は Pantxo（パンチョ）、Pierre は Piarres（ピアレス）、Françoise は Pantxika（パンチカ）、Marie は Mayi（マイ）といった具合である。

③ 聖母マリアを祀る人里離れた礼拝堂の名やその地名を女子の名として用いる。Olatz（オラ

ツ）、Izaskun（イサスクン）、Itziar（イツィアル）、Aitziber（アイツィベル）は、それぞれ、アスペイティア、トロサ、デバ、ウルディアインの聖母マリア（の聖堂）として知られる。Arantxa（アランチャ）はバスク以外にも広まっているが、Arantzazu（アランツァス）に由来し、ここの聖母マリアが最もよく知られている。

④ バスク語の名前。男子の Eneko（エネコ）、Xabier（シャビエル）、女子の Ainara（アイナラ）、Idoia（イドイア）などは、中世の文献にも見られるバスク語の名前である。昨今は、男子では Hodei（オディイ《雲》）、Ekaitz（エカイツ《嵐》）、Haitz（アイツ《岩》）、Unai（ウナイ《牛飼い》）、Oihan（オイアン《森》）、女子では Nahia（ナイア《望み》）、Lorea（ロレア《花》）など、バスク語の普通名詞が名前として用いられるようになっている。

⑤ 新造語による名前。バスク・ナショナリスト党を創設したサビノ・アラナにより新たに作り出された一群の名前がある。男子の名では、Kepa（ケパ）、Koldobika（コルドビカ）、女子の名では Miren（ミレン）、Edurne（エドゥルネ）など。このような名前に対しては、バスク語としての根拠がないものも多いことから批判もあるものの、今では広く受け入れられ、使われている。

（吉田浩美）

# 5

# 山バスク

## ★バセリを中心とする小宇宙★

バスク地方の風土は、中央部を東西に走る分水嶺を境に、南北で際だった対照を見せる。分水嶺の南側は、大西洋岸気候と地中海性気候との移行地帯にあたり、温暖で乾燥した丘陵や平原が広がる。古来より、ローマ人やイスラーム教徒など、異民族の侵入を幾度も受けてきたため、今日では、バスク語話者の比率とバスク人意識が総じて低い。バスクの伝統文化を色濃く残しているのは、分水嶺の北側である。分水嶺の標高は、東端部を除き、2000メートルに達しない。しかし、傾斜の険しい岩山がそびえ立ち、南方からの異民族の侵入に対する防御壁の役割を果たしてきた。分水嶺の北側は、緑豊かで温暖湿潤な大西洋岸気候を呈する。平野部は少なく、峻厳な山岳部が連なり、ビスケー湾で切り立ったリアス式海岸を形成している。いつの頃からか、「山バスク」と「海バスク」といった対比がなされるようになった。本章では、山バスクを見ていこう。

山バスクを特徴づけるのは、バスク語で「バセリ baserri」と呼ばれる農家である。スペイン語では「カセリオ」と言う。

バセリは村落の中心部から離れた場所に散らばって立地する。バセリの語源は、《未開の》(baso/basa)《地》(herri)である。

り、それは家屋としての農家だけではなく、その周囲に広がる所有地や、場合によってはそこに居住する人びとをも含意する。バセリに生まれ育った者は、「バセリタル baserritar」と呼ばれ、今日までバスク語を絶やさず継承し、伝統的なバスクの生活様式を体現していることが多い。彼らは、村落中心部の住民や都市の住民を指す「カレタル kaletar」に対置される。

家屋としてのバセリの形状には地域差が見られるが、通常2階または3階の多層階から成る切妻造りである。木造あるいは石造りで、木造の場合は、柱や梁の部分を外面に露わし、残りの部分を漆喰や煉瓦で埋めたハーフティンバー様式を特徴とする。むき出しの柱や梁、そして屋根は、赤茶色を基調とし、残りの部分は白色や淡褐色を基調とすることが多い。石造りの場合も、外壁をこのハーフティンバー様式風に塗装することがある。正面玄関は、1階の「妻」(屋根の棟と直角な面)に位置し、南から南東方面を向いている。

バセリの一典型

バセリには、人間と家畜が一緒に居住する。1階は、牛、豚、鶏、羊などの家畜のための空間で、2階からの上層部が人間の居住空間である。《富裕な》を意味するバスク語「アベラチュ aberats」が、《家畜》を意味する「アベレ abere」から派生しているように、家畜はバセリにおける富の源泉であった。なお、バセリの所有する土地面積は、平均10ヘクタール程度と見積もられている。

個々のバセリは「家屋の名」を持つ。それは、立地に由来していたり、家屋の性質に由来していたり、初代所有者の名に由来したりしていた。居住者は「家屋の名」を自らの姓として名乗り、「家屋の名」は、居住者が代わっても、不変である。「家屋の名」とその居住者の「姓」が異なる場合であっても、村人の日常生活においては、通常は「家屋の名」で呼び合ってきたのである。

こうした「家屋の名」の不変性は、バセリの不動産を分割せずに維持することが重要だ、という意識と関連する。というのも、山バスクでは、一子相続制が社会規範として実践されてきたのである。バセリの家事を采配する権限は家長にある。家長は、男性の場合「エチェコ・ハウン etxeko jaun」《家の殿方》、女性の場合「エチェコ・アンドレ etxeko andre」《家の奥方》と呼ばれ、自分の子どもたちの中から遺産相続人を選ぶ決定権を持っていた。遺産相続人には、ビスカイアでは長男が選ばれることが多かったが、ナファロアの一部では、末子や長女が選ばれたり、あるいは最も才覚のある者が選ばれたり、様々な事例が確認される。要は、遺産相続人がただ一人というところにある。

遺産相続人の選定において男女の差別がない点では男女平等だが、遺産相続人とそれ以外の者の間には、明らかな不平等が見て取れる。遺産相続人に選ばれなかった子どもたちは、都会へ出たり、海外へ移住したり、宗教生活に入ったり、別のバセリの遺産相続人に嫁いだり、新天地で自活することが求められた。バセリを出立する子どもに対して、家長は支度金を与えるのが習わしであった。もっとも、独身を通せば、生まれ育ったバセリに残って、兄弟姉妹である新たな家長の下で、家業や家事を手伝うことも可能であった。こうして、山バスクでは、不動産の細分化を回避し、人口変動の少ない、安定した社会構造を維持してきたのである。

家屋としてのバセリの周囲に広がる土地は、建物に近いほうから、耕作地、牧草地、山岳地の三つのゾーンに分類される。耕作地の主たる産物は、19世紀末頃まで、栗、トウモロコシ、豆類の三つであり、野菜類はほとんど栽培されていなかった。飲料は、牛乳とリンゴ酒が主であった。牧草地には家畜を放ち、山岳地に及んでは羊の移牧が行われた。バセリでは、家具や農具や衣服を自前で作り、食糧も、塩と酒類を除けば、ほとんど自給自足であった。もっとも、各バセリからは小道が延びており、村の中心に位置する教会や、バセリの外縁部に広がる村の共有地へと連なっている。バセリタルは、決して孤立して生活しているわけではない。

実際、「ご近所さん」のバセリが10世帯から30〜40世帯ほど集まって、「アウソ auzo」と呼ばれる一種の「隣組」を形成している。これは、冠婚葬祭における相互扶助と、緊急時ないし繁忙期における協同の努めを行う互助の単位である。中でも、最も近接する「直近のご近所さん」との助け合いは、「遠くの親戚よりも直近のご近所さん」という格言があるほど、きわめて重要である。「アウソラン」と呼ばれる協同作業には、共有地の整備などがあり、各バセリから人手の拠出が求められる。不可能な場合は代わりの者を立てるか、代価を支払わなければならない。「アウソラン」の用語は、今日のバスク社会では、特定の目標に向けて仲間が力と心を合わせて作業することを広く指す。

伝統的なバスク社会・経済構造を実質的あるいは象徴的に支えてきたバセリは、1960年代以降の工業化・都市化の潮流の中で、市場経済に組み入れられて変容し、衰微しつつある。空き家となったバセリは、今日では、バスク語集中講座の合宿所や、アグロツーリズム向けのペンションとして再利用されつつある。また、とくに北バスクでは、ハーフティンバー様式の「バセリ風」別荘が林立し、牧歌的なバスク地方を演出している。

（萩尾　生）

# 6

# 海バスク

## ★異質な外界との門戸★

前章で述べた「山バスク」に対比されるのが、「海バスク」である。大西洋のビスケー湾に面するバスク地方の海岸は、砂浜に乏しく、リアス式海岸が続く。それゆえ良港を抱え、古来バスク人は、漁業活動にも積極的に勤しんだ。伝統的には、タイ、メルルーサ、タラ、イワシがおもな獲物であったが、中でも捕鯨は、ヨーロッパにおける先駆者と言われるほど盛んであった。捕鯨技術は南進してきたヴァイキングから伝わったという説もあるが、バスク人とヴァイキングの捕獲方法は異なる。ともあれ、8世紀から9世紀頃に築かれたと推測されるクジラの見張り台跡が、現在もいくつかの港湾都市に残っており、11世紀半ばにさかのぼる鯨肉の売買記録も確認されている。実際、ビスケー湾岸の都市には、市の紋章の中にクジラの図柄を含むものが、少なからず存在する〈図1〉。

捕鯨を中心とする漁業活動は、当初ビスケー湾岸で行われていたが、後にアイスランドや北極海に近いスヴァールバル諸島、はたまたカナダのニューファンドランド島近海にまで及んだ。アイスランド語とバスク語が接触して生まれたピジン語の存在や、ニューファンドランド島周辺に散在するバスク語関連の地名は、その事実を裏づけている。問題は時代である。少なくとも16世紀初頭には、バスク人がニューファンドランド島沿岸まで航海していたことが、同島沿岸域から発掘された船舶の残骸や捕鯨道具によって判明している。2013年にユネスコ世界文化遺産に登録された「レッドベイのバスク人捕鯨基地」はその代表例だろう。そこで、コロンブスが「新大陸を発見」するよりも以前から、バスク人は北米大陸に到達していたのではないか、とバスク人の間ではささやかれている。可能性がゼロではないが、確たる証拠が現時点ではない。

このような遠洋漁業を可能にした要因の一つは、大型船舶を建造するだけの高度な造船技術と、それに対応した操船技術の発達であった。事実、バスク人は16世紀以降のスペイン帝国の植民活動において重用された。もう一つの要因は、タラの塩漬け技術である。ニューファンドランド島近海はタラの漁場である。タラを船内で塩漬け加工して船員の食糧に資することで、長期航海が保証されたのである。

バスク語で漁師のことを「アランツァレ」と呼ぶ。沿岸の漁ならば、単身でも出漁が不可能ではない。しかし、捕鯨や遠洋漁業となると、集団による協働が求められる。各漁村には、アランツァレの生活を守るため、中世頃より、一種の同業者組合が誕生した。船舶保有者によって選ばれた組合長と役職者は、天候の変化や魚群の回遊状況を予測して、出漁の時機を決定したり、漁獲物の配分方法を律したり、規律違反に対する制裁を行ったりした。また、組合員の事故や疾病に対する互助を統括した。さらに、近隣の漁村の同業者組合とは、競合的な協調関係を維持していった。

協同作業が重視される海バスクでは、アランツァレとその家族は、港湾近辺で多層階の集合住宅に

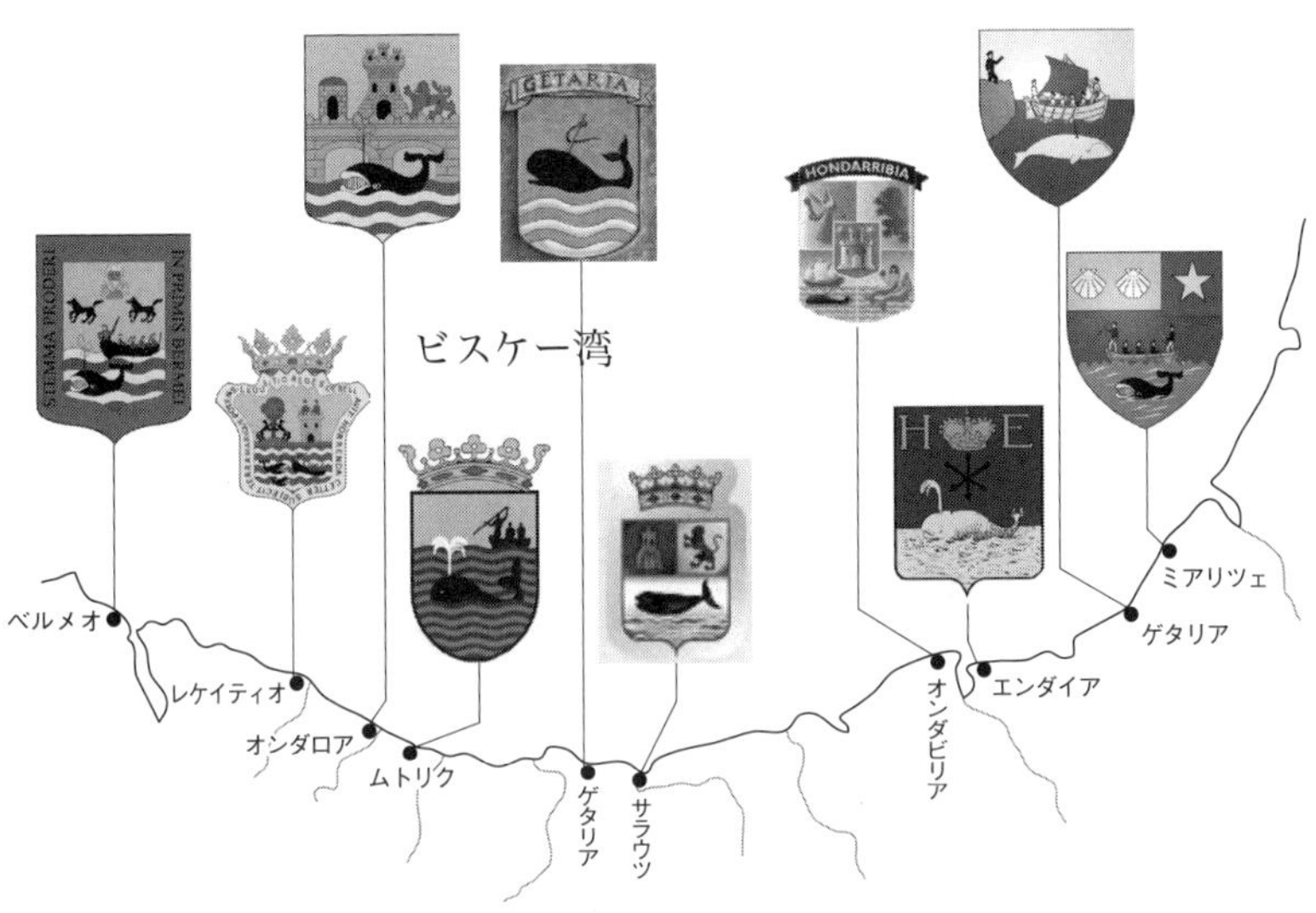


〈図1〉クジラの図柄を含む紋章を持つバスクの港町
※紋章のデザインは時代や描き手によってバリエーションが存在する。

集住していた。平地が少ない自然環境も、こうした居住形態の形成に一役買った。集合住宅の1階には、タベルナやバルなどの飲食店が建ち並び、漁から戻ったアランツァレたちが、グラス1杯のアルコールとピンチョをつまんで、店から店へと仲間同士で夜更けまではしごする「チキテオ（またはポテオ）」の習慣が見られる。

海バスクにおける集団主義志向と、山バスクにおける自給自足の個人主義志向とは、生業形態に起因する集合的心性として、比較の対象になることが多い。しかし、前者における同業者組合と後者における「アウソ」のように、対等の同胞意識に基づいた助け合いの精神が、海／山バスクに共通して確認される。このことは、《仲間》を意味するバスク語 lagun が、その動詞形 lagundu において《助ける》の意味を持つことに象徴的である。

漁港ベルメオ（ビスカイア県）の街角

山バスクのバセリタルと海バスクのアランツァアレの対比を、たとえば社会人類学者のヨセバ・スライカ（Joseba Zulaika）は、むしろ「運」という概念の内面化の仕方に見て取る。彼によれば、バセリタルは、天候不順による不作などに対するリスク管理は、不断の努力によってある程度克服可能だと考えている。一方、アランツァアレの場合は、自然現象と人間の努力との間には越えられない溝があると考えている。努力しても、必ずしも大漁というわけではない。大漁か否かは、努力との因果関係にない。それは、運次第というわけだ。

さて、山バスクと海バスクの出会う場が、市場の立つ都市（まち）である。市場には、山の幸と海の幸が運び込まれ、双方の世界のヒト・モノ・情報が交わる。そしてまた都市は、陸路と水路を通じて、伝統的バスク社会を異質な外部世界へとつなぐ。

じつは、都市は海バスクとの共通点が多い。共通点の第一は、集住という居住環境であろう。事実、1000人以上の人口を抱える市町村の多くがバスク地方の沿岸

リアス式海岸が特徴的な「海バスク」の風景。ビスカイア県バキオ町周辺

部に立地している。ことに都市の旧市街には、タベルナやバルが建ち並び、やはりチキテオ（ポテオ）の習慣が見られる。また、外界へ連なる門戸という点でも、都市と海バスクの間には共通項が見いだせる。バセリタルの対義語として、アランツァレ《漁師》とカレタル《まちのひと》の二つが挙げられることからも、海バスクと都市の類似性がうかがえよう。

なお、19世紀初頭にナポレオンがスペインに侵攻したときより、ミアリツェ、ドノスティアなどわずかな砂浜海岸域のリゾート化が始まった。前者はパリのブルジョア階級の受け皿、後者はスペインの王室や政府高官の夏の避暑地として名を馳せていった。近年、海岸部のリゾート化はさらに西部へ進んでいる。ギプスコア県のサラウツやビスカイア県のバキオ周辺には、今日、欧州各地からサーファーの若者が集まる。それにともなうセカンドハウスの相次ぐ建築により、地域の景観や町の雰囲気が変わりつつある。

（萩尾　生）

# 7

# バスク的でないバスク地方

## ★分水嶺の南側と飛び地★

バスク地方の中でも伝統的なバスクの風土を色濃く残しているのが、バスク地方中央部を東西に走る分水嶺の北側であることは、すでに述べた。

これに対して分水嶺の南側は、温暖湿潤な大西洋岸気候から温暖で乾燥した地中海性気候への移行地帯にあたる。峻厳な山岳と濃緑色の樹木に富む北側と異なり、淡緑色の草木と赤茶けた地表が顕著な丘陵と平原（写真1）が広がり、中にはナファロア南東部のエレゲ・バルデア生物圏保存地域（ユネスコエコパーク）のように、沙漠みたいな景観（写真2）を呈する一帯も存在する。しかし分水嶺の南側は、総じて比較的なだらかな地形を成し、それゆえに古来よりローマ人やイスラームなど異民族の進入を幾度も受け、今日ではバスク語話者の比率とバスク人意識が全般に低い。そういう意味において、バスク的でないバスク地方と言えるかもしれない。

この地域の主たる生業は、伝統的に小麦栽培を中心とする農業であった。20世紀以降、ナファロア県南部からアラバ県南部にかけては、温暖乾燥した気候と日当たりのよい丘陵斜面を利用したオリーブ栽培やブドウ栽培が盛んになり、後者はワイ

写真1　分水嶺の南側（アラバ県南端部）

写真2　エレゲ・バルデアア生物圏保存地域
(Bruno Barral, CC BY-SA 3.0)

ン産業へと展開している。農家1戸当たりの土地面積は、一般にバセリ（第5章参照）よりも広く、スペイン南部に特有な大土地所有制に及ばないとはいえ、地主が小作人を雇って経営することもあった。集落の形態は、南へ行くにつれて、散村集落から集村集落へと変化する。昨今では人口の都市流出傾向に拍車がかかり、農村人口の高齢化・過疎化、そして廃村が進行している。

ちなみにこの地域は、経済圏としては、分水嶺の北側よりも、カスティーリャ・イ・レオン州のブルゴス市やリオハ州のログローニョ市、そしてまたアラゴン州のサラゴーサ市などとの結びつきが強い。実際、ほぼ全域が分水嶺の南側に位置するアラバ県の場合、最南端地域が「アラバのリオハ」と呼ばれる郡（コマルカ）を形成しているように、ワイン産業を中心に、お隣のリオハ州と社会経済上の結びつきが強い。

なお、アラバの土地では、カスティーリャの影響が社会の各方面に確認される。たとえば、分水嶺の北側では家産の細分化を避けるべく一子相続制度が慣習的に実践されてきたのに対し、アラバ県では、南に行くほど均分相続を原則とするカスティーリャ法が優勢で、分割相続による核家族が増えていくのである。もっとも、一族の家産を守ろうというバスク人の心性は意識の深層に残っているようで、結果として今日のアラバ県は、スペインの中で「いとこ婚」の比率が最も高い地域となっている。なお、分水嶺の北側であっても、ビスカイア県のビルボ市以西のエンカルテリ地方は、有史以来バスク語文化圏の外に位置していた。ここではむしろ、ピロティ式の高床式倉庫の存在など、イベリア半島北西部のガリシア地方との親近性がうかがえる。反対にフランス領スベロア地方東部は、その東に隣接するベアルン地方との経済的・文化的結びつきが強い。たとえば、ここでの典型的な住居は、黒色の屋根を有する寄せ棟造りであり、われわれが想起するバスク地方の景観とはずいぶん異なった印象を受ける。

ところで西欧では、中央集権的な近代国家形成の過程において行政区画の合理的再編が実施されてきた。ところが、歴史的伝統を尊重するスペインでは、封建領主の封土に由来する飛び地が現在に至るまで、州、県、市町村レベルで少なからず残存している。

バスク地方以外の領域がバスク地方の領域内に位置する事例（エンクラーヴ）は、二つ存在する（18ページ地図参照）。一つは、トレビニョ（バスク語ではトレビニュ）と呼ばれる地域である。アラバ県の中央南部に位置する約２８０平方キロメートルのこの土地は、カスティーリャ・イ・レオン州ブルゴス県の飛び地である。バスク州の州都であるガステイス市南部に隣接し、２０２1年現在、約２０００人の人口を抱える。

トレビニョの創始は12世紀にさかのぼる。歴史の紆余曲折の中で、トレビニョは、その帰属をめぐり、カスティーリャ王国と密接な関係にあった。ところが興味深いことに、トレビニョの住人の過半は、少なくとも16世紀以降、アラバの土地への編入を望んできた。時代が下って、アラバ県への編入を問う１９４０年の住民投票では、住民の96％が賛意を表明した。その後１９５８年に再度実施された住民投票の結果も賛成多数であった。さらに、フランコ独裁後初の総選挙において選ばれた９名の議員は、一致してトレビニョのブルゴス県からの分離を推進しようとした。彼らの中にバスク・ナショナリストがいなかったにもかかわらずである。一方、１９７９年に成立したバスク州は、その自治憲章第８条において、トレビニョのバスク州への編入可能性に言及する。しかし、ブルゴス県側は、トレビニョの分離を一貫して認めず、ブルゴス県を含むカスティーリャ・イ・レオン州が１９８３年に誕生すると、境界画定に終止符が打たれたのであった。

バスク州政府は、トレビニョにおけるバスク語話者の存在や、歴史的・文化的関連性から、その後もトレビニョに対する財政支援を行っている。しかし、際立った基幹産業や地下資源を欠くトレビニョに対する関心は、必ずしも高くはない。むしろ、トレビニョの住民のほうが、自治権の範囲がカスティーリャ・イ・レオン州よりも広範で、生活水準がより高いバスク州への編入を望んでいる。

トレビニョに次ぐ飛び地は、ビスカイア県西部にあるビリャベルデである。カンタブリア州の飛び地で、面積は20平方キロメートルに満たず、人口は400人前後にすぎない。上述したバスク州自治憲章第8条は、トレビニョだけでなく、ビリャベルデをも念頭に置いている。が、ここでもバスク州への編入に熱心だったのは、1980年代から90年代にかけてのビリャベルデの住民たちであった。なお、バスク地方の領域がバスク地方以外の領域に位置する事例（エクスクラーヴ）は、ナファロアの土地がアラゴン州サラゴサ県内に二つ、スベロアの土地がピレネー・アトランティック県内に一つ、計三つを数える。

バスク地方という国民国家の下位単位としての「地域」は、ともすれば均質な地理的・行政的単位だと想定されやすい。しかし、そうした「まとまり」の中の異質な存在を可視化させる要素として、飛び地は格好の材料である。飛び地の問題は、旧体制の遺制として、簡単に片付けられるわけではない。

（萩尾　生）

## バスク語を学ぶには

コラム1　吉田浩美

以下の情報は2022年10月現在のものである。

本などに頼って独習する場合、日本語による入門書は2022年10月の時点で2冊しかない。より大部な学習書や文法書となると、英語、スペイン語、フランス語で書かれたものに頼るほかない。辞書も、日本語によるものは語彙集があるのみなので同様であるが、英語やスペイン語・フランス語などの辞書は、オンラインのものやアプリもある。また、授業としては、早稲田大学、大阪大学、東京外国語大学、東京外国語大学オープンアカデミー（オンライン授業）、放送大学、セルバンテス協会、DILAでバスク語の授業が開設されている。詳細は各校のホームページなどで知ることができる。また、昨今ではオンラインで個人的にバスク語を教授しているバスク語母語話者もいる。

バスク地方へ赴いてバスク語を学ぶのに最も良い方法は、エウスカルテギと呼ばれる「大人にバスク語を教える学校」へ入学することであろう。エウスカルテギに通う人の大多数は「バスクに生まれ育ちながらバスク語の話者ではなく、大人になってからバスク語を学ぶことになった人」や「バスク語の母語話者ではあるが、共通バスク語による読み書きが未習であるのでそれを学びたい」という人たちである。その中の多くはバスク語能力検定試験に合格することを最終的な目標としている。外国人にももちろん門戸が開かれている。

エウスカルテギには、公立のものと私立のものがある。公立は市町村が運営するもので、ほとんどの市町村にあると言ってよい。いくつかの団体が運営する私立の学校もあちこちに多数ある。公立はもちろんのこと、私立でも公的な助成金を得ていることが多いので、授業料は高くはない。授業は、資格を持つ教員がバスク語を用いて、いわゆる「ダイレクト・メソッド」で行うのが普通である。1クラスの人数は多くても15人程度である。

エウスカルテギには、週に数回通う形（時間帯も多岐にわたる）の講座のほか、夏の長期休暇を利用しての合宿制の集中講座もあちこちで開かれている。また、年間を通じて全寮制をとっている学校もいくつかある（バルネテギと呼ばれる）。全寮制の学校では、生徒は学校の寮か近隣の一般家庭に滞在し、1日数コマ（最大6コマくらい）の授業を受ける。授業中はもちろんのこと食事中も休憩時間もバスク語を使うことになっており、さらに遠足や映画鑑賞会、運動会など様々なイベントが企画されることが多く、あらゆる局面で「バスク語を使って生活」ができるよう配慮されているので、バスク語漬けの日々を送ることができる。

また、すでにある程度バスク語を運用する能力のある人がさらにブラッシュアップすることを目指して、バスク語を母語とする家庭に1〜2カ月滞在する（そこからエウスカルテギへ通うこともできる）というプログラムもある。エウスカルテギでは共通バスク語を習得するのが目的でスタッフもそれを話すわけだが、一般家庭に入るプログラムでは、受け入れ先の家族は共通バスク語を話すとは限らず、各自の方言で話す可能性が高いので、方言に触れる機会にも恵まれる。受け入れ先には都市部の家だけでなく、山の農家も多い。農家では、バスク語を学ぶだけでなく農家の生活様式に触れることができ、農作業を体験するなど、都市部にはないバスク的雰囲気を味わうことができる（ちなみに、ホシェアン・サガスティサバルの小説『道を教えて、イシャベル *Kutsidazu bidea, Ixabel*』は、バスク語習得を目指してそのような農家に滞在した若者の奮闘ぶりを喜劇的に描いたもので、演劇・映画としても大ヒットした）。

次に、学校・講座をどうやって選ぶかであるが、滞在したい市町村が決まっている場合は、そこの役場へ問い合わせるのが早道である。その市町村の公立のエウスカルテギに関する情報を提供してくれる。私立は各学校を運営する団体から様々な情報を得ることができる。いずれの場合もホームページがあるので簡単に連絡をとることができる。ただし、行きたい学校に自分のレベルに合うクラスがあるとは限らないので、第一希望通りにいくとは限らない。また、昨今はオンラインのコースを提供しているエウスカルテギもある。

さて、実際に、多くの日本人のように「バスク出身でなく、スペイン語もフランス語も習得していない人」がバスクのエウスカルテギでバスク語の授業を受ける場合に教室で起こりうることいくつか挙げよう。以下はスペイン領バスクのエウスカルテギに入学したケースとするが、「スペイン語」を「フランス語」と読み替えるとフランス領バスクの場合にもあてはまることなので適宜読み替えていただきたい。

前述のように、授業は基本的にバスク語で行われるので、バスク語を学ぶのにスペイン語の知識が必要とされることはない。とはいえ、生徒はごくわずかな外国人をのぞいてみな地元の人たちであり、彼らはスペイン語という共通語を持っている。ここで英語を学ぶためにロンドンの英語学校に入学した場合を想像してみよう。そこでは生徒はみな外国人であり、英語が生徒たちの共通語となる。しかしエウスカルテギではその点が異なるのである。したがって、わからないことがあると生徒同士でスペイン語で会話を始めたり、あるいは先生に対し「スペイン語の◯◯ってバスク語でどう言うの？」などと質問することがありうる。また、上級のクラスになると、スペイン語の文をバスク語に訳す練習問題が課されることもある。しかし、そのような場合は、スペイン語を習得していないという事情を話しておけば、代替の練習問題を用意してくれるなど、親切な配慮をしてくれるのが普通である。また、バスク語にはスペイン語から大量の語が外来語として入っているので、スペイン語の話者である地元出身の生徒は、そうでない生徒に比べ語彙の面では有利であるといえ、スペイン語の話者でない生徒はハンディを感じるかもしれない。また、バスク語の話者であるか否かにかかわらずバスクに暮らす人なら誰でも知っている固有名詞などは、初級の段階から授業でよく出てくるし、また外国人にはあまりなじみのない地元特有のことがらが授業のトピックとして取り上げられることもある。そんなときもバスク出身でない生徒は負担を感じるかもしれない。しかし、スペイン語を習得していない生徒、地元出身でない生徒は、逆に、バスク語の学習を通じてスペイン語の語を多数覚えたり、バスク語の授業を通じて地元のことも学ぶということにもなる。これは短期間とはいえバスクに滞在し生活する上で役に立つことであり、現実としてのバスクをよく知ることにもなるのであるから、むしろ一石二鳥である、ととらえるべきだと筆者は考える。

## バスク地方の主要都市

萩尾　生

コラム２

　バスク地方最大の都市は、ビスカイア県の県都ビルボ（Bilbo）だ。スペイン語式のビルバオ（Bilbao）が公称となっている。市の人口は34万人だが、周辺の市町村を併せた広域都市圏には、約90万人の人口が集まる（２０２１年）。ビルボ空港の年間利用客数が、新型コロナウイルス感染症が蔓延する直前の２０１９年には年間５９０万人（スペイン第12位）に達していたように、ビルボはバスク地方の空の表玄関でもある。

　じつは「ビルボ」という単語は、シェイクスピアの『ウィンザーの陽気な女房たち』と『ハムレット』の中で、それぞれ《鉄製の足枷》と《剣》の意味で用いられている。ここに「鉄」との関連が示唆されるとおり、古来ビルボ周辺は、良質な鉄鉱石の産地として高名を馳せてきた。そうして19世紀後半からは、鉄鋼・造船・金融を中心にスペイン経済の近代化を牽引した。近代工業化の過程においては、一方でスペインの社会主義の一基盤が、他方でバスク・ナショナリズムの温床もまた、このビルボの土地から生まれたのであった。

　その後、１９７０年代の石油危機は同市の産業基盤に壊滅的な打撃を与えたが、１９９７年にグッゲンハイム美術館を誘致して都市再生を図り、バスク地方の新たなイメージ創出につながったことは、今もって世界的に高い関心を呼んでいる（第42章参照）。

　ビルボ以上に国際的知名度が高いのが、「カンタブリア海（ビスケー湾）の真珠」の異名を誇るドノスティアであろう。このギプスコア県都の公称は、ドノスティア／サン・セバスティアン（Donostia/San Sebastián）と2言語併記される。人口18万人のこの都市が国際的に知られるようになった契機は、19世紀半ばにスペイン

かつてはカジノだったドノスティア市庁舎

王室がこの地を夏の避暑地に選んだことにさかのぼる。その後、内戦を経て樹立されたフランコ独裁政権（1939～1975年）も王室の慣行を踏襲したため、毎年7月から9月までの夏季は、マドリードの首都機能が事実上ドノスティアに移転したのであった。

国内外の富裕な有閑階級や政財界の要人が集まるようになったドノスティアには、彼らの滞在先となる豪奢な屋敷が林立し、彼らの気晴らしを満足させるサービス産業が発展していった。1897年に竣工したカジノ（現在は市庁舎）はその典型で、伊藤博文らを随行させた有栖川宮威仁親王の一行が、完成したばかりのこの「娯楽所」を訪問した記録も残っている。その後も、国際映画祭（1953年～）、ジャズ・フェスティバル（1966年～）など、国際的評判を勝ち得る催事を相次いで立ち上げ、ドノスティアには莫大な文化資本が蓄積された。フランコ体制の崩壊とともに王室外交に幕が下りた後も、今度は「新バスク料理」運動を基軸として、ガストロノミー産業でもって世界に打って出ている（第51章参照）。

ドノスティアは、欧州的文化を表現する都市として2016年には「欧州文化首都」に選出され、2019年には欧州評議会から「ヨーロッパ賞」を授与されるなど、欧州基準に基づく文化価値の創出を志向する性格の強い、グローカルな都市だと言える。

ビルボとドノスティアほど知名度は高くない

ものの、重要度の高い都市が、人口24万人を抱えるバスク地方第2の都市ガステイスだ。公称はビトリア＝ガステイス（Vitoria=Gasteiz）と2言語併記される。アラバ県の県都であると同時に、バスク州の事実上の州都でもある。

　その地政的条件によりカスティーリャ的要素が色濃く残るアラバの土地にバスク州の州都が置かれたのは、政治的判断によると一般に信じられている。金融・経済のビルボ、文化のドノスティア、そして政治のガステイス、と3都市間で役割分担を図り、同時にバスク意識の低かったアラバの「再バスク化」を狙ったのだと。

ガステイス市の街角。州議会の後方にマリアインマクラーダ大聖堂

　たしかに、1979年にバスク州が形成され、州政府や州議会が設置されると、公用語のバスク語運用能力を有する一定の人口がガステイスに流入し、いまではアラバ県の人口のじつに75％がガステイスに集中している。また、公共行政の委託事業に関連して州の外からの労働者が恒常的に流入するガステイスは、外国人労働者の人口比が13％と、州の中で最も高い。だが皮肉なことに、州の中では例外的に、反バスク・ナショナリズムと反移民の立場をとる政治勢力の強い都市となっている。

　なお、都市計画という点で、ガステイスは水利をめぐる環境に配慮した都市整備が国際的な評価を呼び、乾燥した内陸に位置しながらも、

2012年にはストックホルム、ハンブルクに次いで「欧州グリーン・キャピタル」に選ばれ、2019年には国連環境計画（UNEP）の「グローバル・グリーン・シティ賞」を受賞している。

四つめの都市は、人口20万人のイルニャ（Iruña. イルニェア Iruñea とも）である。スペイン語名のパンプローナ（Pamplona）の方が名高い。ローマ帝国のポンペイウスによって築かれ、中世以降は、これまたシェイクスピアをして『恋の骨折り損』の冒頭で「ナファロアは世界の驚嘆とならんや」と言わしめた、かつてのナファロア王国の都であり、現在はナファロア州の州都だ。毎年7月に催される「サン・フェルミンの牛追い祭り」は、ヘミングウェイの『日はまた昇る』に描かれて以来、同市の代名詞となっている。

なお、フランス領バスク地方では、19世紀初頭にナポレオンがスペインに侵攻して以来、リゾート開発された沿岸部とその内地に小綺麗な都市が連なるが、最大の都市バイオナ（Baiona. フランス語でバイヨンヌ Bayonne）でも、その人口は5万人をわずかに超える程度だ。

人口の都市部への集中は近年の世界的傾向である。バスク語現代作家のベルナルド・アチャガがいみじくも命名したように、7領域から成るバスク地方を人口320万人の一都市とみなし、「エウスカル・イリア Euskal Hiria《バスク都市》」と称することもある。「エウスカル・エリア Euskal Herria《バスク地方》」をなぞっていることは言うまでもない。

# 移ろいゆくものと留まるもの
## 歴　史

Gu sortu ginen enbor beretik sortuko dira besteak

われらが生まれ出でし同じ幹から
ほかの者たちが生まれ出づるであろう

—Xabier Lete “Izarren Hautsa”
シャビエル・レテ「星くず」

# 8

# 歴史舞台への登場

## ★ローマ化とキリスト教化★

文字に残された記録に関するかぎり、バスク人の祖先は、古代ギリシャ・ローマ時代にまでさかのぼって確認される。散在する断片的な記録のうち、とりわけストラボンの『地理書』とカエサルの『ガリア戦記』が、現代のわれわれにとって示唆に富む。

ストラボンによれば、ピレネー山脈の南側、今日のスペイン領バスク地方には、紀元前1世紀頃、ラテン語でウァスコーネス人と呼ばれる人びとが居住していた。現ナファロア州にほぼ相当する領域を占拠していた彼らは、遡及可能な範囲での「原バスク人」とみなされている。そして彼らの西方には、ウァルドゥーリー人とカリスティー人がおり、それぞれ現在のギプスコアとビスカイアの基礎を築いた。さらに、これら二つの部族の南方にはベローネス人が、カリスティー人の西方にはアウトゥリゴーネス人が、それぞれ居住していた〈図1〉。アラバの起源は不祥である。なお、以上の人びとは、いずれもバスク語を話していたようである。もっとも、ウァスコーネス人以外の人びとは、ウァスコーネス人に「同化」したケルト系ないしケルト＝イベリア系の人びとではないかと推測されている。

一方、ピレネー山脈の北側では、ピレネー山脈、ガロンヌ川、大西洋で囲まれた三角地帯の住人として、ストラボンおよびカエサルがともに記録したアクィーターニー人が、やはり「原バスク人」の一つだと目されている。彼らは、後のバスク人とガスコン人の共通の祖先だと思われるが、バスク人の起源については、第2章で述べたとおり諸説あるものの、依然不明だと言わざるをえない。

ローマ帝国軍が上述のような様々な部族から成る「原バスク人」と接触したのは、紀元前1世紀初期のことである。ポンパエロ（現イルニャ〔パンプローナのバスク語名〕）の都市がポンペイウスによって建てられたのは、紀元前75年のことだ。このほか、現アラバ県のイルニャや、バスク地方に隣接するエブロ川沿いの現カラオラなど、バスク地方を東西に走る分水嶺の南側には、ローマ人の痕跡がいくつも確認される。歴史人類学者のフリオ・カロ・バロハは、この時期に分水嶺の南側でローマ化が進行し、バスク語が衰退しはじめたと主張している。もっとも、ローマ人の足跡は、分水嶺の北側でも、ビスケー湾岸に近いオイアルツンやフォルアなどにしっかり残されている。ただ、サラゴーサなどのローマ遺跡と比べると、バスク地方の遺跡は概して規模が小さい。居住地というよりも、ピレネー山脈の南北をつなぐ中継地としての機能

〈図1〉現バスク地方におけるローマ時代後期の民族分布

出所：Julio Caro Baroja, *Los Vascos*, Ediciones ISTMO, 1971, pp. 54-55.

が求められたからであろう。

ローマ帝国時代の史料の中に、バスク人との紛争を示唆する記録はほとんどない。ローマ滅亡後バスクの土地を支配したビシゴート族の文献に、バスク人とのいさかいに関する記述が散見されるのと対照的である。ローマ人とバスク人は、比較的良好な関係を維持していたようだ。中世史家のロジャー・コリンズ（Roger Collins）によれば、バスク人はローマ帝国の外人部隊の供給源となっていたらしい。実際、イングランド北部、スコットランドとの境界線近くにあるハドリアヌスの長城の防衛には、バスク人歩兵部隊が関わったことが確認されている。

400年以上続いたローマ支配の最大の遺産は、キリスト教であろう。バスク語の宗教関連語彙の中に占めるラテン語からの借用語の多さは、その影響の深さを傍証している。問題はバスク社会がキリスト教化した時期である。イベリア半島の主要都市では、4世紀に司教区の設置が確認され、バスク地方の南に隣接するカラオラには、4世紀末に小教区が存在していた。また、イベリア半島西北部の辺境ガリシア地方でも、5世紀後半ないし6世紀前半に、司教区の設置が始まった。これらの事実から、4世紀から5世紀頃に、バスク地方で住民のキリスト教への改宗が始まったとする説がある。しかし、イルニャの司教区は6世紀後半まで、バイオナの司教区は10世紀になるまで、確固たる地位を得ていない。キリスト教の浸透の度合いは、地域や社会階層によって、まちまちであった。一般民衆にまでキリスト教が広く受容されるのは、早くても11ないし12世紀頃ではないか、というのが有力な見解である。

ローマ帝国末期には、北東方面からスエビ族やヴァンダル族などが移動してきたが、バスク地方にほとんど足跡を残していない。この頃、ピレネーの北側では、アクィーターニー人の一部が「9部族国家」に結集していた。この土地は、新たに移動してきたフランク族メロビング王朝によって「ウァスコーニア公爵」領とされ、後のガスコーニュ地方へとつながっていく。だが、7世紀から10世紀にかけてのこの地域の歴史は、ガスコン人とバスク人の分化の問題を含め、わからないことが多い。一方、ピレネーの南側では、ウァスコーネス人以外の、ウァルドゥーリー人やカリスティー人などの民族呼称が、文献史料から姿を消していく。

その後、西南方面から侵攻してきたビシゴート族に対して、バスク地方の住人は山岳部にこもって抵抗した。抵抗は、北東方面から南進してきたフランク軍に対しても行われた。ビシゴート王国とフランク王国は対立関係にあったため、山岳バスク人は、両国家の狭間で、両国の不和を利用しながら、どちらの国家にも屈せず、延命を図った。

ビシゴート王国を711年に滅ぼしたのはイスラーム勢力である。778年にオレアガ（ロンセスバーリェス／ロンスヴォー）峠でフランク王国のカール（シャルルマーニュ）大帝を敗走させた事件は、イスラーム軍の仕業だとして、11世紀フランスの叙事詩『ロランの歌』に歌われた。しかし実際には、これはバスク人（とイスラーム軍）の急襲によるものであった。また、ナファロア南端部の都市トゥテラは、バスク人、イスラーム教徒、ユダヤ人が共存する多文化空間を形成していた。もっとも、イスラーム教徒とバスク人の関係がつねに友好的だったわけではなく、そのときどきの時勢によって変わった。

824年にフランク軍を再び破ったバスク人は、半ば伝説的なイニゴ・アリスタを初代国王とする

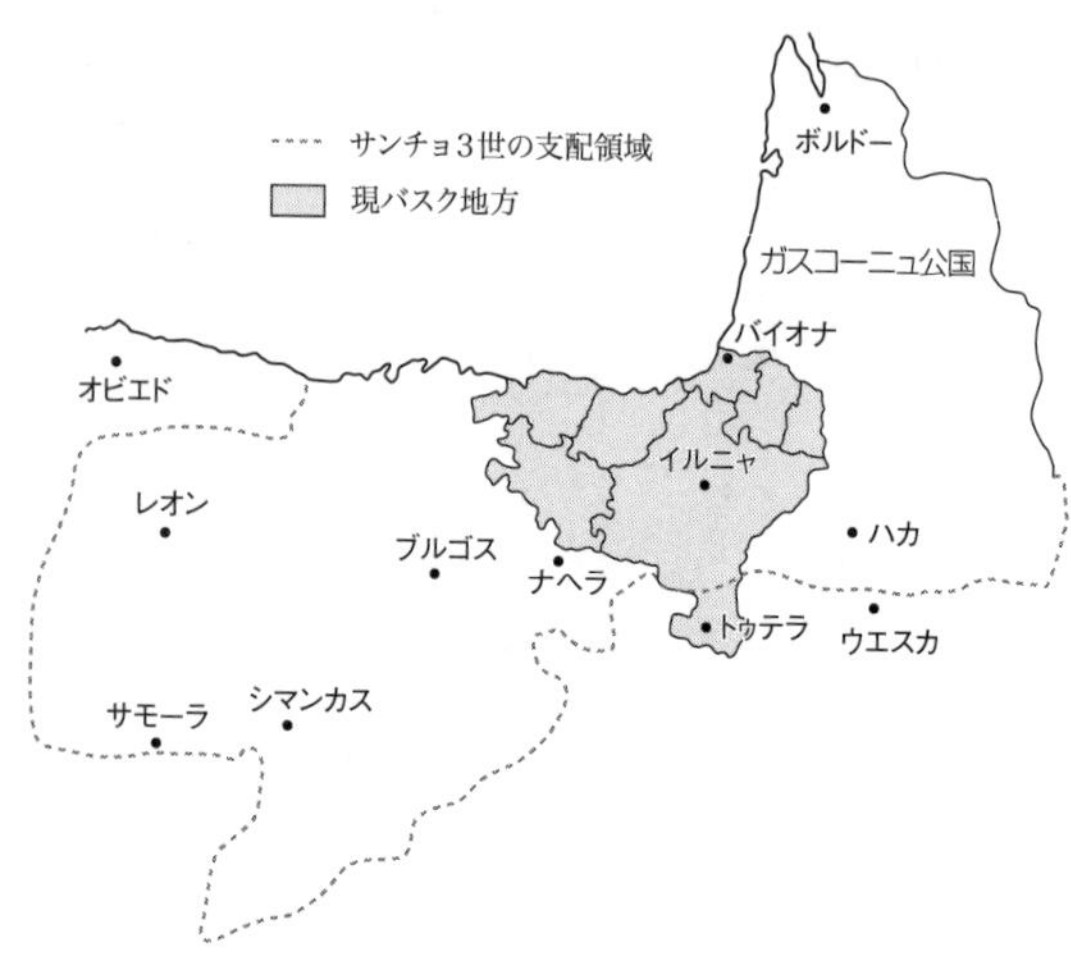


〈図2〉サンチョ３世の支配領域
出所：*Atlas de Euskal Herria*, Erein, 1982, p. 62より作成。

ナファロア王国を建てた。この王国は、11世紀前半、サンチョ3世（1004〜35年在位）のもとで、カスティーリャ伯領やアラゴン伯領を併合した。また、アストゥリアス＝レオン王国を保護下に置き、さらにはガスコーニュ地方をも従属させ、今日の広義のバスク地方を超える領土を統治した〈図2〉。「ヒスパニア皇帝」を自称したと言われるサンチョ3世の没後、ナファロア王国は、ナファロア、レオン＝カスティーリャ、アラゴンの三つの王国に分割され、後者二つの王国は、11世紀後半以降、イスラーム勢力に対する再征服運動を牽引していく。ナファロアをバスク人の祖国とみなす、あるいは現スペインの淵源とみなす、という今日にまで至る二つの歴史認識は、この「サンチョ大王」と呼ばれるサンチョ3世の偉業に由来する。

（萩尾　生）

# 9

# フエロ体制

## ★旧体制下のバスク地方★

ナファロア王国の隆盛と前後して、ピレネー山脈の南側では、アラバとビスカイアの名称が9世紀に、ギプスコアの名称が11世紀に、それぞれはじめて文献に登場する。これら3領域は、その帰属がナファロアとカスティーリャの間で揺れ動きながらも、政治的な領域化と実体化を徐々に遂げていった。1037年にカスティーリャ＝レオン王国が成立し、ナファロア王国の政治的優位が崩れた後、アラバとギプスコアは、1200年にその中核部がカスティーリャ王国に併合される。そして1330年代前半に、今日のアラバとギプスコアの境界にほぼ合致する領域が、完全に同国に組み込まれる。また、11世紀半ばよりアロ（Haro）家が「領主」の称号を冠していたビスカイア公領は、カスティーリャ王権を相続する形で、1379年にカスティーリャ王国に統合されていった。

一方ピレネー山脈の北側では、ナファロア王国が今日の低ナファロアに相当する領域を統治していた。その東西両隣に位置するスベロアとラプルディの子爵領は、1152年にイギリスのプランタジネット朝ヘンリー2世がアキテーヌ公国のアリエノールと結婚したことを契機に、いったんイギリスの支配下に入る。しかし、これら2領域の帰属は、英仏百年戦争を経て15世紀中葉にフランス王国に統合されるまで、イギリスとフランスの間でこれまた揺れ動くのであった。

こうした政治的変遷の最中、11世紀から15世紀にかけてのバスク地方では、今日にまで及ぶ社会経済上の基盤が形成されていった。

ローマ時代に、バスク地方の分水嶺の南側、とくにエブロ川流域にもたらされた農業は、11ないし12世紀頃には、分水嶺の北側にまで伝搬していた。伝搬はローマの軍道を通して実現したが、ことに11世紀以降は、それらの軍道を基礎に発展したサンティアゴ・デ・コンポステーラへの「巡礼の道」（コラム4参照）を通じて、ヒト、物資、文化の活発な交流が展開した。交流の結節点となったのは都市であり、ピレネー以北の商人や手工業者の定住が奨励された。実際、初期の都市は、サンゴサ、リサラ、ガレスなど、大半が「巡礼の道」沿いに建設されている〈図1〉。

12世紀のフランス人司祭エムリ（エメリック）・ピコー（Aimery (Aimeric) Picaud）の筆による『巡礼案内』は、バスクとナファロアの住人を野蛮な異教徒として描いた。だが、「巡礼の道」沿いの教会に現在まで保存されているロマネスク様式キリスト教美術の絢爛さは、「巡礼の道」がバスク地方のキリスト教化に貢献したことを喚起してやまない。事実、15世紀末には、バイオナ、オロロン、ダックス、イルニャ、ガスティスの五つの司教区が、バスク地方を所轄するに至っている。

都市の建設は、軍事的観点からも推進された。たとえば、ナファロアとカスティーリャがせめぎ合ったアラバの土地では、12世紀から13世紀にかけて、ガスティスなどの要塞都市が相次いで建設されていった。

13世紀になると、カスティーリャ地方の羊毛をビスケー湾から輸出するルートとして、分水嶺の南北をつなぐ交通網が敷かれた。また、1181年にドノスティアが建設されたのを端緒に、オンダリビア、ゲタリア、サラウツ、ベルメオなどの港湾都市が誕生した。中でも、1300年に創設されたビルボは、免税特権をもとに、対フランドル輸出の貿易港として栄えたばかりか、豊かな水資源、木材、鉱山を背景に、製鉄業、造船・海運業の面でも急速に発展し、14世紀後半以降、バスク地方の中核都市としての地位を不動のものとした。

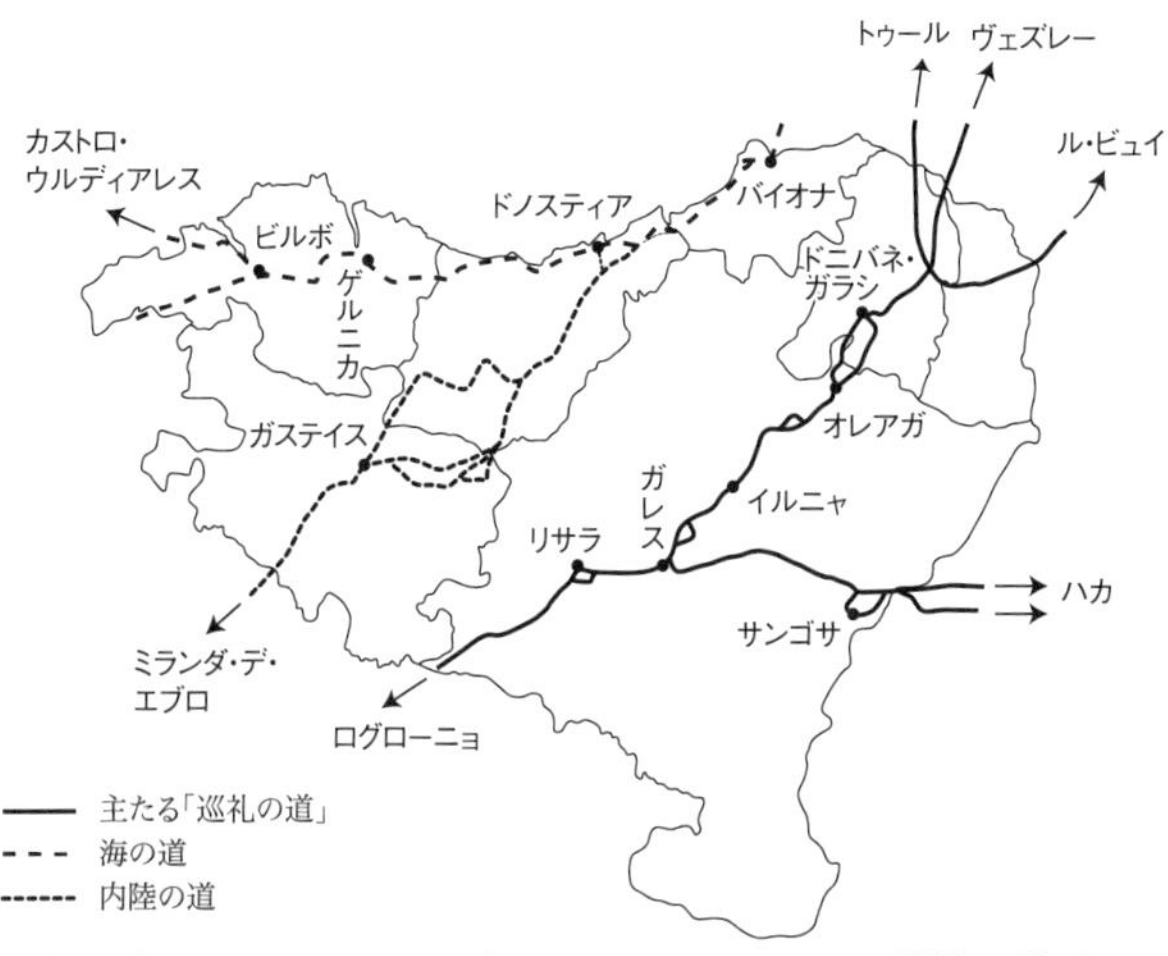


〈図1〉サンティアゴ・デ・コンポステーラへの巡礼の道（バスク地方内部）

14世紀半ばになると、都市は居住民の防衛という性格を前面に出してくる。というのも、この頃よりビスカイアとギプスコアを中心に、門閥間の争乱が2世紀にわたって吹き荒れたからである。これらの地域では、都市を中心に自警団的な盟約団体が生まれて連帯し、後述するフエロの成文化を促す一因となった。ナファロアでも、15世紀中葉の王位継承問題に発する貴族間の内乱が、深刻な社会的危機を引き起こした。その結果、ナファロアの国力は弱体化し、1512年にカスティーリャ王国の侵攻を招いた。こうしてナファロアは政治的独立を失い、カスティーリャ王国内の副王領の地位に成り下がった。その際、ピレネーの北側の低ナファロアは、ナファロアから分離して、政治的独立を1620年まで維持していく。なお、フランス国王は、1589年のアンリ4世の即位により、ナファロア国王を兼ねた。このナファロア国王の称号は、フランス革命まで保持されることとなる。

こうして、バスク地方の7領域は、17世紀初頭までに、カスティーリャ王国とフランス王国の傘下に入った。とはいえ、各領域はスペイン語でフエロ（fuero, フランス語でフォール for）と呼ばれる地方特権を享受していた（バスク語ではforu〔フォル〕だが、バスク語で起草されなかった）。フエロは、習慣や慣習に由来する法規範と、国王などの統治者が所与の地域を治めるに際して当該領域やその住民に譲与した特権の二つの意味を併せ持つ。

バスク7領域に共通するフエロはない。しかし、中世後期より編纂され、15世紀から17世紀にかけて法典化された各領域のフエロには、当時のバスク地方の政治的かつ法的枠組みを律する共通の特徴が確認される。たとえば、市町村や教区を単位とする一般評議会（名称は地域により異なる）には、家長が性別を問わず対等の立場で参加し、地方行政上の意思決定が行われた。国王の勅令がフエロに抵触する場合、評議会は一種の拒否権を行使できた。また、国庫に対する一定の免税措置と経済活動の自由が保証されており、ナファロアに至っては、固有の造幣所を有していた。さらに、王国に対する補充兵の供出義務が免除され、村落間の共同放牧利用権は国境線を越えて締結された（コラム18参照）。家産の不分割相続を目的とする一子相続制の慣行も、実践されていた。

ゲルニカのオークの木の下でフエロ遵守を宣誓するカスティーリャ国王フェルナンド５世（フランシスコ・デ・メンディエタ Francisco de Mendieta 画）

こうした政治経済上の自治の下、バスクの民は「自由」かつ「平等」な身分を享受していた。たしかに、アラバの北端部とビスカイアおよびギプスコアの全域で、すべての家長が郷士の身分を享受していたし、貴族と聖職者は往々にして一般評議会から排除されていた。しかし、ナファロアのように貴族、聖職者、平民という身分制を保持する領域もあった。また、時代が下るとともに、一般評議会に選出されるために一定以上の資産が求められたり、その意思決定に国王代官が次第に介入するようになった。

「自由」と「平等」の内実には、地域と時代によって、微妙なニュアンスがある。が、カスティーリャ国王がビスカイアのゲルニカに出向き、一般評議会のオークの木の下でフエロ遵守の宣誓義務を負っていた史実は、フエロがバスク地方の政治的自治の根拠ないし象徴であることを、今日でもつねにバスク人に想起させ続けている。

（萩尾　生）

# 10

# 近代化の足音

## ★経済活動の発展と社会的反目★

第6章で述べたように、バスク人はスペイン帝国の植民活動に重用されたばかりか、自ら積極的に参画していった。たとえば、コロンブスの第一回航海（1492年）の船員名簿には、バスク系の姓が散見される。また、航行途上で戦死したマゼランの後を継いで、史上初の世界周航を達成（1522年）した18名のうち4名が、かのフアン・セバスティアン・エルカノ（Juan Sebastian Elkano）を含め、バスク人であった。さらにまた、16世紀半ば以降ヨーロッパに「価格革命」をもたらした、メキシコのサカテカス銀山とボリビアのポトシ銀山を開発したのも、主としてバスク人であった。しかも、植民活動はキリスト教の布教という大義名分をともなっていたため、世界各地で宣教活動を展開するイエズス会を中心に、数多くのバスク系聖職者が海外へ渡ったのである。イエズス会を創始したロヨラとザビエルがバスクの出自であったことは、周知の事実であろう。

さて、15世紀後半に発明された活版印刷術は、人文主義の普及や宗教改革の進展に貢献した。宗教改革のうねりを受け、カトリック側の自己刷新を求めた1545年のトリエント公会議は、布教に際して土着の言語を用いることを推奨した。同年、低ナファロア出身の主任司祭B・エチェパレが、『バスク初文集』をボルドーで刊行したのは、こうした歴史的文脈と無関係ではない。これはバスク語で書かれた現存する最古の活版印刷作品である。また、新約聖書のバスク語翻訳は、1571年に、ヨアネス・レイサラガ（Joanes Leizarraga）によって、フランスのラロシェルで刊行されている。バスク地方初の大学がオニャティに創設されたのも、1545年のことであった。

もっとも、こうした人文主義の対極にある異端審問が、16世紀から17世紀初頭のバスク地方に渦巻いたことも無視できない。中でも、ボルドー高等法院判事のピエール・ド・ランクル（Pierre de Lancre）が指揮した、ラプルディ地方における魔女狩りは、悪名高い。

また、17世紀には、フエロが法典化される一方で、バスク地方の自治が、とくにフランス絶対王政下で、格段に縮減した。1659年のピレネー条約は、現在のスペインとフランスの国境をほぼ画定し、バスク地方の分断を決定づけた。

1660年には、同条約に基づき、ラプルディ地方のドニバネ・ロイスネにおいて、フランスのルイ14世がスペイン王女マリア・テレサ（マリー・テレーズ）と結婚式を挙げたが、両国の関係は、スペイン王位継承戦争（1701〜1714年）を機に悪化する。戦争の結果、スペイン王位に就いたのは、ブルボン家のフェリペ5世であった。彼は、一連の新組織王令（ヌエバ・プランタ）によって、スペイン各地のフエロを廃止して、中央集権化を推進した。しかし、戦時にブルボン家側に与したアラバ、ビスカイア、ギプスコア、ナファロアの4地方は、フエロの存続が認められた。中でも、副王領の地位にあったナファロア以外の3地方は、「免除地方」と称され、ここに、これら3領域の一体性を喚起する枠組みが、はじめて外部から与えられた。こうして、フエロが、3領域固有の権利／法として、人びとの意識にじわじわと浸透していくことになったのである。

フエロは、地域の支配層にとっては、社会的支配の道具であった。一方、一般民衆にしてみれば、消費財輸入の自由を保証し、一次産品の輸出を禁じることで、地元の産業を保護するシステムであった。ところが、18世紀後半に入ると、バスク地方の経済は深刻な危機を迎えた。人口圧の上昇に対して施されたトウモロコシの栽培や農地の開墾は、森林や牧草地を減じ、従来からの農業と牧畜業の均衡を崩していった。また、伝統的な製鉄業は、産業革命を経つつあった英国の技術に遅れをとり、市場での競争力を失っていった。さらに、植民地貿易についても、ギプスコア・カラカス会社（1728～1785年）が一時的に独占的地位を獲得したとはいえ、1765年と1778年の勅令により新大陸との貿易が自由化されると、同様に低迷していったのである。

こうした危機の克服を企図したのが、「バスク地方友の会」（1765年創設）である。発足に尽力した一人マヌエル・イグナシオ・アルトゥナ（Manuel Ignacio Altuna）を、敬愛する友人としてルソーが『告白』の中で回想しているように、フランス啓蒙主義の影響を多分に受けた同組織は、科学、技術、芸術を通して経済振興を目指した。なるほど、その後スペイン国内に同様の組織が80以上誕生する模範例とはなったが、バスク社会の直面する経済危機を解決するには至らなかった。

「友の会」の標語は、「三つは一つ（イルラク・バット）」であり、アラバ、ビスカイア、ギプスコアの一体性の主張が確認される。これはスペインの発展に資する上での一体性であり、ここにバスク・ナショナリズムの原型を見て取るのは、やや無理がある。その原型は、フランス領バスク地方まで視野に入れて「バスク・ネーション」を標榜した同時代人、マヌエル・ララメンディ（Manuel Larramendi）の人物に、むしろ看取されるかもしれない。だが、ララメンディや上述のエチェパレの作品は、同時代人に読まれず、19世紀後半まで忘却されていた。

商業資本主義の普及と近代化の潮流の中で顕著になったのは、バスク社会内部の反目である。地主である農村貴族と小作農の従来からの対立の一方で、商業資本主義の利益にあずかる都市ブルジョアとそうでない農村貴族との対抗意識が他方に芽生えたのである。小作農は、密貿易ルートに関する利害の一致から、ときに都市ブルジョアと結託した。こうして、税関移転や食料投機などをきっかけに、マチナダと呼ばれる一連の騒乱が18世紀を通じて勃発した。そこに押し寄せてきたのが、フランス革命の波であった。

フランスでは、ラプルディ、低ナファロア、スベロアの地方特権が撤廃され、東隣のベアルン地方とともに、バス・ピレネー県（今日のピレネー・アトランティック県）に組み込まれた。一方のスペインは、ナポレオンの侵攻を経た後、1812年のカディス憲法とともに近代国民国家を樹立させた。国家基盤の脆弱さゆえに、自由主義者と伝統保守主義者が入れ替わり政権を握る中で、バスク3領域とナファロアのフエロは、かろうじて延命した。

自由主義的ブルジョア都市部と伝統保守的農村部の対峙の行き着いた先が、王位継承問題に発する第一次カルリスタ戦争（1833～1839年）であった。バスク3領域とナファロアは、一部の都市ブルジョアを除きカルロス支持派（カルリスタ）に与して、敗北を喫する。ベルガラ協定が結ばれ、直後の1839年10月25日法において、「スペイン立憲王政の統一性を損なわないかぎり」フエロの存続が求められた。しかし、これはフエロの存亡にかかる重大事と認識され、同法は、後のバスク・ナショナリストにとって、バスクの政治的自治が剝奪された屈辱的措置として記憶されていく。

その後ナファロアは、単独で中央政府との協議に臨み、1841年8月16日法によって、旧来のフエロを廃止し、スペイン憲法の枠組みの中で、新たなフエロ体制を再編した。しかしバスク3県は、中央政府との協議を先延ばしした。そして、中央政府の政体が変転し、中央集権化が進行する中で、各県政府の市町村に対する行政的監督権を拡大し、「新フエロ体制」と呼ばれる一種の自治体制を県政レベルで体現したのである。

1839年8月31日のベルガラ協定
(© Euskomedia - Auñamendi Entziklopedia)

1872年から1876年にかけて再発した第二次（スペイン全土で見れば第三次）カルリスタ戦争は、再びカルリスタ側の敗北となった。戦争の帰結は、1876年7月21日法に集約される。同法は、フエロの撤廃を明文化していないが、兵役と税金によるスペイン国家への寄与をバスク3県に求め、事実上フエロを撤廃した法律として解釈されている。翌1877年には、一般評議会と特権議会が廃止された。

以上をもって、バスク7領域のフランスとスペインへの統合が完了したのであった。

（萩尾　生）

# 11

# 民族・階級・国家

★民族主義・社会主義・国家主義★

1876年7月21日法は、新たな特別体制をバスク3県に付与する可能性を記していた。これに基づき、1878年2月に、スペイン政府とバスク3県との間で、経済協約（第21章参照）が結ばれた。

協約の基本枠組みは、バスク3県の各県議会が、スペイン政府との協議によって決定される分担金の総額を、国税として毎年国庫に納めるというものである。分担金の費目設定と徴収方法が各県議会に一任されたため、各県は財政面での裁量権を保持することとなった。地方政界を掌握していたバスク都市部ブルジョアは、協約を歓迎した。消費税などの間接税によって分担金を徴収し、土地、商工業、所得に対する直接税を免れ、多大な利益を得ることができたからである。経済協約は、バスク・ブルジョアの支持を取りつけ、フエロの復活に固執していたカルリスタの一部を自身の政治勢力に吸収した点で、1876年憲法体制をバスク地方に根づかせようとしたカノバス・デル・カスティーリョ首相の政治的勝利であった。

19世紀末に、ビスカイア県は、急激な工業化を経験した。1855年に、リン分の少ない鉄鉱石を用いて良質の鉄鋼を獲得できるベッセマー溶鋼法が発明されると、その要件に適ったビスカイア産の鉄鉱石が脚光を浴びた。1863年に、鉄鉱石の禁輸が解かれると、公的援助を受けた鉱山開発と採鉱が進展し、1978年に130万トンだった鉄鉱石産出量は、1899年には650万トンにまで増加する。その9割は英国などの西欧先進工業国へ輸出され、1898年のペセータ切り下げにより、バスク地方の資本蓄積が飛躍的に進んだのである。

ビスカイア県の経済構造は、製鉄・冶金などの単一部門に依拠するもろさを呈していた。鉄鉱石輸出に依存する製鉄業は、国家の保護関税政策のもとで発展し、金融、造船、保険、電力などの関連企業の立地を促した。また、工業化は急激な人口の社会的増加をもたらした。1877年から1900年の間に、ビスカイア県の人口は約62％増加し、ビルボとその周辺域では、流入者の割合が全住民の42％に達した。

工業化の過程で誕生した産業資本家層は、スペイン王政と結託し、地方政治を牛耳った。だが、男性普通選挙の実施や政党の合法化により、一般大衆が、限定的ながらも、政治的発言権を持つようになった。大衆運動としてのバスク・ナショナリズムと社会主義労働運動が誕生したのは、まさにこの同時代であった。

バスク・ナショナリズムは、1876年のフエロ撤廃と、工業化にともなうスペイン人労働者の大量流入に対する情動的反発から興った。伝統的な価値観や生活様式に結びついていた都市部中小ブルジョアの不安や危機感を汲み取ったのが、サビノ・アラナ（Sabino Arana）である。アラナは、バスク民族の要素として、血族、宗教（カトリック）、言語（バスク語）を重視し、Euzkadi《バスク国》

やaberri《祖国》といった新造語を案出したほか、イクリニャと呼ばれる民族旗やバスク賛歌を創作した。彼の政治活動は、1893年からの10年間に集約される。当初ビスカイアの独立しか眼中になかった彼は、1895年にPNV《バスク・ナショナリスト党》(バスク語でEAJ)を結成した後、ナファロアとフランス領バスク地方をも視野に入れた「バスク国」の独立を標榜していく。しかし、死の直前には「スペイン連邦国家内でのバスク地方自治」を訴えた。こうした主張の転回は、その後のバスク・ナショナリズムが、強硬独立派と穏健自治派を内包し、相互に分岐と合流を繰り返していく遠因となった。

一方、ビルボ周辺では労働者階級が急速に形成されていった。労働力の十分な供給が見込まれたため、雇用主には労働条件を改善する意識が全般に欠けていた。こうして、劣悪な労働条件の改善を切望する労働者の間に、社会主義思想が受容されていった。PSOE《スペイン社会労働党》結党に参画したファクンド・ペレサグア(Facundo Perezagua)は、1886年に同党ビルボ支部を創設した。1890年5月のゼネストは、1日10時間労働と出来高制労働の撤廃を勝ち取り、その後の労働運動の形成を決定づけた。

また、哲学者ウナムーノらが参加した雑誌『階級闘争』は、非バスク系流入労働者を排斥する初期バスク・

©sabino arana fundazioa

バスク・ナショナリズムの始祖、サビノ・アラナ(© sabino arana fundazioa)

ナショナリズムを非難した。社会主義もバスク・ナショナリズムも、産業資本家層の牛耳る地方政治に抗する大衆運動を形成しながら、互いに反目し合ったのである。

工業化の進展とともに、バスク・ナショナリズムと社会主義運動はギプスコア県にも浸透していった。しかし、20世紀中葉まで顕著な工業化を経なかったアラバ県、ナファロア県、フランス領バスク地方では、どちらもさほど定着せず、カトリックと結託した伝統保守の名望家が地方政治を支配していた。

一方、バスク地方を近代化に抗する牧歌的伝統社会として描いた後期ロマン主義文学の影響を受けて、バスク語文芸復興の思潮が広まる端緒となったのは、ナファロアとフランス領バスク地方であった。前者では、アルトゥーロ・カンピオン（Arturo Campión）らのバスク語協会が、短命ながらその中核となった。また後者では、19世紀前半より、鉄道道路網の整備とともにパリの有閑階級の集まるリゾート化が進行していた。そんな中で、彼らの視線を多分に意識しつつ1851年に「バスク語祭」を催したのは、アイルランドのダブリン生まれのバスク系博物学者アントワーヌ・ダバディ（Antoine d'Abbadie）である。彼は、バスク民族の結束を象徴する標語「七つは一つ（サスピアク・バット）」を発案し、これは後にアラナらのバスク・ナショナリストの標語として採用された。

第一次世界大戦に続く民族自決の気運の中で、穏健自治派が主導権を握ったPNVは、スペイン内部のバスク自治を掲げて躍進した。その後のプリモ・デ・リベーラ独裁期に、強硬独立派は弾圧された。一方の穏健自治派は活動を黙認され、青年層と女性を対象に人的動員を図り、文化とメディアの領域におけるネットワークを拡大していった。

1930年に、PNVは再編され、分離独立路線へ回帰した。再編直後のPNVは、その教権主義的姿勢ゆえに共和政の成立に熱心ではなかった。しかし、1931年の時点で守旧保守的な右派と連携していたPNVは、1933年の総選挙を機に中道的立場へ移行し、1936年春に共和左派および社会主義者に接近したのち、同年7月に勃発した内戦において共和国側に与した。この間、PNVは、教権的カトリック主義からキリスト教社会民主主義へと、軌道修正を図っている。このPNVの路線変更を促した最大の要因こそが、バスク地方の自治をめぐる駆け引きであった。

内戦勃発直後、ナファロアとアラバは、フランシスコ・フランコ将軍率いる反乱軍の支配下に入った。PNVは、自治憲章の即刻制定を条件に、共和左派が率いる人民戦線内閣への入閣を交渉した。

バスク自治政府初代首班、ホセ・アントニオ・アギレ（© sabino arana fundazioa）

こうして、10月1日にバスク自治憲章が共和国国会で承認され、7日にホセ・アントニオ・アギレ（Jose Antonio Agirre）を初代首班とするバスク自治政府が成立した。これは、PNVとその他政治勢力から成る挙党一致政府であった。自治領域はアラバ、ビスカイア、ギプスコアの3県と規定されたが、実効支配できたのは、ビスカイア県全域とギプスコア県の一部にすぎなかった。

この自治体制は、1937年3月のドゥラ

ビルボ市のカールトンホテルに設置されたバスク自治政府の本拠（1937 年頃）（© Euskomedia - Auñamendi Entziklopedia）

ンゴ空爆と4月のゲルニカ空爆によって、崩壊へ向かう。5月と6月には、およそ2万人の学童が、フランスを中心に海外へ疎開した（コラム6参照）。そして、6月19日にビルボが陥落すると、バスク自治政府はバスク3県に対する支配権を失ったのであった。

フランス領バスク地方でも、1930年代にピエール・ラフィット（Pierre Lafitte）が率いる「アインツィナ」《前衛》と呼ばれる「バスク地域主義」運動が興った。カトリック司祭が中心となった同運動は、カトリックの秩序維持を優先させ、アラナのバスク・ナショナリズムやスペイン内戦に対して沈黙を保った。そして、運動の一部は、フランス領バスク地方の保守的有力者ジャン・イバルネガレ（Jean Ibarnégaray）などに回収され、やがてヴィシー政権を支えることになった。

その後スペインでは、内戦の終結とフランコ独裁の弾圧により、フランスでは、ナチスに対する猛省から「民族」問題がタブー視されたことにより、「バスクなるもの」は私的空間に封印されるのであった。

（萩尾　生）

# 12

# 抑圧・加担と忍従・抵抗

## ★フランコ独裁下のバスク地方★

ビルボ陥落の4日後、フランコはビスカイアとギプスコアの2県に「反逆」の責任を帰す法令を発布し、両県の経済協約を破棄した。一方、内戦当初よりフランコ陣営についたアラバ県とナファロア県では、特権体制の存続が認められた。内戦の勝者と敗者は、同一の地理的空間に併存しつつも、峻別された。

反体制派に対するフランコの弾圧は、独裁初期に徹底していた。しかし、第二次世界大戦が枢軸国側にとって不利に展開していくと、フランコ政権はファシズムの色彩を表面上薄めた。もっとも、内戦初期に成立したバスク自治憲章は無効とされ、バスク語文化とそれに関連する象徴的な事象と行為が公的空間から一掃された。

それでも、バスク・ナショナリストに対する抑圧は、共産主義者やアナキストに対する弾圧に比べると、相対的に軽かった。その一因は、PNVのカトリック的性格に求められる。カトリシズムは、フランコの新国家を支えるイデオロギーであった。また、フランコ独裁初期のバスク3県では、地方議員の出自から判断すると、フランコ率いるファランへの影響力が他地域よりも弱かった。

第１回世界バスク会議（1956年）の記章
（© sabino arana fundazioa）

だが、内戦は15万人ものバスク難民を生んだ。その大半はフランスへ逃れ、１９４０年に同国がナチスの支配下に入るや、多くが南北アメリカ大陸に避難した。１９４６年には、アギレを首班とするバスク亡命政府がフランス領バスク地方のバイオナで再建され、フランコ体制打倒と１９３６年体制への復帰を、国連をはじめとする国際世論に訴えた。こうしたアギレの指導力が最大限発揮されたのは、１９４７年5月のビルボにおけるゼネストである。しかし、スト参加者の動機づけは、反フランコというよりも生活困窮打開のためであった。この傾向は、１９５1年のゼネストにおいていっそう顕著になり、結果としてフランコ独裁下における旧来の抵抗運動の最後となった。

また、１９５０年代になると、冷戦という国際与件が、フランコ体制にとって有利に展開した。欧州における反共産主義の砦として位置づけられたスペインは、米国の支援を受けて国際社会に復帰したのである。バチカンとの政教協約の締結もまた、フランコ体制の存続にお墨付きを与えた。アギレは１９５1年に亡命政府をパリに移転させ、１９５６年に当地で世界バスク会議を催したりしたが、国際的な求心力の低下は否めなかった。１９６０年にアギレが客死すると、バスク亡命政府は象徴的な存在にすぎなくなる。反フランコ運動の重心は、スペイン国外から国内へと移りつつあった。そしてスペイン国内では、内戦を知らない世代が台頭し、社会経済構造が劇的な変革を遂げつつあった。

他方フランスでは、第二次世界大戦前夜に各地で見られた地域主義ないし民族主義的な動きは、ナチスの傀儡といわれたヴィシー政権に往々にして回収されていった。フランス領のバスク人も例外でなかったが、レジスタンス運動に投じる者も少なからずいた。なによりもフランス領バスク地方は、スペイン内戦とフランコ独裁から逃げてきたバスク人同胞に対する庇護地として機能した。もっとも、既述したように、戦後20年ほどの間、民族主義的な動きはタブー視されていた。上述したパリの世界バスク会議は、フランス国内にバスク人は存在しない（フランス国内からのバスク人出席者はいない）、というフランス当局の見解を得て実現している。

さて、１９６０年代のスペインは、「スペインの奇蹟」と呼ばれる高度経済成長を実現させた。工業化はアラバ県とナファロア県にも及び、中でもナファロア県以外のバスク３県の経済は、１９６１年から１９７５年にかけて年間６・３％の高い成長率を遂げ、スペイン経済を牽引した。１９５０年に１０４万人だった３県の人口は、１９７５年にほぼ２倍の２０７万人に達した。人口増加の主因は、近隣諸県からの流入労働者に求められる。なお、この年にビスカイア県の個人所得はスペイン第１位となった。

一方で高度経済成長は、バスク社会に中産ブルジョア階層を生み出した。フランコ体制期の閣僚の15％が、バスク3県とナファロア県の出身であったように、彼らの中には、体制支持を明確に表明する者がいた。また、バスク大衆の過半は、政治的無関心、大勢順応、諦念あるいは沈黙によって、間接的にフランコ体制を支えた。しかしこのことは、独裁による弾圧がなくなったことを意味しなかったし、バスク社会から反フランコの動きが消えたことも意味しなかった。

スペインの新たな現実に効果的に対応したのは、共産党の支援を受けたＣＣＯＯ《労働者委員会》

ETA の創設メンバーの一人である「チリャルデギ Txillardegi」ことホセ・ルイス・アルバレス・エンパランツァ（Jose Luis Alvarez Enparantza, 1929～2012 年）。政治家、作家、批評家、言語学者など多彩な顔を持っていた（© Euskomedia - Auñamendi Entziklopedia, Foto: Jesús Mª Pemán, 1992）

である。フランコ体制の御用組合だった垂直組合に合法的に参入し、垂直組合の機能を形骸化したのである。こうして、１９６７年から１９７２年には、ビスカイア県とギプスコア県で１０００件以上のストが発生した。フランコは非常事態宣言を再三発令して、基本的人権の保障を一時停止した。労働運動はアラバ県にも拡大し、要求内容も、生活・労働条件の改善から、独裁打倒へと変わっていった。

　こうした時勢を予期するかのように、１９５９年７月に結成されたのが、ＥＴＡ《祖国バスクと自由》である。ＰＮＶ率いるバスク亡命政府の無策を理由として、内戦を知らないバスク都市部の若者が立ち上げたＥＴＡは、当初バスク民族文化の復興を重視し、必ずしも過激な武力闘争を志向したわけではない。しかし、キューバ革命やアルジェリア独立闘争に影響されて、１９６６年以降マルクス・レーニン主義に基づく第三革命論を採用する。バスク民族の自決権行使による独立国家の樹立を目標に掲げる一方で、目標達成の過程において、同じ受苦者である労働者との連帯に基づく階級闘争を優先させたのである。同時に武力闘争を容認し、１９６８年以降暗殺テロを展開していく。

　また、フランコ体制をイデオロギー面で支えてきたカトリック教会にも、第二次バチカン公会議

（1962～1965年）以降、変化が見られた。社会に対する教会の使命が論じられ、バスク系低位聖職者の中から、労働者委員会やETAに参入する者が現れた。

ETAの活動家に対する1970年12月のブルゴス軍事裁判は、バスク問題を世界に知らしめた。国内外の世論の反発を受けて、フランコ政権は死刑を執行できなかった。ETAの活動は、フランコの後継者と目されたカレーロ・ブランコ首相を1973年に爆殺し、独裁体制存続の可能性を粉砕したことで頂点に達する。しかし、翌年にマドリードで一般市民を巻き込むテロを敢行した後、ETAは、武力闘争を継続するETA（m）と、武装解除して政治闘争に専念するETA（pm）とに分裂した。

そして、独裁の維持に寄与してきた経済発展が、1973年の石油危機を契機に終わりを告げるなか、1975年11月にフランコが死去する。

1978年憲法の公布は、スペインの円滑な民政移行を内外に印象づけた。同憲法第2条は、祖国スペインの不可分一体性を謳う一方で、地方自治権を承認した。《民族》の意とともに、《国家》ないし《国民》の意を併せ持つ「ナシオン（Nación）」（大文字で始まることに注意）の語でスペインが表象され、固有の地域言語を持ち、他の《地域》こと「レヒオン（región）」よりも民族的性格の強い領域は、「ナシオナリダー（nacionalidad）」と称された。これに基づき、アラバ、ビスカイア、ギプスコアの3県は、1979年に、ナシオナリダーとして、他の自治州よりも広範な権限を持つバスク自治州を形成した。しかしナファロア県は、第18章で述べるような特殊な経緯を経て、1982年に単独でナファロア自治州を形成した。自治州の成立が「バスク問題」を解決したわけではなかった。（萩尾　生）

# 13

# グローバルな人の移動

## ★在外同胞と流入者★

バスク人の活動範囲は、バスク地方の内部に限られない。事実、第6章で見たとおり、アランツァレと呼ばれるバスクの漁師は、アイスランドやニューファンドランド島沿岸まで出漁していた。もっとも彼らは、数カ月の間遠洋に出るとはいえ、生活の本拠であるバスク地方への帰還を前提としていた。しかし、バスク人の中には、バスク地方へ戻ることなく、海外に留まって第二の人生を歩みはじめた者が多数いる。そうしたバスク人とその子孫、つまり在外バスク系同胞は、今日、世界中に散らばって、様々な暮らしを営んでいる。

一般に、外発的要因によって故郷を離れ、異郷に散在して生活する同胞集団の様態を、「ディアスポラ」と言う。ギリシャ語起源のこの語は、本来宗教的含意を帯び、《離散する》の意を持つ。しかし今日、「バスク・ディアスポラ」とは、上述のような在外バスク系同胞の中でも、何らかの形でバスク・ホームランドとの情緒的または合理的なつながりを維持している者どうしが、緩やかにあるいは緊密に結束している状況を広く指す。

バスク人がヨーロッパの外へ出立した最初の契機は、スペ

米国アイダホ州ボイジー市の「バスク・センター」に出入りする人びと

イン帝国の植民事業への参画であった。バスク人は造船技術と操船技法に秀でていた。また、植民に必要な武器や什器の製造には、ビスカイア産の鉄や木材が欠かせなかった。こういうわけで、バスク人はスペイン帝国の植民事業に重用されたのである。さらに、ビスカイアとギプスコアのバスク人は、地方特権により郷士の身分を享受していたため、このような国家的事業に比較的容易に参画できた。一方、フランス領のバスク人の中には、自前の船舶をビスカイアの船舶として登録し、スペインの植民活動に加わった者がいる。こうして16世紀半ばまでに、バスク人の活動範囲は、南北アメリカ大陸から、インド、フィリピンなどのアジアにまで及んだ。

19世紀に入り、中南米の植民地がスペインから相次いで独立すると、ヨーロッパからの移民受入は制限された。例外は、アルゼンチンとブラジルの緩衝地帯に位置し、移民受入により国家建設を急いだウルグアイである。１８４２年には、首都モンテビデオだけで、1万４０００人ものバスク人を数えた。また、アルゼンチンも、１８５３年の共和国樹立後、移民積極受入策に転じ、バスク人の新たな入植先となる。同年、スペイン政府が海外渡航する機会を広げた。実際、バスク地方の人口圧が急騰する中で、一般市民が海外渡航緩和措置を導入したことは、一子相続性の恩恵にあずからない農山村出身者や、都市部の未熟練労働者の受け皿となった。また、フランス領における兵役忌避者、スペイン領における内

米国ボイジー市で５年に１度開催される「ハイアルディア（国際バスク文化フェスティバル）」（2015年）の様子

戦や政変による難民や亡命者たちの逃避先ともなった。

このようなバスク人の大半が、比較的元手のかからない牧羊業に着手した。そして、産業革命下のヨーロッパで毛織物の需要が高まると、経営規模を拡大して莫大な財を成し、地方名望家として政界に進出する者も現れた。アルゼンチンの人口に占めるバスク系住民の比率は5～10％と見積もられるが、１８５３年から１９４３年までに誕生した22名のアルゼンチン大統領のうち、じつに10名がバスク系の出自であった。

一方、１８４８年にカリフォルニアで興った「ゴールド・ラッシュ」は、一攫千金を夢見てバスク地方から新たな人口移動を喚起した以上に、中南米に移住したバスク系移民の再移住を引き起こした。一攫千金はおよそ幻と化したが、彼らの大半は、パンパスで培ったノウハウを活かして、再び牧羊を生業とし、ロッキー山脈西側斜面に散っていった。もっとも、パンパスとは異なり、先に入植していた牧牛者とのいさかいが絶えなかった。

20世紀に入ると、従来からの移民受入国は、自国が必要とする分野の職業に限定して期限付き雇用契約を結び、出稼ぎ労働者を受け入れるようになる。こうして、１９４０年代の米国西部には牧羊業者が、１９５０年代のオーストラリア北東部にはサトウキビ栽培者が、そして１９５０～１９６０年代のフロリダ、上海、フィリピンなどにはピロタ競技者（第49章参照）が、集団でバスク地方から渡航した。バスク地方への帰還を前提とする雇用契約だったものの、実際には、そのまま受入社会に居着く事例があった。

1970年代以降、バスク地方の生活水準が上がり、フランコ独裁が崩壊すると、海外へ出稼ぎ移民するバスク人は減少している。だが、このことはバスク人の社会的流動性が低下したことを意味しない。情報通信交通手段の急速な進歩により世界の時間的距離が収縮しつつある現在、生活の本拠を1カ所に限定せず、世界中を転々と動き回るバスク人は、企業人、公務員、自由業従事者、学生、文化人など、かつてないほど多い。国境を越えた移動のあり様が変わったのである。事実、たとえばスペインの法律文書において、このような在外スペイン系同胞を指す用語は、経済的困窮を想起させかねない従前の「移民」から、「在外市民」に変わっている。

ボイジー市にも、バスク語イマージョン教育を行う私立の就学前学校イカストラが存在する

バスク地方は、上述のとおり、500年にわたって人口の流出を経験した土地だったが、その一方で、19世紀末以降、大量の人口流入を経験した土地でもある。

第11章で述べたように、ビルボ周辺域の近代工業化にともない、バスク地方には非バスク系労働者の波が2度押し寄せてきた。1度目が1880年代から1890年代にかけて、2度目が1950年代半ばから1970年代半ばまでである。前者の波は、彼らに反発するバスク・ナショナリズムを誘発

19 世紀末から 20 世紀中葉頃まで炭鉱労働者用に設けられた集合住宅は、ビルボ市郊外にいまでもひっそりと残っている

し、後者の波の一部は、フランコ独裁下で苦しみを分かち合う労働者階級とバスク民族との連帯につながった。

ここで生じる一つの疑問は、バスク農山漁村部の人びとが、内戦や兵役忌避による海外転出を除けば、なぜ、ビルボ周辺域で工業労働に従事せず、海外へ出向くことを選択したのかである。第一次産業従事者は、生活様式・価値観の異なる第二次産業労働よりも、新天地で同様の生業を営む道を選んだ、というのが通説ではあるが。

なお、ポスト工業社会に入った１９９０年代以降は、ＥＵ新規加盟国の東欧諸国や、地理的に近いモロッコ、言語文化的に親和性の高い南米諸国、出稼ぎ目的のブラックアフリカの人びとがバスク地方に流入している（第52章参照）。と同時に、労働力の国際移転と必ずしも直結しない観光客、年金生活者、学生・研究生などの流入が顕著になるのも、この時期からの特徴である。２０２１年時点で、定住外国人の人口比は、バスク自治州で11・5％、ナファロア自治州で16・8％である。スペインとフランスの中の異質な存在とされ、「相違への権利」を主張してきたバスク人は、今度は、自らの社会の内部の異質な存在への対応を、改めて迫られている。

（萩尾　生）

# 14

# 日本とバスクとの関わり

## ★端緒としてのカトリックと柔術★

幕末・明治以降の日本における「バスク」の受容過程は、初版の「はじめに」で概説したとおりである。

さて、時代はさかのぼり、日本の地をはじめて踏んだ西洋人の一人が、カトリック布教の使命を帯びたイエズス会士、フランシスコ・ザビエル（1506～1552年）であったことは、周知の事実である。現スペインのナファロアに生まれた彼がバスク人であることも、ギプスコア出身のイグナティウス・デ・ロヨラ（1491～1556年）とともに、昨今ではかなり知られている。いや、バスク人ではなくナファロア人だ、と主張する人もいるが、バスク人意識を持つ人びとにとって、ザビエルは生粋のバスク人である。「ザビエル」は、バスク語で「シャビエル Xabier」と発音表記する。語源は「新しい家（Etxe《家》＋berri《新しい》）」だと言われている。

かくして、日本と西洋の最初の出会いは、日本とバスクの出会いでもあった。ところが日本では、ザビエルは長い間、ポルトガル人またはスペイン人とみなされてきた。ザビエルがバスク人であるという認識が日本社会において芽生えたのは、20世紀半ばのことと思われる。そのきっかけは、1949年に全国

77　沈黙の効用

沈黙の効用

ソーヴール・カンドウ

日本人はどちらかといえば無口な国民だ、と外国人が言うとき、私は喜んで賛成するのであります。私自身も、最初こちらに来たとき、日本人は沈黙を愛する国民である、と感じたのであります。ただしまもなく、その沈黙にもいろいろあるから、ただ感心していてよいというわけにもいかない、と気がついたのであります。

日本に来てまだ半年たたぬころでしたが、一度結婚式に招かれたことがあります。まだ日本語がじゅうぶんでないし、ろくにあいさつもできないから、と断わろうとしたら、いや、こういう席ではことばの必要はないから、と保証されて、不思議に思いながら、勇気を出して出席してみました。ところがなるほど、式のあいだはもちろん、披露の宴会になっても、大広間に四角く並んだ一同は、しんと静まりかえって、めいめい前にあるおぜんにかがみこんで、用心しながら、静粛にはしを口に運んでいる。上座にすえられた新郎新婦も、むろん人形のように静かにしている。一時間以上も黙々たる食事が続くのを見て、私はおめでたい式というより、なんだかお通夜のような気がしたのであります。これはもう二十何年も前のことですから、このごろはすっかり様子がちがってきたようですが、ともかくこのとき私は、自分も黙ってかしこまりながら、いったいぜんたいこの人たちは何を考えているのであろう、といぶかったのであります。けれども、日本の生活に慣れた今は、このくらいのことでは驚かなくなりました。

だいたい日本人は、簡単に沈黙にはいる能力に恵まれている、という気がします。しかし、不思議なのは、その沈黙からの出方です。大沈黙から出たと思うと、急にたいへんな冗舌になる。はじめ私は、このコントラストにたいそう興味を感じて、あとの饒弁は、さきの沈黙の産物にちがいない、と解釈していました。ところが、だんだんこ

教科書に掲載されたカンドウ神父の随筆「沈黙の効用」
（『中学国語２』日本書籍、1962 年）

各地で開催された「ザビエル渡来４００年祭」であろう。聖ザビエルの「右腕」が拝めるとあって、世界20カ国から参列者が集まった戦後日本初の国際的行事において、「バスク人ザビエル」ということが謳われたからである。

では、ザビエルがバスク人だと公言したのは誰か。その一人は、明らかにソーヴール・カンドウ神父（１８９７〜１９５５年）である。フランス領バスク地方のドニバネ・ガラシ町に生まれた彼は、１９２５年に来日して以来、東京公教大神学校（現日本カトリック神学院）の創設に関わってカトリックの布教に尽力したばかりか、アテネ・フランセ、日仏学院、早稲田大学、聖心女子大学等で教鞭を執り、フランス語、ラテン語、西洋近代思想などを教えた。さらに『羅和字典』を編纂したほか、『方丈記』のフランス語訳などの業績がある。

カンドウ神父の名前が今日まで日本人の記憶に残っているのは、洗練された格調高い日本語を自在に操り、「第二の故郷日本」において啓蒙・批評活動を継続したからにほかならない。『朝日新聞』に連載コラムを持ち、ラジオ講演や座談会を重ね、晩年には政治家や実業家との懇談の場である「晩成会」を設けるなど、今日の日本の一定年齢以上の知的教養層に多大な影響を与えたのである。ときに「貫道」の筆名を用いたカンドウ神父の論文、講演、随筆、日記、書簡は、全5巻と別巻3から成る『カンドウ全集』（１９７０年）に収録されている。なお、珠玉の随筆数編は、その死後、中学校の国語

第14章

# 日本とバスクとの関わり

いわゆる「国語」を学んだのである。

このほかにも、原爆被災者の救済やザビエルの書簡の日本語訳に貢献したペドロ・アルペ神父（1907～1991年）など、20世紀日本の社会・文化の成熟に寄与したバスク人聖職者は少なくない。彼らの献身的活動は、布教という使命の側面を差し引いたとしても、大いに再評価されてよいだろう。

一方、バスク地方を最初に訪れた日本人が誰なのかは、定かでない。開国後はじめてスペインを訪れた日本人は、高野廣八を後見人とする17名の軽業・曲芸欧米巡業団だと言われている。その『廣八日記』によれば、一行は1868年7月に、パリから蒸気機関車に乗って、おそらくバスク地方を経由して、マドリードへ向かった。以後、19世紀末頃より、政府高官や教育者や文化人が相次いでスペインを訪れる。たとえば、1897年には、有栖川宮威仁親王の一行が、ドノスティアのミラマル宮に招かれ、アルフォンソ13世と摂政マリア・クリスティーナ王太后の歓待を受けている。また、1900年前後にスペインを訪れた村上直次郎は、「バスク人はイスパニヤ最古の住民なるイベリヤ人種の子孫で、此山地に據って古来の風俗習慣を固守し、言語も特殊なるものを話して居ります、バスクのことばは日本語に似て居る」（『外交史料採訪録』）という、現在まである程度維持されている日本におけるバスク・イメージの原型を書き残した。このほか、木下杢太郎や野上弥生子のように、途上のバスク地方を写実的に素描した文豪の存在も印象的だ。しかし、日本人としての彼らの存在が、当時のバスク地方で広く認知されていたわけではない。

バスク民衆に知れ渡った最初の日本人は、おそらく柔術家の上西貞一（1880年～?）であろう。

洋装の上西貞一（右側、1909年11月7日、ビルボ市）
（© Euskomedia - Auñamendi Entziklopedia）

日本の柔術は、19世紀末に英国へ紹介され、そこからフランス、スペインへと伝搬した。１９００年に渡英した上西は、柔術の指導にあたる一方、「ラクRaku」の愛称で多くの他流試合をこなした。英国との交流が盛んだったビルボでは、１９０８年８月にデビューし、翌年秋までの間、柔術を実演する様子や、懸賞金を賭けて一般から募った対戦者を次々と負かしていった経緯が、現地新聞に報じられている。かのウナムーノも、「ビルボの柔術」という小論を１９０８年に発表した。それほどに、上西のパフォーマンスは注目されたようである。

しかし、上西が去った後のバスク地方では、日本への関心は、一部の人びとの間で継承されたにすぎない。「日本趣味」が興隆することもおよそなく、日本の存在感は総じて低かった。筆者の経験では、１９８０年代半ばですら、日本と中国が別の国であることをしばしば説明しなければならなかった。

状況が変化するのは、情報通信技術が飛躍的に進歩した１９９０年代である。当時世界的に賞賛された日本型経営モデルと日本の経済・社会が、バスク地方のメディアでも取り上げられたからである。ことに、カラオケ、マンガ、アニメといった日本製ポップ・カルチャーは、20歳前後の若年層に幅広く受けた。フランコ独裁を知らない最初の世代は、以前の世代のように急進的なバスク・ナショナリズムに必ずしも走らなかったのである。

今日、バスク地方には、柔道、武術、生け花、盆栽、折り紙などの日本文化サークルがいくつも存在する。バスク州立大学には日本語の講義が開講されており、「エウスカディ・アジア」という組織には、日本研究者が集まっている。２００９年4月にビルボで開催された「第1回日本祭」（日本バスク友好会主催）が、３０００人以上の参加者を集めて成功裡に終わった背景には、日本に対する関心が近年高まっていたという事情がある。

日本とバスク地方の相互交流は、従前必ずしも対称的ではなかった。とはいえ、第二次世界大戦中のフィリピンで日本軍がはからずもバスク系住民と交戦したことを除けば、両者の関係は、地理的距離の遠さもあって、対外イメージのレベルにおいて概して良好であった。

こうして20世紀後半には、山口県とナファロア州、山口市とイルニャ市、丸亀市とドノスティア市の三つの姉妹提携が実現している。２０１０年代に入ると、バスク州政府が対外活動の戦略的重点地域の一つに日本を据え（第43章参照）、三重県ならびに福島県とそれぞれ自動車産業や再生エネルギーに特化した相互協力協定を締結したほか、２０２２年には、日本のジェトロに相当する「バスク州政府貿易投資事務所日本オフィス」が東京に開設されている。日バ関係の真価が問われるのは、市井の日本人とバスク人とが直接触れ合う機会が格段に増えていくであろう、目下のグローバル時代においてである。

（萩尾　生）

コラム3

# 世界史の中の「バスク人」

萩尾　生

世界史の表舞台で活躍する人びとの属性は、多くの場合、スペイン人やフランス人といったように、国家と関連づけられる。こういうわけで、国家を持ったことのないバスク人の場合、世界に知れ渡った人物が少なからず存在するにもかかわらず、「バスク人」あるいは「バスク系」として脚光を浴びる機会がおよそなかった。ここでは、そのような人びとの中から、本書の本文で取り上げなかった人物を中心に、少々スポットライトを当ててみたい。

スペイン帝国の植民活動やカトリックの布教活動に積極的に参画したバスク人は、既述したエルカノ、ザビエル、ロヨラらのほかに、フィリピンを征服して初代総督となったミゲル・ロペス・デ・レガスピ（1502～1572年）や、ブエノスアイレス市の基礎を築いたフアン・デ・ガライ（1528～1583年）など、スペイン旧植民地の随所に足跡を残した。植民地社会では、スペイン人とバスク人の不和がしばしば発生したが、征服者に同行したバスク系聖職者は、そうした係争をしばしばバスク人に有利な形で調停した。また、ロペ・アギレ（1510?～1561年）のように、スペイン帝国に露骨に反旗を翻したバスク人も現れた。

時代が下ると、中南米出身のバスク系住人の人口が増え、シモン・ボリバル（1783～1830年）など、スペインからの独立建国に貢献する人材が輩出した。20世紀に入っても、革命家チェ・ゲバラ（1928～1967年）、チリ大統領のサルバドール・アジェンデ（1908～1973年）、彼をクーデターで殺害して軍事独裁を敷いたアウグスト・ピノチェト（1915～2006年）、ウルグアイ大統領のホセ・ムヒカ（1935年～）など、バスクの血を引く

## コラム３
## 世界史の中の「バスク人」

政治家は後を絶たなかった。ことにアルゼンチンでは、「エビータ」として名高いエバ・ペロン（１９１９～１９５２年）がバスク系だったように、バスク系の出自が社会的ステータスとみなされた時期があった。作家のボルヘスなどは、自分のファミリー・ネームの中にバスクの姓を探したが徒労に終わった、という逸話が残っている。

旧大陸においても、20世紀初頭のスペイン政財界で活躍し、イベリア航空やサルトス・デル・ドゥエーロ（後のイベルドローラ社）を設立したオラシオ・エチェバリエタ（１８７０～１９６３年）や、スペイン内戦時の共産党指導者、「ラ・パッシオナリア」ことドロレス・イバルリ（１８９５～１９８９年）の名前を、落とすわけにはいかない。

文化面では、音楽の領域で、作曲家のパブロ・デ・サラサーテ（１８４４～１９０８年）とモーリス・ラヴェル（１８７５～１９３７年）の２人があまりにも有名である。「スペインのモーツァルト」の異名をとるファン・クリソストモ・アリアガ（１８０６～１８２６年）の名前も忘れがたい。人文学においては、ノーベル文学賞を受賞したチリの詩人パブロ・ネルーダ（１９０４～１９７３年）が名高い。スペイン本土では、いわゆる「１８９８年世代」の中に、バスク・ナショナリズムを痛烈に批判した哲学者ミゲル・デ・ウナムーノ（１８６４～１９３６年）や、作家のピオ・バロハ（１８７２～１９５６年）の顔ぶれを見いだせる。ピオ・バロハの甥が、『カーニバル』などの著作で知られる歴史人類学者フリオ・カロ・バロハ（１９１４～１９９５年）であることも周知の事実だ。文学・思想界における「１８９８年世代」を絵画において体現したのは、イグナシオ・スロアガ（１８７０～１９４５年）である。このほか、ファッション界におけるクリストバル・バレンシアガ（１８９５～１９７２年）の功績も、付け加えておこう。

自然科学においては、タングステンの単離に世界ではじめて成功したファウスト・デ・エルヤル（1755〜1833年）が、まあまあ知られている。

なお、バスク地方の出身ではないが、姓から判断するとバスク系だと言える人物として、《シルエット》という単語の語源になったルイ15世の蔵相エティエンヌ・ドゥ・シルエット（1709〜1767年）、画家のフランシスコ・デ・ゴヤ（1746〜1828年）、ダゲレオタイプと呼ばれる銀板写真を発明したルイ・ダゲール（1787〜1851年）、スペイン初のノーベル文学賞を受賞したホセ・エチェガライ（1832〜1916年）、RNA合成に関する研究でノーベル生理学・医学賞を受賞したセベロ・オチョア（1905〜1993年）などが挙げられる。

以上列挙した人物が、「バスク人」としての出自をどれほど自覚していたかは不明である。バスク系であるか否かを判断する1基準は姓である。しかし、メキシコなどでは、バスクとは縁のない者が意図的にバスク系の姓を冠する時期があったため、姓すら絶対的な基準ではない。そもそも、「バスク人」の定義そのものが多種多様なのである。

コラム4

吉田浩美

## バスク地方の世界遺産

現在、バスク地方には7カ所の世界遺産がある。

認定順に挙げると、まずは1998年に、サンティアゴ巡礼路の中にある、フランス領バスクの次の3カ所が認定された（サンティアゴ巡礼路自体は1993年に認定）。

フランス領バスク、ラプルディの**バイオナの聖マリア大聖堂**。ゴシック様式によるカトリック教会。13〜17世紀はじめにかけて建築された。特に、ルネサンス期のステンドグラスと14世紀に作られた回廊が有名である。ランスの大聖堂を手本としたとの説がある。

フランス領バスク、低ナファロアのドニバネ・ガラシにある**ドネ・ヤクエ門（聖ヤコブ門、サン・ジャック門）**。15世紀に建てられたもので、フランス北部からやってきた巡礼者たちがくぐるドニバネ・ガラシの町への入り口となっている。

フランス領バスク、スベロアの**オスピタレペアの教会**。12世紀に建設された。オスピタレペアはスベロアにある小村。オスピタレは英語の hospital とも同じ語源の語で、古いバスク語では「宿」を意味した。その名のとおり、サンティアゴを目指す巡礼者のための慈善施設（宿）の一部である。建築様式にはロマネスク様式とビザンチン様式の融合が見られる。上から見るとギリシャ十字の形をしており、中心に八角形の鐘楼がある。7言語によるガイドがあり、入場料は志となっている。

次に、2006年にスペイン領バスク州ビスカイア県ビルボにある**ビスカイア橋**が認定された。ギュスターヴ・エッフェルの弟子である建築家アルベルト・パラシオ・エリサガ（1856〜1939年、ラプルディのサラ出身）の手にな

世界遺産の位置

るもので、1893年に開通した。高さ65メートル、長さ164メートル。ネルビオン川に架けられた世界最古の運搬橋であり、ゲチョとポルトゥガレテを結ぶ。現在は8分おきに運転され、一度に自動車6台、人間300人ほどを運ぶことができる。1937年にフランコ軍の侵攻を阻止するため上部が破壊されたが、1941年に修復が始まった。選定の理由は「鋼鉄製ケーブルの使用」となっている。長年技術系社員として建設会社に勤務していた方によると「下を船が通ることができる高い橋を架けようという思い切った発想がまずあったが、そうすると人や車は橋の高いところまで階段や傾斜路で行かなければならないという問題が発生する。これを解決するために提出されたのが、高い橋の下に大型のゴンドラをワイヤーケーブルで吊り下げて動かす、という前代未聞のアイディアだった。これを可能にしたのが当時の最先端の鉄鋼技術だった。1889年竣工のエッフェル塔が炭素量が少なくやや脆弱な錬鉄で造られていたのに対し、鋼鉄ケーブルを使用した点が高く評価されている」（私信）。

最後に、2008年に次の3カ所が「アルタミラ洞窟と北スペインの旧石器時代洞窟壁画」として認定された（アルタミラ洞窟は単独で1985年に認定）。

ビスカイア橋（Ebaki, CC BY-SA 4.0）

スペイン領バスク州ビスカイア県コルタスビの**サンティマミニェ洞窟の壁画**（1916年に発見）。

スペイン領バスク州ギプスコア県アイアにある**アルチェリ洞窟の壁画**（1962年に発見）。

エカイン洞窟の壁画（Xabier Eskisabel, CC BY-SA 3.0）

スペイン領バスク州ギプスコア県デバの**エカイン洞窟の壁画**（1969年に発見）。

いずれも旧石器時代マドレーヌ文化期のものと思われる洞窟内の壁画で有名になった。壁画には、バイソン、熊、馬、鮭などの動物が生き生きと描かれている。

コラム5

# ゲルニカ

萩尾　生

ゲルニカは、ビスカイア県の中央部を南北に流れるオカ川沿いの、人口1万7千人の町である。元来はルモという集落の一区域にすぎなかった。そのゲルニカが特許状によって中世の都市として誕生したのは、1366年のことである。町の現在の公称は、二つの集落名をつなげたゲルニカ＝ルモだ。

今日、ゲルニカを含むオカ川下流域220平方キロメートルの土地は、「ウルダイバイ河口生物圏保存地域（ユネスコエコパーク）」に指定されている。そして、その4・5％に相当する約千ヘクタールの湿地帯が、ラムサール条約に登録されている。

ゲルニカをバスク地方の「聖都」と言う人がいるが、これは誤りである。宗教的にとくに意味ある場所ではない。しかしゲルニカは、以下の二つの理由により、現在のバスク人にとって格別重要な町とみなされている。

まずは、バスク人の政治的自治の象徴としてのゲルニカである。このことは、第9章で述べたとおり、ビスカイア領がカスティーリャ王国に編入されてからも、カスティーリャ国王が、王座に就くに際して、ゲルニカの一般評議会のオークの木の下で、ビスカイアのフエロ（慣習法と地方特権）の遵守を宣誓してきた事実に明らかである。1876年までにバスク地方のフエロは撤廃されるが、即興歌人のイパラギレが作詞作曲し、今日まで歌い継がれている「ゲルニカの木」（1853年）（第26章参照）には、バスク人の政治的自治を保障してきたフエロを擁護するバスクの民の心情が見て取れる。

1937年、スペイン内戦の最中にバスク自治政府が発足すると、その初代首班となったホセ・アントニオ・アギレは、かつての慣行に倣い、ゲルニカのオークの木の下で、就任に際しての宣誓の言を述べた。
《神の前にて慎ましく、バスクの土地に直立し、先人の記憶とともに、ゲルニカの木の下で、私の任務をしかと全うせんことを誓う。》
この宣誓の儀式は、フランコ独裁を経てスペイン民政移行後、1979年にバスク州が成立するや、新たに州の首班に着任する者の就任

ゲルニカのオークの木。左の建物は議会場

式において、再び踏襲されている。このように、ゲルニカは、バスクの政治的自治の象徴となっているのである。
PNV《バスク・ナショナリスト党》の首班によって読み継がれてきた宣誓文は、2009年に非バスク・ナショナリストのPSOE《社会労働党》がはじめて単独で州の政権を握ると、様相を異にする。従前のPNV系首班が、十字架とバスク語訳聖書を携えて宣誓してきたのに対し、PSOEのパチ・ロペス首班は、スペイン憲法とゲルニカ憲章（バスク州自治憲章）を手にして、政教分離とスペイン法治国家の尊重という政治姿勢を明確に出すべく、次のように発話し、物議を醸した。
《バスクの土地に直立し、あなたがた市民の代表の面前において、ゲルニカの木の下で、先人の記憶とともに、法を尊重しつつ、私の任務をしかと全うせんことを約束する。》
しかし、PNVが2012年に政権を奪回す

ると、新たな首班となったイニゴ・ウルクリュは、ゲルニカ憲章と近代以前に編纂された「ビスカイアの旧フエロ」を携えて、従来の文言に若干の修正を施した。

《最大の慎ましさでもって、神と社会の面前において、バスクの土地に直立し、ゲルニカのオークの木の下で、先人の記憶とともに、人民の代表たるあなたがたの面前で、私の任務を誠実に全うせんことを誓う。》

このように、政権担当党の政治姿勢を反映して、言い回しには微妙な差異が生じている。だが、バスク州ないしバスク地方の政治的自治の象徴という点で、ゲルニカの重要性は依然維持されている。

いま一つのゲルニカの重要性は、戦争の記憶を継承する、あるいは平和を希求する町としての表象機能にある。スペイン内戦中の１９３７年４月26日に、ゲルニカの町は、フランコ反乱軍を支援するナチス・ドイツのコンドル部隊とイタリア軍による空爆を受け、破壊された。死者の数には諸説ある。スペイン内戦における空爆は、ゲルニカに先立ってドゥランゴやその他いくつかの町村が被っていたが、わけてもゲルニカの名前が世界に知れ渡ったのは、『ザ・タイムズ』記者のジョージ・スティア（George Steer）によるスクープ記事、そしてそれ以上に、ピカソが描いた絵画「ゲルニカ」に負うところが大きい。

スペイン民政移行後、ゲルニカの町では毎年４月26日に、様々な記念行事が催される。空爆50周年の１９８７年には、「ゲルニカ・ゴゴラトゥス」（《ゲルニカを忘れずに》の意）という、空爆の証言や記録を収集・研究する財団が発足したほか、当時の西ドイツから多くの若者が式典に自発的に参加したことが話題を呼んだ。このことは10年後の60周年に際して、ドイツ政府のゲルニカ市に対する謝罪表明へとつながる。そして２００７年の空爆70周年には、広島やドレスデンなどゲルニカと同じく空爆を体験した世界の都市の代表を集めて「ゲルニカ平和宣言」を発し、平和博物館を設立して平和の願いを新たに発信していく。

空爆80周年になると、存命の空爆体験者が僅かになる中で、歴史的記憶のアーカイブ化と継承が再確認される一方、前後してバスク州政府の発意により、ゲルニカの木の新たな「株分け」が始まった。上述の「ゲルニカの木」の歌詞「世界に種子を、与え、広めよ」に倣って、平和を願うゲルニカの意思を世界と共有しようという趣旨である。従来、ゲルニカの木は株分けされて、南北アメリカ大陸のバスク系同胞コミュニティに分配され、バスク人の同胞意識の持続が目されてきた。しかし今や、平和を人類共通の普遍的目標に据えたゲルニカの木の株分けは、広島市やアウシュビッツ市などに対しても実施されている。

ゲルニカの街角に描かれている壁画。（ピカソの）「ゲルニカ」をゲルニカ（の町）へ、という呼びかけ

今日、ゲルニカの街角に、空爆の爪跡を見いだすのは難しい。町内にわずかに二つ残る防空壕址ですら、町の観光案内パンフレットを頼りに入っていっても、そこで往時の空爆の様子を想像するには、相当の努力を要するだろう。歴史的記憶とは、時間の推移とともに、確実に消え褪せていく宿命なのだろうか。ゲルニカの木の株分けは、そうした運命を甘受することに対する、ささやかなる抵抗かもしれない。

コラム6

## 内戦の記憶——英国に渡ったバスク学童

砂山充子

スペイン内戦中の1937年5月21日、ビルボ郊外のサントゥルツィ港から英国のサウサンプトン港に向け、7歳から15歳までの子どもたち約3900名と、彼らの面倒を見るために同行した教師、助手、聖職者、医師を乗せたハバナ号が出港した。内戦の時期を通じて国内外への人びとの移動はあった。このほかにもバスクからはフランス、ベルギー、ソ連、メキシコなどへ約2万名の子どもたちが渡ったと言われている。

スペイン内戦に際して他国との間で委員会を設置し、不干渉の方針をとっていた英国は、政府としての避難民の受け入れには躊躇していた。反乱軍は内戦勃発後数カ月が経ち首都マドリード奪取が困難とさとると、その矛先を北部へと向けた。1937年4月26日には反乱軍を援助するドイツ、イタリアの空軍機がゲルニカを爆撃した。ゲルニカ爆撃のニュースが伝わるや英国の世論は共和国支援へと傾いていく。ちょうどこの頃、英国からは労働党の元議員レア・マニング（Leah Manning）がバスクを訪問中で、子どもの送り出しの窓口になっていたバスク自治政府首班（レエンダカリ）のアギレと子どもの受け入れについての交渉をしていた。

世論の変化やマニングをはじめとする超党派の政治家たちの尽力から、英国は、政府からの金銭的援助は一切しない、両陣営の子どもを受け入れる、戦闘が落ち着いたら速やかに帰国させるという条件で子どもたちの受け入れを容認した。全国レベルの組織の傘下に各地で子どもの面倒を見るための「バスク子ども委員会」(Basque Children's Committee) が組織された。

子どもたちは当初サウサンプトン郊外に設置された急拵えのキャンプ場のテントに滞在

した。その後、英国各地に設けられたコロニーと呼ばれる滞在先に送られた。コロニーは宗教施設や慈善団体の施設の場合もあれば、個人の

サントゥルツィ港に設置されたモザイク画の記念碑

邸宅のこともあった。現時点までに確認されているのは英国全体で100カ所以上ある。大部分がイングランドにあったが、ウェールズに4カ所、スコットランドにも1カ所のコロニーがあった。子どもたちがバスク人としてのアイデンティティを失わないようにというバスク自治政府からの要望で、多ければ数百人、少なければ数十人のグループでの共同生活をすることになった。フランスやベルギーに疎開した子どもたちのように個人の家庭に引き取られることは少なくとも当初はなかった。

英国政府からの援助がないため、コロニーの運営は資金調達も含めて「バスク子ども委員会」の支部によって行われることになった。篤志家からの金銭や物品の寄付もあったが、子どもの滞在が長期化するにつれて資金、物資調達が困難になるコロニーもあった。資金集めの集会で子どもたち自らがバスクやスペインの歌やダンスを披露することもあった。

2022年にサントゥルツィに設置された、疎開したすべての子どもたちに捧げる記念碑
(Photo courtesy of BCA’37UK-Euskadi, the Association in Euskadi for the Basque Children evacuated to the UK in ’37.)

子どもたちの英国での経験は様々であった。整った環境で地元の人たちから歓待されながら生活を送った子どもたちもいれば、収容所のような環境で辛い日々を送った子どもたちもいた。兄弟姉妹と離れ離れになった場合もあるし、あちこちのコロニーを転々とさせられることも多かった。

子どもたちの多くはどこかの段階でスペインに帰国、もしくは親族の滞在先へと向かったが、彼らの英国滞在は当初の想定よりもずっと長くなった。１９３８年２月の時点で２５００名が、内戦終結数カ月後の１９３９年10月でも１０００名余りの子どもたちが英国にいた。約４００名はそのまま英国に残りその後の人生を送った。２００２年には、当時渡英した子どもたち自身や教師の子どもたちの世代がBasque Children’s Association ’37を結成した。かつてのコロニーを探し出し、滞在者たちが疎開の経験を語った映像や書籍などを出版し、記念のイベントを開催し、彼らの経験を語りついでいる。２０１９年にはバスクでもBasque Children’s Association ’37 UK-Euskadiが結成され、２０２２年にはビルボのサン・マメス・スタジアムで展覧会を開催した。

# 「バスク地方」の形成と再編

## 領域性・民族性・歴史性

Zazpi Eskualherriek bat egin dezagun

七つのバスク領域を一つにしましょう

—Grazian Adema «Zalduby»
「サルドゥビ」ことグラシアン・アデマ

# 15

# 「バスク地方」の形成

## ★領域性の拡大か拡散か★

バスク地方すなわちエウスカル・エリア（Euskal Herria）を構成する七つの領域は、個別特有の歴史を有する。では、これら7領域は、いかにして一つのまとまりある「バスク地方」として認識されるようになったのだろうか。

バスク人の自称が《バスク語の話し手》を意味するエウスカルドゥンであることと、エウスカル・エリアの字義が《バスク語の話されるくに》であることから、言語が自他集団を差異化する一指標として機能してきたことがわかる。憶測の域を出ないが、交通手段の発達や活版印刷等の技術の普及にともなって社会経済生活圏が拡大した16〜17世紀頃、自分たちと異なる言語の話し手の存在が知れ渡っていく過程において、バスク語の話し手を特異だとみなす非バスク語の話し手の間のみならず、そうした「他者」に反映された自分たちの姿を相対視できるようになったバスク語の話し手の間でも、言語に基づく「バスク」という漠とした共属感覚が広く共有されるようになったと考えられる。

目下確認しうる範囲で、エウスカル・エリアという用語の初出は、アラバ出身の文筆家ホアン・ペレス・ラサラガ（Joan

Perez Lazarraga）による、1564年頃の断片的手稿である。しかし、この用語の指す地理的範囲は判然としない。ほぼ同じ時代、1571年にラプルディ出身のJ・レイサラガが翻訳したバスク語版『新約聖書』の序文は、バスク語とフランス語の2言語で綴られており、エウスカル・エリアが《バスク人のくに》を意味したことがわかる。しかし、その地理的範囲は、やはり不明である。さらに時代が下がると、ナファロア出身の「アシュラル Axular」ことペドロ・アゲレ（Pedro Agerre）は、1643年の小説『あとで』の中で、《バスク語の話されるくに》の意味でエウスカル・エリアを用い、七つの領域を列挙している。以後、今日的用法によるエウスカル・エリアの語が頻出する。とりわけ、バスク語文芸の復興を見、バスク・ナショナリズムが台頭しようとしていた1880年代を境に、印刷物などに幅広く確認されるようになっていく。

もっとも、現存する最古のバスク語書籍が刊行されたのは1545年であり、それ以前の時代について、バスク語による言語活動の物証はほとんど残っていない。また、1545年から1875年までの間に、バスク語で刊行された書籍は、723点にすぎない。バスク民衆の大多数に、バスク語で読み書きする習慣はなかったし、バスク社会の上層部は、スペイン語ないしフランス語を実社会において多用していた。こういうわけで、「バスク地方」のまとまり意識の変遷の過程は、バスク語以外の言語で記述された史料に頼らざるをえない。

すると、17世紀頃より、スペインの公文書の中に「バスコンガーダス地方」という行政的表現が散見される事実に、われわれは気づく。「バスコンガーダス」とは、当時《バスク語の話される》という意味で用いられ、アラバ、ビスカイア、ギプスコアおよびナファロアの4領域を指していた。バス

「バスク地方友の会」の紋章と標語「三つは一つ」

ク語以外の話し手からも、バスク語が用いられている異質な土地だと認識されていたことが想像される。

ところが、18世紀になると、言語を共通基盤とする同族感覚に加えて、フエロ（地方特権、第9章参照）に基づく政治的・行政的一体性の意識が、芽生えてくる。契機は、スペイン継承戦争（1700～1714年）である。この戦争の結果即位したブルボン家のフェリペ5世は、新組織王令（ヌエバ・プランタ）を発布して中央集権化を推進し、スペイン各地に残存していたフエロを撤廃した。例外は、この戦争でブルボン家を支持したアラバ、ビスカイア、ギプスコア、ナファロアであり、各領域のフエロは、その存続が認められた。わけても、フェリペ5世がアラバ、ビスカイア、ギプスコアの3領域を「免除地方」と宣言したことは、スペインの他地域との差異化に役立った。

ナファロアも、そのフエロの存続を認められたが、カスティーリャ王国併合後も副王制を維持していたため、「地方（プロビンシア）」と呼ばれることに難色を示した。事実ナファロアは、議会（コルテス）や独自の通貨の存在など、他のバスク3領域とは異なる政治経済体制を有していた。

もっとも、「免除地方」の「免除」の範囲が徐々に狭まるにつれて、「免除地方」という用語は、次第に「バスコンガーダス地方」の用語にとって代わられた。たとえば、18世紀後半の経済危機を、アラバ、ビスカイア、ギプスコアの3領域の結束によって克服しようとした「祖国の友・バスコンガーダス協会」（「バスク地方友の会」）は、「三つは一つ（イルラク・バット）」という標語を掲げた。結束の一根拠は、フエロを共通基盤とする政治的一体性であった。

19世紀後半になると、西欧を席巻したロマン主義は、共通の言語・文化を基盤とする「バスク民族」の概念を生み、ダーウィニズムの影響を多分に受けた形質人類学は「バスク人種」という範疇を捻出した。こうして、バスコンガーダス地方3県とナファロア県に共通の人種・民族を追究すべく、4県に共通の大学や図書館を設立しようという動きが、ナファロアの有識者の間に興った。そうした動きは「四つは一つ（ラウラク・バット）」の標語をともなっており、「バスク地方友の会」の標語「三つは一つ」の改正を求める動向も生まれた。

キューバのバスク人コミュニティで発行された雑誌『四つは一つ』（1886～1896年）のタイトル・ページに描かれた「四つは一つ」のイメージ

標語「七つは一つ」を表象する紋章

その後サビノ・アラナが興したバスク・ナショナリズムは、当初、ビスカイア地方のみを念頭に置いていた。しかし、「バスク人種」が措定されたことから、後に彼は「七つは一つ（サスピアク・バット）」を高唱した。とはいえ、この標語はアラナの発案ではない。ダブリン生まれのアイルランド系バスク人で博物学者のアントワーヌ・ダバディ、あるいはラプルディ出身の文筆家「サルドゥビ」ことグラシアン・アデマの発意だとされている。両者とも、北バスクにおいて、バスク語文芸復興に貢献した人物である。

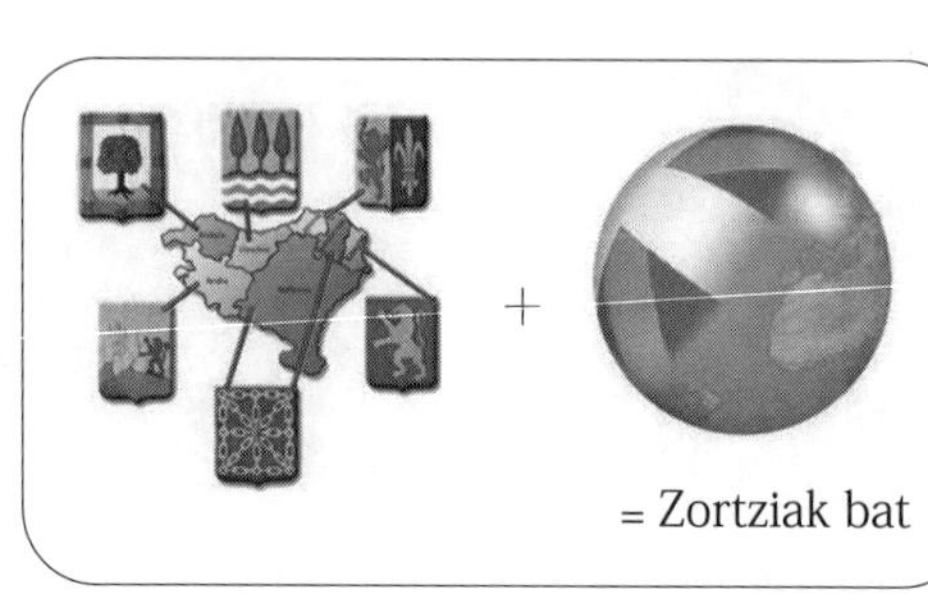


NABO《北米バスク協会》のウェブサイトに2010年代前半に掲載された「八つは一つ Zortziak bat」の呼びかけ

「七つは一つ」は、進歩的な知識人や文化人が集まったナファロアの「バスク語協会」（1876年設立）の標語にも採用された。

以上をまとめると、まず、3領域からなる「免除地方」こと「バスコンガーダス地方」の枠組みを作ったのは、スペイン中央権力である。次に、スペイン側4領域からなる「南バスク」の枠組みは、バスコンガーダス地方の外のナファロアの人びとによって提唱された。さらに、「南バスク」と「北バスク」を合わせた7領域から成る「バスク地方」の枠組みは、「南バスク」の外に位置する「北バスク」から高唱された。つまり、「バスク地方」の領域認識は、つねに外界からの枠組み設定に呼応して、拡大していったのである。

では「七つは一つ」の次は何か。それは、バスク地方の外のバスク系コミュニティから昨今聞こえてくる「八つは一つ（ソルツィアク・バット）」のかけ声である。バスク地方の外のディアスポラ世界を「バスク地方」を構成する「8番目の領域」になぞらえた言い方である。

しかしここまで来ると、「バスク地方」の領域が全世界に拡散し、その領域性は意味を失い、民族性は希釈されていく。「民族」という概念が虚構であるか否かはさておき、「民族」を構成する2大要素と信じられてきた「血」（血縁／民族性）と「地」（地縁／領域性）なき後の人間集団の結束は、もっぱら「主意」（選択縁／合理性）に頼ることになるのだろうか。

（萩尾　生）

# 16

# バスク州

★領域・自治権・県制★

1978年スペイン憲法の是非を問う住民投票において、PNV《バスク・ナショナリスト党》は棄権を呼びかけた。投票率は全国で67％に留まったが、投票者の9割近くの賛同を得た同憲法が12月6日に国会で可決されるや、PNVは自治州の成立へ向けた現実的対応へと素早く反応した。同年12月24日には、PNVが起草した州自治憲章案が、PSOE《スペイン社会労働党》やEE《バスク左翼》などとの間で合意される。そして、12月29日にスペイン憲法が公布されると、憲法第151条と経過規定2を根拠とする州自治憲章の国会承認へ向けた調整が本格化する。こうして、1979年3月の総選挙で下院7議席を獲得したPNVは、7月2日から21日にかけて、国会でバスク州自治憲章をめぐる審議に臨んだのであった。

争点は二つに要約できる。州の領域と自治権の範囲の2点である。結論を先取りするならば、まず領域については、アラバ、ビスカイア、ギプスコアの3県を母体としつつも、憲法の経過規定4に基づき、ナファロアをバスク州に編入する可能性が明記された。同州内に存する上記3県以外の飛び地については、個別名称を列挙せずに、同じく編入可能性が示唆された。ち

バスク州の紋章（当初）

バスク州の現在の紋章
（右下のナファロアの紋章が下地の赤色のみに変更）

なみにバスク州の紋章は、アラバ、ビスカイア、ギプスコア、ナファロアの四つの領域の紋章を組み入れたものだったが、1982年に単独で州に昇格したナファロアの訴えにより、現在はナファロアの紋章部分が空白（下地の赤色のみ）となっている。

次に自治権の範囲については、財政上の裁量権を保障する「経済協約」の復活（第21章参照）や自治警察（エルツァインツァ）の導入など、他の州よりもはるかに高度な権限が付与された。これは、UCD《民主中道連合》のスアレス首相とPNV党首のカルロス・ガライコエチェア（Carlos Garaikoetxea）が、国会審議の裏で展開してきた直接交渉によるところが大きい。その手順は後に批判されたが、フランコ没後テロ行為を激化させていたETAの存在は、スペインの民主化とバスク地方の自治の双方にとって克服すべき喫緊の課題であった。しかも、1979年3月の総選挙で、ETA寄りのHB《人民統一》は3議席を得ていた。そこで、ナファロアの帰属問題を先送りするとともに、スペインからの分離につながりかねない要素を排除しながら、スペイン国内における自治権を最大限に保障することで、双方が妥協したのである。ここに引き出されたのが、憲法附則1が保障する「歴史的諸法」の概念（第20章参照）であった。歴史的諸法はバスク州とナファロア州に対してのみ適用され、他の州との差別化に成功している。しかし、近代以前のフエロを喚起させる歴史的諸法の援用は、自治憲章がスペイン政府とバスク地方との二者間「和約」であり、前者から後者に譲与された権利の集合ではないとの意識を、バスク・ナショナリストの間に深く植え付けることとなった。

自治憲章の是非を問う1979年10月25日の住民投票では、ナファロアがバスク州に含まれないことと、バスク民族の自決権が認知されていないことを理由に、HBは棄権を呼びかけた。棄権率は41・1%に達したが、投票者の58・85%が賛意を表明した。投票者の9割が賛意を表明した1936年のバスク自治憲章に比べると、かなり低い数字である。ともあれ、バスク州自治憲章は1979年12月18日に、カタルーニャ州自治憲章と同時に、1978年憲法に基づく初の州自治憲章として発布された。

バスク州自治憲章は、「ゲルニカ憲章」と呼ばれ、同州の政治的主体として、「バスク人民」ないし「バスク民族」という人的集団を、法的にはじめて認知した。立法機関の州議会は議員定数75名で、議員の互選により、レエンダカリ（Lehendakari）と呼ばれる首班が決定される。なお、この75名は、アラバ、ビスカイア、ギプスコアの各県から等しく25名ずつ直接選挙で選ばれる。ところが、バスク・ナショナリストの勢力が強いビスカイア県とギプスコア県の人口は、全国政党の支持率が高いアラバ県のそれぞれ4倍弱と2倍強であるから、いわゆる「1票の格差」問題が存在する。

アラバ、ビスカイア、ギプスコアの各県は、「歴史的諸法」に基づく「歴史的領域」と定義される。個々の歴史的領域には、「一般評議会 Juntas Generales」と呼ばれる県議会と、この議会決定を施行する「特権ディプタシオン Diputación Foral」という名の県政府が存在する。前者は、直接選挙で

| 政権担当党議員の議会議席に占める割合（%） | 首班 | 副首班 | 各省大臣 |
|---|---|---|---|
| 41.7 | PNV | 0 → 1 PNV | 13 PNV → 10 PNV |
| 42.7 | PNV | 1 PNV | 10 PNV |
| 42.7 | PNV | 1 PNV | 9 PNV |
| 48.0 | PNV | 1 PSOE | 6 PNV + 6 PSOE |
| 49.3 | PNV | 1 PNV* | 7 PNV + 3 EA + 2 EE |
| 58.7 → 45.3 | PNV | 1 PNV* + 1 PSOE* | 9 PNV + 6 PSOE |
| 56.0 | PNV | 1 PNV* | 5 PNV + 3 PSOE +2 EA |
| 40.0 | PNV | 1 PNV* | 7 PNV + 3 EA |
| 36.0 | PNV | 1 PNV* | 7 PNV + 3 EA |
| 48.0 | PNV | 1 PNV* | 10（7 PNV + 3 EA）→ 11（7 PNV + 3 EA + 1 IU） |
| 42.7 | PNV | 1 PNV* | 11（7 PNV + 3 EA + 1 IU） |
| 33.3 | PSOE | 0 | 10 PSOE |
| 36.0 | PNV | 0 | 8 PNV |
| 49.3 | PNV | 0 | 8 PNV + 3 PSOE |
| 54.7 | PNV | 1 PNV* + 1 PSOE* | 8 PNV + 3 PSOE |

れた政党略号は、当該政党が閣外協力していることを意味する。副首班の「*」は省大臣を兼務していることを意味する。巻末の「略号一覧」を参照のこと。（筆者作成）

選ばれる51名の議員から構成され、後者は直接税および間接税の徴収ほか、治水、土木、環境などの公共政策に関する権限を持つ。スペインでは、バスク以外の多くの州において州誕生とともに県制が事実上形骸化しており、県議は県内の市町村議会議員の中から間接選挙で選ばれる。しかしバスク州では、歴史的領域たる県が、地域行政の基本枠組みとして機能している。個々の歴史的領域は対等の立場にある。州と各県（歴史的領域）の権限分掌は、1983年の「歴史的

バスク州政府の変遷（1980～2022年）

| 州政府 | 州議会会期 | 期間 | 政権担当党 |
|---|---|---|---|
| 第1次ガライコエチェア内閣 | 1 | 1980年4月～1984年4月 | PNV |
| 第2次ガライコエチェア内閣 | 2 | 1984年4月～1985年1月 | PNV |
| 第1次アルダンサ内閣 | | 1985年1月～1987年3月 | PNV（PSOE） |
| 第2次アルダンサ内閣 | 3 | 1987年3月～1991年2月 | PNV/PSOE |
| 第3次アルダンサ内閣 | 4 | 1991年2月～1991年10月 | PNV/EA/EE |
| 第4次アルダンサ内閣 | | 1991年10月～1995年10月 | PNV/PSOE/EE |
| 第5次アルダンサ内閣 | 5 | 1995年1月～1998年7月 | PNV/PSOE/EA |
| 第6次アルダンサ内閣 | | 1998年7月～1999年1月 | PNV/EA |
| 第1次イバレチェ内閣 | 6 | 1999年1月～2001年7月 | PNV/EA（EH） |
| 第2次イバレチェ内閣 | 7 | 2001年7月～2005年6月 | PNV/EA/IU |
| 第3次イバレチェ内閣 | 8 | 2005年6月～2009年5月 | PNV/EA/IU |
| ロペス内閣 | 9 | 2009年5月～2012年12月 | PSOE（PP） |
| 第1次ウルクリュ内閣 | 10 | 2012年12月～2016年11月 | PNV |
| 第2次ウルクリュ内閣 | 11 | 2016年11月～2020年9月 | PNV/PSOE |
| 第3次ウルクリュ内閣 | 12 | 2020年9月～ | PNV/PSOE |

（注）政党略号に下線を付したのは非バスク・ナショナリストの政党。それ以外は、バスク・ナショナリストの政党。政党略号間のスラッシュは、政党間の連立を意味する。両括弧で挟ま

領域に関する法律」で規定され、連邦国家のごとき様相を呈している。

なお、司法はスペインの「司法権に関する組織法」に基づく。州全域を所轄する上級裁判所が設けられ、州内の法曹関係者の任命においては、バスク語とバスク特権法の知識に優先的配慮がなされている。

州都を定める法律はないが、アラバ県のガステイスが事実上の州都である（コラム2参照）。州政府発足以来今日まで単独ないし連立により政権を維持しているのは、バスク・ナショナリ

バスク州議会の内部

ストのPNVである。非バスク・ナショナリストのうち、単独で政権を掌握した実績を持つのは、2009年から2012年までのPSOE（厳密には同党の地域支部政党PSE《バスク社会党》だが、本書では便宜上PSOEと表記）のみである。

ゲルニカ憲章は、スペインの17の州の中で最初に承認された自治憲章だが、その後30年以上の間、いちども改正されていない。自治権の範囲が狭かった州が憲章を改正して権限拡大を実現させているのと対照的である。州の間の権限平準化という観点に立てば、すでに広範な自治権を持つバスク州のさらなる権限拡大は不必要という見解もあろう。しかし一方で、バスク州の排他的権限として憲章第10条に明記された項目のうち、国からの権限委譲が未完の事項が残っているのも事実である。

（萩尾　生）

# 17

# バスク・ナショナリズムの行方

## ★その多様化と和平の模索★

この章では、バスク州が成立した1979年から、ETA（m）（第12章参照）が武力闘争の恒久的な放棄を宣言した2011年までの、およそ30年の期間におけるバスク・ナショナリズムの推移を顧みる。

バスク・ナショナリストのことを、バスク語でアベルツァレ(abertzale)と呼ぶ。《祖国主義者》もしくは《愛国主義者》と訳出される。バスク・ナショナリストの党派は、1980年から2005年までのバスク州議会選挙において、有効投票数の過半を毎回獲得してきた。その勢力は、PNVに代表される穏健中道右派、ETA（m）の周辺に群がる急進左派、両者から距離を置く第三の勢力、に三分された（ナファロアとフランス領バスク地方の概況は、それぞれ第18章と第22章で述べる）。

PNVは、キリスト教民主主義に基づく穏健中道右派である。1980年のバスク州政府発足以来、2009年春まで、つねに政権の座にあった。もっとも、1986年以降は、他の政党と連立して政権を維持してきた。この政権が単独で州議会の過半数議席を占めたことはないが、急進左派勢力が議会への参加を拒否していたため、事実上の過半数議席を得ていた。PNV

の内部には、ナファロアとフランス領バスク地方を合わせたバスク7領域の分離独立を志向する立場と、スペイン国内の自治権獲得をもって是とする立場とが混在し、双方の主張を機会主義的に入れ替わり表明している。

これに対し急進左派は、武力闘争によってバスク7領域の分離独立を目指すETA（m）の支持者が営む多数の組織の複合体である。思想的には社会主義ないし共産主義に近い立場にあり、議会には出席しない。1978年にHB《人民統一》としてバスク3県の地方選挙に出馬して以来、バスク州議会選で有効投票数の16％前後を獲得していたが、スペイン全土に反ETA（m）の動きが興った1998年以降は、選挙のたびに名称を変えて登場している。

PNVにも急進左派にも属さない勢力としては、EE《バスク左翼》が挙げられる。EEは、武装闘争を放棄して社会復帰したETA（pm）の元活動家らが結成し、社会主義路線を踏襲した。だが、バスク民族重視派との確執から1992年に分裂する。そして、社会主義重視派は全国政党のPSOE《スペイン社会労働党》に、民族重視派はEA《バスク連帯》に吸収された。

そのEAは、1986年にPNVから左派が分離して結成された。社会民主主義路線に依拠して、バスク7領域の独立を標榜し、ナファロアとフランス領バスク地方にも活動拠点を置く。しかし1990年代以降は、PNVの連立政権に参画する一方で、PNVと急進左派の間で独自路線を打ち出せず、2009年の州議会選挙では1議席を得るに留まった。

このようにバスク・ナショナリスト勢力が多様化する中で、バスク社会最大の懸案事項は、テロリズムの克服にあった。ETA（pm）は1982年に解散したが、ETA（m）（以下ETAと略記）は、スペインの民主化以降もテロ活動を継続したからである。

スペインのPSOE政権は、1984年から、フランスに亡命していたETA活動家の引き渡しをフランス政府と交渉し、ETAとの対決姿勢を表明した。また、同じ頃、フランス領バスク地方では、GAL《解放のための反テロリスト集団》が、ETAの活動家を暗殺していた。一方、当時のPNVは、党内左派がEAとして離党したため、政権維持のためにPSOEと連立していた。このことは、中央政府と州政府との間の風通しをよくし、HB以外のバスク州議会全勢力が、バスク地方の和平と正常化に向けての合意（「アフリア・エネア協定」）に達した（1988年）。これを受けてETAはPSOE中央政府との交渉に応じる構えを見せたが、GALの活動にPSOEが関与していた事実が暴露されると、交渉は頓挫した。

以後ETAは態度を硬化させ、PNVもバスク7領域の独立を視野に入れた発言を行うようになる。その帰着点は、バスク・ナショナリスト全勢力が1998年9月に締結した「リサラ協定」であった。この協定は、民族自決権を行使して、バスク7領域から成る独立国家の樹立を謳っていた。ところが、同年7月にビスカイア県エルムア市のPP《国民党》市議がETAに殺害されると、スペインの民政化以降最大規模の反ETAデモが、全国に波及していた。しかも同年10月には、バスク州議会選挙が予定されていた。そこでETAは、リサラ協定の4日後、一方的に無期停戦を宣言した。

10月の選挙にHBはEH《われらバスク人民》と改称して臨み、前回を上回る支持を得た。PNVとEAは連立したが議席の過半に達せず、それまで議会政治に不参加だったEHの州議会内協力を取り付けて、窮地を乗り切った。だが、同年末にETAが武装闘争を再開すると、リサラ協定はETA

バスク州首班のイニゴ・ウルクリュ

に組織再編と再武装の時間的余裕を与えただけで、反故となった。

２０００年3月には、中道右派のＰＰがスペイン下院で絶対安定を獲得する。そして翌年9月の米国を襲った同時多発テロを契機に、ＰＰは米国と歩調を合わせ、テロとの闘いを高唱してＥＴＡ壊滅へ邁進した。前後してＥＨは、バタスナ《統一》と再び改称して当局の摘発を逃れようとしたが、ＰＰ政権は、民主主義体制を破壊する危険のある組織を禁じる政党法を２００２年6月に発布し、バタスナとその前身であるＥＨ、ＨＢほか、ＥＴＡと関連があると当局がみなす組織を、すべからく非合法化した。

こうした強硬措置は、バスク・ナショナリスト全勢力の反発を喚起し、「バスク対スペイン」という対立の構図を尖鋭化させた。２００３年10月、ＰＮＶ率いるイバレチェ首班が、自治憲章改正案（「イバレチェ・プラン」）を州議会に提出し、バスク州を「スペイン連邦国家」を構成する一国家のごとく位置づけようとしたのは、そんな状況下でのことだった。

２００４年3月の国政選挙では、直前にマドリードで起きた列車爆破テロをＥＴＡの犯行だと主張したＰＰの誤断が引き金となり、ＰＳＯＥがスペイン政権の座に返り咲いた。イバレチェ・プランは国会で否決されたが、ＰＳＯＥは、対話と交渉によるＥＴＡのテロ問題解決を模索した。ＥＴＡは２

006年3月に再び停戦宣言を発したが、翌年6月にそれを破棄した。その結果、PSOEはETAとの和平交渉を打ち切り、バタスナの後継政党と目されるEHAK《バスクの地・共産党》などを非合法化した。一方のPNVも、2008年に「バスク民族の自決権」と「暴力を終結させる交渉プロセス」の是非を問う住民投票の実施を試みたが、憲法裁判所から違憲判断を受け、断念している。

2009年3月のバスク州議会選挙で、PNVは第一党の座を死守した。しかし、国政レベルでは相対するPPの州議会内協力を得たPSOEが、議席数で事実上過半に達し、非バスク・ナショナリスト勢力としてはじめて、単独で州政府の政権を掌握した。非合法化されたバスク・ナショナリスト急進左派は候補者を擁立できず、抵抗の意思表示は10万票（投票総数の8・8％）の無効票となった。

じつは、21世紀に入る頃より、バスク・ナショナリスト急進左派の中から、アラルと称するETAの武装闘争を否定する勢力が現れ、ETAの武闘路線は、足もとから揺らいでいた。そうしたなか、2010年9月に、ETAがまたもや恒久的停戦宣言を出す。これに呼応して、武力闘争を否定する急進左派とEAが歩み寄り、ビルドゥ《結集》を結成し、2011年5月の市町村議会選挙では、バスク州内でPNVに次ぐ第二の勢力となった。もっとも、全国政党のPSOEとPPは、ETAの恒久的停戦宣言に対して、強硬姿勢を崩さなかった。過去に同様の宣言が反故にされてきた経緯とビルドゥの快進撃に鑑みてのことである。

その一方で、対話を通してバスク地方の和平を模索してきた民間の人権擁護団体六つが協力し、2011年10月17日にドノスティア国際和平会議を開催した。この会議にスペインとフランスの政府関係者は出席しなかったが、両国のバスク・ナショナリスト全勢力が参加したほか、第7代国連事務総

ETA の最終的な武装闘争放棄につながった「アイエテ宣言」（2011 年 10 月 17 日）。宣言を読み上げる B・アハーン。その右横は前国連事務総長の K・アナン（© Lokarri）

長のコフィ・アナン、アイルランド共和国元首相のバーティ・アハーン、シン・フェイン党首のゲーリー・アダムス、英国ブレア首相の首席補佐官を務めたジョナサン・パウエルなど、アイルランド和平に尽力した面々が陪席した。

同会議を総括するアイエテ宣言は、ETAに対して武装闘争放棄を呼びかけるとともに、スペインとフランスの両政府に対して和平に向けた対話の道を開くよう求めた。これを受けて10月20日に、ETAは武装闘争の最終的な放棄を宣言した。ETAの組織そのものは残ったが、今回のETAの宣言は、バスク地方の和平に対する大きな前進として、概ね前向きに受け止められた。

ETAの宣言の1カ月後の11月20日に、スペインは総選挙を控えていた。マドリードのPSOE政権は、ETAの武装闘争放棄を自ら主導してきた民主主義の勝利だと喧伝して、選挙戦を有利に運ぼうとした。しかし、経済情勢の悪化に対する国民の不満は、PPの政権奪取を実現させた。他方でバスク・ナショナリスト急進左派は、新たに「アマイウル」を結成して連携し、バスク州で第2位、ナファロア州で第3位の票を獲得した。この躍進を目前にしたPNV

は、バスク・ナショナリスト急進左派に対する警戒感を強めた。

2011年末時点でのバスク州は、スペイン政権を握る保守派のPP、バスク州政権を握る中道左派のPSOE、ビスカイア県政府を掌握するバスク・ナショナリスト中道右派のPNV、ギプスコア県政府を牛耳るバスク・ナショナリスト急進左派のビルドゥ、アラバ県政府を治めるPPといった政治的多極・分極状態にあった。しかも、ナファロア州とフランス領バスク地方は、本書の第18章と第22章で述べるとおり、さらに異なった政治状況を呈していた。

しかし、このような政治的な多極化・分極化が、スペインならびフランスの国政レベルにおいても、ポピュリズム勢力の興隆とともに確認されるようになったのが、2010年代の特徴である。中でもスペインでは、2015年と2019年の国政選挙後に組閣できず、2度の再選挙が行われる事態となった。国政レベルでも1桁の議席数を持つバスク・ナショナリズム勢力は、キャスティングボートを握り、しばしば自らの要求を有利に決着させることが可能となった。州レベルでは、PNVが2012年のバスク州政権を奪回し、2015年にはナファロア州においても、バスクナショナリズム勢力がはじめて政権の座についた。さらには、フランス領バスク地方においても、市町村によっては、バスクナショナリスト勢力の躍進が見られる。ETAが2018年5月に解散すると、こうしたバスクナショナリズムの復調がさらに後押しされることとなる。

（萩尾　生）

# 18

# ナファロア州

## ★異例の成立過程と更改された特権体制★

ナファロア州は、バスク語話者が集住してバスク・ナショナリズムの発現度の高い北部山岳地帯と、早い時期から異民族の侵入を受けてバスク語が衰退し、バスク意識の低い南部平原地帯との対照が際立つ。後者においては、バスク・ナショナリズムに抗ってスペインの中のナバーラ（ナファロアのスペイン語名）の優越性を主張する「ナバリスモ navarrismo」（第19章参照）と呼ばれる政治姿勢が強い。もっとも、これはあくまでも相対的な見方であり、ナバリスモは北部山岳地帯においても根強い支持がある。また、ナファロア州のバスク語話者の半数近くは、北部山岳と南部平原の中間地帯に位置する州都イルニャに居住している。しかし、同市におけるバスク語話者は、人口の２割前後にすぎない少数派である。

以上の粗描からだけでも、「ナファロアはバスクか」という問いに対して、ナファロアの住民の間に統一見解がない状況は、容易に推察できよう。実のところ、現スペインを構成する17の州のうち、自治憲章なしに成立したのがナファロア州である。しかも、その成立過程は、きわめて異例であった。

ナファロア県をバスク州へ編入させる可能性は、バスク・ナショナリストの意向に配慮し、スペイン憲法経過規定4とゲルニカ憲章第2条に明記された。と同時に、ナファロア県の将来は、ナファロアのフエロを承認した「1841年8月16日『和約』法」(以下「和約法」)を「改善」した上で決定するという方針が、国政レベルで法制化された。内戦で反乱軍側に与したナファロアは、フランコ体制下を通して、この「和約法」に基づく特権体制を維持してきた。しかし、スペインの民政移行にともない、ナファロア特権体制の民主化も求められたのである。事実、ナファロア県では、地元の名望家が様々な便宜供与と引き替えに集票する恩顧主義(カシキスモ)が跋扈していた。1982年に至るまでの間、立法権を有する議会も行政府を制御する機関もほぼ機能不全で、実質的に不在と言っても過言ではない状況だったのである。

イルニャ市に建てられたフエロの記念碑

ところが、この「改善」の法的手続きは、ナファロアにおいて一定の支持基盤を持つバスク・ナショナリスト(PNV、HB、EE)を排除して進められた。そして最終的に、1982年8月10日のLORAFNA《ナファロア特権体制の再統合と改善に関する組織法》に結実する。裏舞台における政治的駆け引きの存在が今日露わにされているが、これはナバリスモ勢力の政治的勝利であった。L

ORAFNAは、国会審議において何らの修正も施されずに可決されている。しかも、ナファロア県民の意向を確認するための住民投票を経ていない。さすがに憲法違反ではないかとの疑義が、ナファロア県議会で1982年5月に議論されたものの、結局は否決されている。ナバリスモ勢力の主張は次にように要約できるだろう。LORAFNAには、自治州のような何らかの新たな法体制を構築する趣旨がない。和約法に基づく従前の特権体制を改めるだけである。したがって、立法の過程は、従来の和約法どおり、スペイン中央政府とナファロアの二者間協議に基づく。その過程に住民投票は含まれないし、その必要もない。

LORAFNAは、ナファロアをスペイン語でComunidad Foral《特権共同体》と規定する。他の多くの自治州がComunidad Autónoma《自治共同体》と称されるのと異なる。また、自らを「ナシオナリダー《民族体》」とも「レヒオン《地域》」とも規定しない。アラバ、ビスカイア、ギプスコアの3領域と同じく、「歴史的領域」という扱いである。なお、スペイン憲法裁判所は、1984年2月に、LORAFNAがナファロアの自治憲章に相当するとの判断を出した。州の設置根拠は、設置の方法を定めた憲法第143条でも第151条でもなく、歴史的諸法の発展的保障を明記した附則1であった。歴史的諸法を体現した一帰結が、ナファロア1県から成るナファロア特権州の誕生なのである（歴史的諸法は、第20章を参照）。

ナファロア特権州の特権は、特権警察（Policía Foral）の設置や、スペイン政府との「経済協定Convenio Económico」に基づく財政上の裁量権保持など、バスク州の自治権とほぼ同レベルにある。が、スペイン中央政府との協調を重視するナバリスモ勢力が強く、中央政府との紛争も少ないぶん、実効的な自治権の範囲はバスク州のそれを上回ると言えよう。特権体制は、立法機関として「コルテス」と呼ばれる州議会を抱える。これに依拠する行政機関が、州政府であり、そのトップに首班が就く。司法は、慣習法に由来するフエロが尊重されるものの、原則としてスペインの「司法権に関する組織法」との整合性が求められる。

ナファロア州議会の内部。壁面に掛かっているのがナファロアの紋章

ナファロアにおけるフエロの残滓(ざんし)は、基礎自治体(市町村)レベルで散見される飛び地、「コンセホ Concejo」と称される複合基礎自治体、複数の基礎自治体相互の共同利用地である「ファセリア facería」(コラム18参照)などに確認される。また、現ナファロアを五つに分割する「メリエンダー Meriendad」は、中世ナファロア王国時代の代官区に由来する。今日では何らの行政区分単位と一致しないものの、州民が日常的に参照する領域枠組みとして機能し続けている。ちなみに、フランス領の低ナファロアは、その領域全体が、1530年以前のナファロア王国における一つのメリエンダーであった。なおナファロアは、経済産業活動をベースとして、2000年に七つのゾーン(各ゾーンはさらに2層の下位区分を有する)に区分けされた。もっとも、この領域区分はナファロア社会にまださほど根付い

ていない。

ＬＯＲＡＦＮＡは、ナファロアの象徴として紋章と旗を挙げる。紋章は、中央のエメラルド石とその周りに盾型に置かれた八つの鎖環が相互に黄金の鎖でつながり、その上方にナファロア王国の王冠を抱く図柄である。この図柄を赤い下地の真ん中に描いたのが、州旗である。また、州歌の法制化は１９８５年に実現した。

ＬＯＲＡＦＮＡの改正と廃止は、スペインとナファロア州の双方の合意を要し、現在まで、２００１年と２０１０年の２度に及んで改正された。ＬＯＲＡＦＮＡは、憲法経過規定４に沿ったバスク州への編入手続きの開始を発意する権限を、ナファロア州議会に与えている。と同時に、仮に編入した場合、そこからの離脱を決定する権限も、同議会に与えている。ナファロアをバスク州に編入させる可能性は、依然開かれたままである。

（萩尾　生）

# 19

# 錯綜し席巻する「ナバリスモ」

## ★スペインの淵源かバスクの源郷か★

厄介な問題である。ナファロア州に顕著な「ナバリスモ navarrismo」のことだ。ナバリスモを標榜する人びとの間でも、その解釈と主張には、幅とずれがある。

ナバリスモの特徴を強いて抽出するならば、第一にナバリスモとは、ナバーラ（ナファロアのスペイン語名）の独自性を擁護する政治的思潮のことである。バスク・ナショナリズムに対する異議申し立てとして興ったが、その発生時期については、バスク・ナショナリズムがナファロアに浸透しはじめた1918年前後、あるいはナファロアのバスク州編入の可否が問われた1978年前後など、複数の見解が存在する。

第二の特徴は、ナバーラの独自性を、スペインとの協調関係の中に求める点である。ナバーラは、スペインの国家建設に寄与してきた。特権体制を維持しているのは、その貢献に対する当然の見返りだというわけである。事実、今日のスペインの国章には、国家建設の礎石となった五つの王国の紋章が組み込まれており、その一つがナバーラ王国の紋章である。ナバリスモは、スペイン・ナショナリズムと一蓮托生であり、スペインからの分離独立など論外である。

現在のスペインの国章
（中央部右下にナファロア王国の紋章が組み込まれている）

そして第三の特徴は、バスク語に対する相反した態度であろう。ナバーラ固有の文化的要素として、バスク語を認知し、かつまた一定の価値を見いだす一方で、バスク・ナショナリストの言説に回収されかねないバスク語の「正常化」（第27章参照）とは、距離を置くのである。

このようなナバリスモを体現する政党の代表が、1979年に結成された保守派のUPN《ナバーラ人民連合》である。1982年から1989年まで全国政党のAP《国民同盟》と選挙協力した後、1991年にAPを後継するPP《国民党》と連携してからは、国会での予算案をめぐる対立によって2008年に連携を解消するまでの間、ナファロア州政権をほぼ牛耳ってきた〈表1〉。ナファロアのバスク州への編入可能性を明記した憲法経過規定4の廃止を国会に諮るなど、強固な反バスク的姿勢が際立つ政党である。

UPNのバスク州に対する強硬な姿勢は、1995年にUPNからCDN《ナバーラ民主集中》が分離する一因となった。CDNは、進歩的かつ民主的なナバリスモを標榜する。ナファロアのバスク州への編入には反対だが、憲法経過規定4には反対しない。また、バスク語の擁護など、バスク的要素には寛容な態度で臨む。こうしてCDNは、1995年にPSOEとEA《バスク連帯》とのナファロア州政府三者連立政権に加わり、バスク州政府との連携協力合意を結んだ。ところが党首の疑獄事件により、連立政権は翌年UPN単独政権に取って代わられ、この合意は破棄された。その後

2003年から4年間、CDNは今度はUPNと連立政権を組んだものの、ナバリスモとバスク・ナショナリズムとの狭間で存在感が薄れ、2011年に解散した。

ナバリスモはスペイン全国政党右派との親和性が高い。けれども、スペイン全国政党左派のPSOEやIU《統一左翼》のナファァロア支部がナバーラの独自性を主張するとき、それはナバリスモ以外の何ものでもない。たとえばPSOEは、1977年の時点で、ナファァロアを将来のバスク州に編入させることを是としていた。ところが、その後2年のうちに正反対の姿勢に転じ、ナファァロア州の成立に一役買った。背後にナファァロア出身のPSOE党員の動きがあったと言われている。

こうしたナバリスモの趨勢に直面し、ナファァロアにおけるバスク・ナショナリズムは尖鋭化した。1999年までの州議会選挙結果を見ると、バスク・ナショナリストの中で最多票を得たのは、穏健中道のPNVではなく、ETAに近い急進左派のHBとその後継勢力である。2002年以降これらの政治組織が非合法化されると、バスク・ナショナリスト勢力はいったん得票数を減らす。しかし、超党派組織「ナファァロア・バイ《ナファァロア・Yes》」を設立して結集し、2007年の州議会選挙では、議会第2位の勢力にまで盛り返した。その後2011年初頭に、バスク独立色の強いEAを中心とする一派が新たに「ビルドゥ《結集》」を結成してナファァロア・バイから離脱し、ナファァロア・バイはPNVを中心とする「ゲロア・バイ《将来・Yes》」に改組された。しかし、ビルドゥとゲロア・バイのバスク・ナショナリスト勢力は、2015年の州議会選挙において合わせて有効投票の30%を獲得し、全国政党左派のポデモスならびにIU《統一左翼》と連立し、ナファァロア州成立後はじめて、バスク・ナショナリスト政権を樹立したのであった。21世紀に入ってからのナファァロア

(有効投票数に占める得票率：1983～2019年)

| 1999/6/13 | 2003/5/25 | 2007/5/27 | 2011/5/22 | 2015/5/24 | 2019/5/26 |
|---|---|---|---|---|---|
| 42.37* | 41.48* | 42.19* | 34.48 | 27.44 | 36.60** |
| 7.03 | 7.65 | 4.37 | 1.44 | - | - |
| 21.53 | 17.82 | 23.62 | 28.69 | 30.08 | 31.86 |
| 27.82 | 29.93 | 26.84 | 25.34 | 30.73 | 28.36 |
| - | - | - | - | - | - |
| - | - | - | 7.29 | 6.89 | 1.31 |
| | | | | | |
| UPN | UPN/CDN | UPN/CDN → UPN | UPN/PSOE | ゲロア・バイ/ビルドゥ/ポデモス/IU | PSOE/ゲロア・バイ/ポデモス |

(筆者作成)

の政治地図の特色の一つが、バスク・ナショナリスト勢力の隆盛である。

一方、下野したナバリスモ勢力のUPNは、連携をいったん解消したPPならびにポピュリストで全国政党右派のシウダダノスとともに、「ナバーラ・スマ Navarra Suma《ナバーラ総和》(Na+)」を2019年に結成した。同年の州議会選挙では有効投票数の37%を集め、政権奪回には至らなかったものの、議会内最大勢力の座に復帰している。

バスク・ナショナリズムとナバリスモは本来相容れない。だが、少なからぬバスク・ナショナリストは、バスク人の生まれ出てきた源郷として、ナファロアに対する格別な愛着を持っている。その証左が、「黒鷲 Arano Beltza」のシンボルであろう。本来ナファロア王国のサンチョ7世(在位1194~1234年)の印章に由来するが、昨今では、ナファロア王国最盛期の君主サンチョ3世(第8章参照)と関連づけられている。黄色の下地に横向きの黒い鷲が描

〈表１〉ナファロア自治州議会選挙結果の推移

| 州政府 | 1983/5/8 | 1987/6/10 | 1991/5/26 | 1995/5/28 |
|---|---|---|---|---|
| 「ナバリスモ」政党<br>(UDF, UPN, Na+) | 23.50 | 31.16 | 34.95* | 31.97* |
| 穏健「ナバリスモ」政党<br>(CDN) | - | - | - | 18.93 |
| バスク・ナショナリズム政党<br>(PNV, HB, EE, EA, EH, アラルル、ビルドゥ、ナファロア・バイ、ゲロア・バイ) | 23.04 | 25.18 | 22.64 | 17.30 |
| スペイン全国政党左派<br>(PSOE, IU, ポデモス) | 35.87 | 29.43 | 37.48 | 30.81 |
| スペイン全国政党中道派<br>(CDS) | - | 7.52 | 2.08 | - |
| スペイン全国政党右派<br>(AP, PP, シウダダノス, Vox) | 14.22 | 4.29 | - | - |
| その他／白票 | | | | |
| 州政権担当党<br>(／は連立政権) | PSOE | PSOE | UPN | PSOE/CDN/EA<br>→ UPN |

* UPN-PP　**UPN-PP- シウダダノス

かれる図柄の旗は、20世紀に入って考案された。バスク・ナショナリスト急進左派は、イクリニャ（民族旗、第25章参照）とともにこの黒鷲の旗を掲げる傾向が強い。しかし他方で、極右のスペイン・ナショナリストも、この黒鷲を用いることがある。「ヒスパニア王」の異名を持つサンチョ3世が、イベリア半島北部のキリスト教徒を統率し、現スペインの母体を築いたという認識を持つからである。

上述してきた状況は、21世紀に入るや、「ナバラルデ Nabarralde」という文化団体の登場とともに、さらに複雑化しつつある。この団体は、スペイン領とフランス領の二つの「ナバラ Nabarra」の統一・復興を目指す（「ナバラ」は、スペイン語のNavarraとも、バスク語のNafarroaとも異なる綴り）。同団体は、スペイン

黒鷲の図柄

とナバーラの一体性を強調するナバリスモを否定する。１５１２年にナバラがカスティーリャ王国に併合された史実を「正しく」掘り起こし、バスク民族のバスク語文化アイデンティティの再興を目指す。とはいえ、復興される統一体は、「ナバラ」の名を冠すべきとする〈図1〉。ナバラこそが、エウスカル・エリアと呼ばれるバスク７領域をかつて統治した威光を持つからだ。この点で、バスク・ナショナリズムも否定される。とはいえ、ナバラルデの活動は、ともすれば過去志向の文化活動に留まり、政治運動とは目下のところ結びついていない。

〈図１〉ナバラルデが標榜する歴史的領土としての「ナバルルル Nabarlur」《ナバラの土地》

出所：ナバラルデのパンフレット等より作成。

１５１２年から５００年経った２０１２年を、ナファロアは州を挙げて記念した。そこには、カスティーリャとナバーラが一体化し、現スペイン国家の礎を築いたことを祝う立場と、ナファロアがカスティーリャに屈した恥辱の年として記憶に留め、自らのアイデンティティの再興を鼓舞するのに利用したい立場が存在した。しかも後者の立場は、復興させたいのが「バスク」か「ナバラ」かで、２派に分かれているのである。

（萩尾　生）

# 20

# 歴史の重み

## ★2種類の derechos históricos ★

今日のバスク州とナファロア州が、スペインの他の州よりも広範な自治権を享受している根拠は、1978年スペイン憲法附則1の定める「歴史的諸法 derechos históricos」にある。

歴史的諸法とは、オーストリア・ハンガリー帝国で展開した「歴史的国憲 historische Staatsrecht」に由来する概念である。その背景には、法が、言語や習俗と同じく、民族とともに生成発展するという、ドイツ歴史法学の潮流がある。スペイン語の derecho（derechos は複数形）は、元来ラテン語の ius がそうであったように、《法》と《権利》の二つの意味を持つ。そのため、derechos históricos を《歴史的諸法》と解すべきか、《歴史的諸権利》と解すべきか、憲法発布以来論議に事欠かない。しかも、スペイン憲法裁判所の判例が揺らいでおり、異論が多い。さしあたり本章では、当初《歴史的諸法》として起草された法文だが、《歴史的諸権利》と解釈したほうがより適切な事態が生じつつある、という認識に立つ。

憲法附則1は、「特権を有する領域の歴史的諸法を保護し、かつまた尊重」する。つまり、歴史的諸法とは「特権を有する領域」に適用される概念である。では、「特権を有する領域」

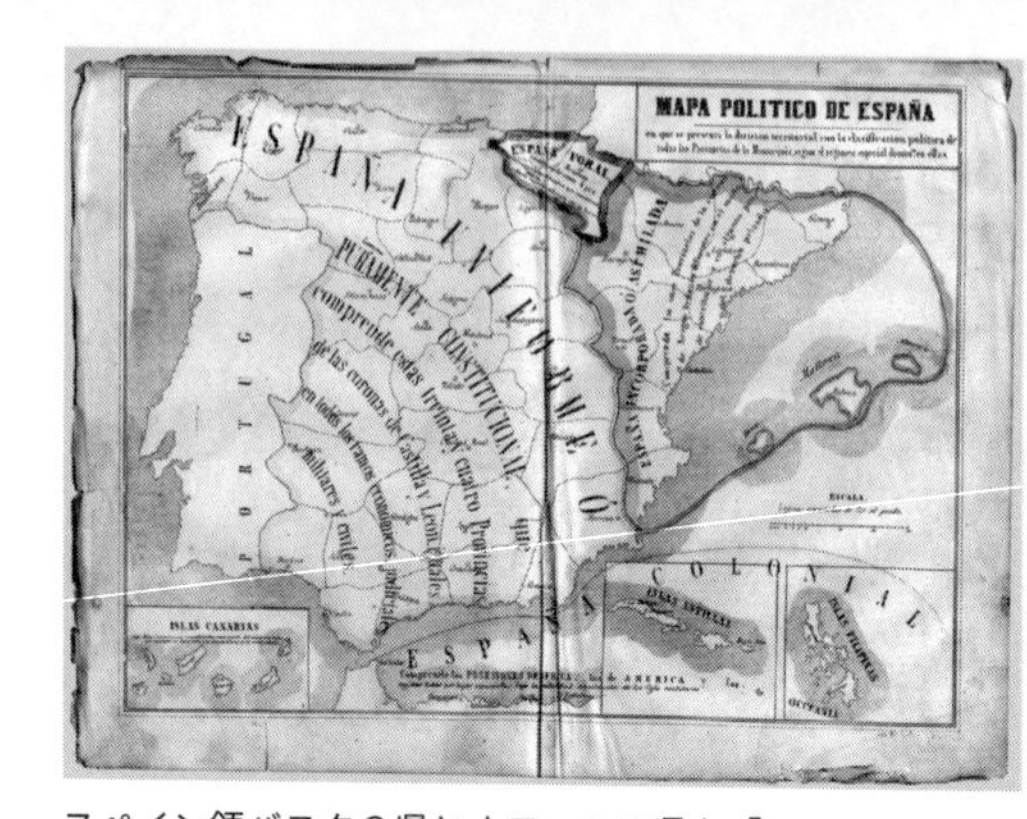

スペイン領バスク３県とナファロア県を「フエロのスペイン」と称した『スペイン政治地図』（フランシスコ・ホルヘ・トレス・ビリェガス Francisco Jorge Torres Villegas 作、1852 年）

とはどこか。ここに言う「特権」とは、中世の慣習法や国王の勅許状に由来するフエロのことである。スペイン各地のフエロは、18世紀初頭にブルボン王朝の新組織王令（ヌエバ・プランタ）によって、ほとんどが廃止された。アラバ、ビスカイア、ギプスコア、ナファロアの4領域は、例外的にフエロの存続が認められたものの、「1839年10月25日法」によって、スペイン立憲体制との整合性が要求された。これを受けてナファロア県は、スペイン中央政府と単独交渉し、1841年にスペイン立憲体制に合致した新たなフエロ体制を発足させた。残り3領域のフエロは、延命が図られたものの、「1876年7月21日法」によって事実上撤廃される（第10章参照）。そして1978年憲法は、アラバ、ビスカイア、ギプスコアに関するかぎり「1839年10月25日法」を廃し、同じく「1876年7月21日法」も廃止したのであった。こうした経緯から、「特権を有する領域」が、1978年憲法公布時点でフエロ体制を維持回復したアラバ、ビスカイア、ギプスコアならびにナファロアの4領域を想定していたことがうかがえる。

ならば、歴史的諸法はフエロと同義か。結論から言えば、否である。慣習法に由来するフエロは、しばしば民法など私法の領域に関わり、そうしたフエロを局地的に存続させている地方は、じつは上記4領域以外にも存在する。しかし、たとえば民法に関するフエロを尊重することは、憲法149条第1項8において規定されている。このため、憲法附則1の「歴史的諸法」は、フエロの規定のうち民法に属するものを除くと解釈される。

そもそもフエロは、旧体制下における個別具体な法であり、近代的憲法と原理的に相容れない。一方の歴史的諸法は、歴史的特殊事情に配慮した上で、個々の法や権利の体系を包括する外形的な概念である。包括的かつ外形的な概念とは、曖昧模糊として実体がおぼつかないが、バスクとナファロアの州固有の制度を具現化させる根拠として、歴史的諸法という形式的な概念が設定された、と順序を逆にして考えるとよいかもしれない。他の州になく、これら二つの州のみが享受している制度は、これらの州を構成する計四つの県が各々保持する、独自の行政機構と財政上の自治（徴税権）である。これらは、まさに歴史的諸法を具現化した制度である。

憲法附則1は、1970年代後半に上述4領域で高ぶっていたバスク・ナショナリズムに配慮した結果の産物である。フランコ独裁体制が解体したとはいえ、武力闘争によってスペインからバスク地方の分離独立を目指すバスク・ナショナリスト急進左派は、ことに活動を激化させていた。スペイン政府は、バスク民族の歴史的諸法を認知することで、この問題の沈静化を図ろうとしたのである。もっとも、1978年憲法の是非を問う住民投票において、現バスク州の住民は事実上憲法を否認した。ところが、憲法施行後のバスク州自治憲章策定に際し、この歴史的諸法概念は最大限に活用されることとなる。州自治憲章の規定する自治体制をもって歴史的諸法の具現化が完了するのではないことを、すなわち歴史的諸法の将来的な発展の可能性が、州自治憲章の附則に明記されたのであった。

その後、歴史的諸法を大幅に発展させようとしたバスク州政府の「イバレチェ・プラン」（第17章参照）は挫折したが、このderechos históricosの用語は、2006年に州自治憲章を改正したカタルーニャ州によって援用された。カタルーニャ州の新たな自治憲章の前文と第5条において、カタルーニャの自治が、スペイン憲法とカタルーニャ人の derechos históricos に基づくことが明文化されたのである。もっとも、カタルーニャ州は、州自治憲章改正に際して、バスクとナファロアの二つの州と同等の財政自治を目指したが、認められなかった。2010年7月の憲法裁判所の判決は、カタルーニャの derechos históricos を合憲とするも、憲法附則1が規定する derechos históricos よりも制限的な概念と断じたのである。

この derechos históricos の新解釈は、カタルーニャ固有の歴史を尊重する権利、つまり《歴史的諸権利》と解すると、新たなカタルーニャ州自治憲章第5条に記された言語、文化、教育、民法などの私法領域との整合性がとれるように思われる。近年のスペインでは、歴史的景観保全、水利権確保、固有言語の擁護、文化財保護や伝統的意匠の権利保護など、歴史的独自性を象徴的ないし実質的に法文に反映させようとする州憲章改正の動きが顕著である。《歴史的諸権利》としての derechos históricos は、こうした動向を憲法の枠組み内に収め込もうとする立場を、巧みに説明しうるであろう。

それにしても、近代的国民国家は、旧体制下の様々な軛（くびき）を断ち切って成立したのではなかったか。「歴史」への権利は、どの程度までさかのぼることが許容され、かつまた普遍的な説得力を持つだろうか。たとえば、革命を経てフランス国民化が浸透したと言われるフランス領バスク地方において、derechos históricos 概念は受容されうるのか。この辺りが、同概念の射程と限界を図る試金石となりそうである。

（萩尾　生）

# 21

# 経済協約と経済協定

## ★高度な財政上の自治★

前章で述べた歴史的諸法を具体化させた一例が、バスクとナファロアの州政府がそれぞれスペイン政府と締結している、「経済協約 Concierto Económico」ならびに「経済協定 Convenio Económico」である。これらの合意に基づき、二つの州は、スペインの他の州よりもはるかに高度な財政上の自治権を享受している。二つの合意の内容は類似しているため、本章では、バスク州の「経済協約」に焦点を絞ることとする。

現バスク州を構成する3県のフエロは、最終的に1876年に撤廃された。ところが2年後に、財政面における自治のみ復活し、これが「経済協約」の発端となった。その後、スペイン内戦を経て、ギプスコア県とビスカイア県の「経済協約」は破棄されるが、スペインの民政移行期の1978年憲法と翌年のバスク州自治憲章によって、新たに制度化された。ここから、「歴史的」に享受してきた「法」ないし「権利」が保護・尊重された、という解釈が導き出される。たしかに、「経済協約」をフエロの復活と捉える立場もあるが、中世にさかのぼるフエロの法源は現行憲法の法理とは相容れないから、この主張には無理があろう。

経済協約をめぐるスペイン政府とバスク州政府の協議の様子
出所：スペイン政府首相官邸HP　https://www.lamoncloa.gob.es/serviciosdeprensa/notasprensa/territorial/Paginas/2020/110320-comisionmixta.aspx

現在の「経済協約」によると、税の徴収、監査、管理には、バスク州政府、アラバ、ギプスコア、ビスカイアの各県政府、そして各県内の市町村、の三者が関与する。主要な税金の調整を行う権限は、3県の県議会にある。主要な税金とは、個人所得税、法人税、相続税、贈与税、地方税など24種の直接税を指す。各県の県議会は、税費目、税控除、税免除などを、国家の税制度とは別に、独自に設定する権限を持つのである。税政に関して、バスク州議会は、三つの県議会の協調を促す調整機能しか持ち合わせていない。なお、消費税などの間接税については、スペインやEU諸国の税制との調和が求められる。

徴税権を持つのは、一部例外を除き、基本的に各県の県政府である。集められた税金は、州庫に収められる。そして、ここから国庫へ納める「分担金」を差し引いた残りの額が、州内に予算配分される。そのうち70・04%がバスク州政府に、残りが各県政府と市町村に分配されている。バスク州政府に配分された金額は、アラバ、ギプスコア、ビスカイアの3県に、それぞれ15・91%、32・27%、51・81%の割合で再配分されている（2019年）。これらの比率は、州政府、県政府、市町村が毎年協議して決定される。

このように、バスク（およびナファロア）州では、税の徴収と分配に中央政府が関与しない。スペインの他の州のように、スペイン政府が徴税し、それを各州に配分するのではない。もっとも、バスク州が国税を免除されているわけではない。国家の排他的専管事項である防衛や外交などに関して、バスク州内で支出された経費への対価として、バスク州は、上述の「分担金」を毎年国庫に収めるのである。分担金の内容は、5年ごとに、スペイン政府とバスク州政府の間の協議によって決定されるが、分担金の総額は、1981年以来、国家歳出の6・24％（ナファロア州では1・6％）に固定されている。

スペインの総人口の4・5％を抱えるバスク州のGDPは、スペイン全体の6・1％を占めている。この点に限って言えば、分担金が国家歳出の6・24％という現状は、バスク州にとって不利かもしれない。そもそも分担金の額は、スペインの国家予算額に左右される。バスク州の経済状況がスペインの中で相対的に悪化しても、州が自ら工面して分担金を支払わなければならない、という一方的なリスクを抱える制度なのである。

だが、「経済協約」はバスク州にとって有利な制度にちがいない。でなければ、バスク州の政府と議会が、バスク・ナショナリストであるか否かを問わず、一丸となってこの制度を死守しようとしてきた理由を説明できない。現にバスク州の1人当たりGDPや所得は、スペインの中でナファロア州とともに最高水準にある。そしてまた、州予算の1人当たり使途額が、保健衛生、教育、社会福祉において、他の州よりもはるかに高く、産業、研究、貧困対策、固有言語（バスク語）推進においても、他の州よりも総じて上回っている。

税費目と税率を設定する権限を自ら有していることと、バスク州の経済水準がスペイン随一でEU

平均を上回っていることの、正の相関関係をめぐっては諸説あるが、少なくともバスク州がタックスヘイブンでないことだけは明らかだ。たしかに、アラバ県とビスカイア県では、企業の研究開発推進のための貯蓄控除や、企業のスタートアップ支援のための税控除などが、独自に設定されている。しかし個人所得税に関して言えば、スペインの最高限界税率は45％であるのに対し、バスク州では49％（ナファロア州では52％）なのである（2021年）。じつはバスク州（とナファロア州）は、スペインの中で財政圧力の最も高い地域なのである。

「経済協約」は、従来、不定期ながらも期限を設定して内容が見直され、更新されてきたが、2002年のスペイン政府とバスク州政府の合意により、終期を定めない協約とみなされるようになった。また、内容の更改は、政令ではなく、政令よりも上位の法律によることが新たに規定された。

なお、バスク州が企業の法人税に対する独自のインセンティブを設定していることに対しては、近隣の州政府やスペイン政府が、EU域内の税制調和原則に反するとして提訴してきた。この係争は、紆余曲折を経て、最終的に2008年に欧州裁判所により、一定の条件下にスペイン国内の他の地域と異なる税制を享受できることが認められた。

今日のスペインで、バスク州の「経済協約」に正面切って異論を唱えているのは、右派ポピュリストのシウダダノスと、移民排斥を掲げる極右のVoxという二つの政党である。彼らは、「経済協約」の法的根拠とされる憲法の附則1を削除することによって、この制度の無効化を画策している。バスク州議会でこれらの政党はしばらくの間議席を得ていなかったが、2020年7月に、アラバ県で票を集めたVoxが、州議会に1議席を得るに至った。

（萩尾　生）

# 22

# フランス領バスク地方

## ★変革の兆しか★

フランス領バスク地方は、バスク語でイパラルデ（Iparralde）《北バスク》ないしイパル・エウスカル・エリア（Ipar Euskal Herria）《北バスク地方》と呼ばれ、ラプルディ、低ナファロア、スベロアの三つの歴史的領域から構成される。もっとも、これら3領域の境界区分は、今日のフランスのいかなる行政区分とも一致しない。

このフランス領バスク地方こと「北バスク」は、ヌーヴェル・アキテーヌ地域圏の中のピレネー・アトランティック県の西半分を占める。県の東半分はベアルン地方と呼ばれ、県都はベアルン地方に位置するポー市である。２０１７年より北バスクは、上述の三つの歴史的領域を構成する計１５８の市町村（コミューン）が「バスク市町村共同体」に結集し、フランス革命後はじめて「バスク」の名称を冠する自治体間連携組織を形成している。面積２９６８平方キロメートル、人口約31万人（２０２１年）で、どちらもフランス本土の1％に満たない。

19世紀から１９８０年代までの間、北バスクは、際立った工業化を経ず、経済的に低迷していた。そのため、とくに若年層が職を求めて都市部へ流出し、人口の都市部集中を招いた。北

ラプルディ地方のイチャス村に設置された「イチャス憲章」の石碑

バスクの158市町村のうち、人口が5000人を超すのは14のみ（2021年）で、すべて沿岸部のラプルディ地方に位置する。一方で人口が200人に満たない小村は39を数え、大半が内陸部に立地している。北バスクの人口は、1975年の約23万人から2019年の約31万人へと漸増してきたが、この間出生率は11・6‰から9・0‰へと下がっており、人口の増加は社会的増加に起因する。それは沿岸部のラプルディ地方に顕著であり、内陸部の低ナファロアとスベロアでは、2000年代まで人口の社会的減少が継続してきた。

人口の集中する海岸部は、ナポレオンがスペインに侵攻した19世紀前半以来、ミアリツェの砂浜やカンボの鉱泉などのリゾート化が進み、パリの有閑階級の避暑地・保養地として発展してきた。基幹産業は、観光と不動産に関連したサービス産業だが、大半が外部資本によるもので、地元住民への経済的還元は限定的であった。海岸部への人口流入は、北バスク内陸部からだけではなく、北バスク以外の土地からも生じた。後者の多くは、サービス産業従事者と年金生活者で占められていた。こうした非バスク語話者の流入により、海岸都市部では、バスク語話者の比率が10％を下回る。対する内陸部では、その割合が47・5％と相対的に高いが、これはバスク語を第一言語とする高齢者の人口比が高いからである（2021年）。

バスク・ナショナリズムの発現度が低いのも、北バスクの特徴である。その原因には、フランスの高度な中央集権化政策、工業化の遅れに起因する労働者階級の未成熟、エリート階層の流出・不在などが考えられる。北バスクでは、1945年に「北部バスク地方自治憲章案」が策定されるなど、第二次世界大戦直後に自治権を求める動きが例外的にあったとはいえ、ナチスの記憶が生々しいこの時期、民族主義はタブー視されていた。

1960年になると、パリやボルドーの学生の間でエンバタ（Enbata）《北西風》と呼ばれる政治運動が興り、1963年の「祖国バスクの日」には、ETAの支援を受けて、2カ国に分断されているバスク地方の統一が、「イチャス憲章」において意思表明された。しかしエンバタは、総選挙における得票率が5％に達することがないまま、1974年に非合法化された。他方、ETAの武装独立闘争に倣ったIK（Iparretarrak《北の者たち》）が1973年に結成されたが、北バスクを活動家の避難先としていたETAは、フランスに亡命した同志の立場が不利になるとして、IKの活動に否定的であった。

北バスクのバスク・ナショナリストは、スペイン領「南バスク」の影響を受けてきた。その勢力は、1980年代末までに、EMA《左派祖国バスク主義運動》、EB《バスク統一》、EA《バスク連帯》の3派にざっと分かれていた。EMAは、IKの武装活動を黙認し、バスク民族の自決権の認知を訴えた。EBは、フランス領内における「バスク地方」の領域自治を求める左派で、出自や主義の異なるバスク・ナショナリストの結集を画策した。南バスクとの連携にも前向きで、武力闘争を否定しつつも、ETA寄りで急進左派のHBと協力した。なお、南バスクに本拠を置くEAは、社会民主

バイオナ市の景観

主義を標榜し、「諸地域から成るヨーロッパ」を目指す中でバスク7領域を実体化させる前段階として、フランス国内の「バスク県」創設に積極的であった。これらの3勢力は、1980年代末には、各種選挙において、北バスクで最大9％前後の得票率をあげるにいたった。

また、1975年にバイオナ商工会議所が経済振興のために立ち上げた「新県設立連盟」は、バスク・ナショナリズムと一線を画するとはいえ、その後の北バスクにとって転機となった。1981年の大統領選の際、ミッテランはバスク県の設置とバスク語使用の擁護を公約に掲げたのである。前者の公約は反故にされたが、後者はある程度考慮され、バスク語学校のイカストラ（第28章参照）に対する公的支援やバスク文化センターの設立などに結びついた。

その後も地方分権化と地域再編を進めるフランス政府は、1995年のパスクア法や1997年のヴォワネ法、さらに2003年の「都市計画・居住環境法」を通して、「ペイpays」《地方》と呼ばれる伝統的な領域を、「生活・雇用圏に見合った地理的・文化的・経済的・社会的なまとまり」と再定義して、法的に制度化した。これを受けて、1997年に、フランスの「バスク地方」は、複数の市町村が連携して進める地域整備政策上の行政区分単位として認知された。背景には、バイオナ商工会議所が産業経済界や各地方自治体の首長を集めて1992年以来主導していた、「バスク地方2010」という長期的な地域経済振興計画の実績があった。

新たに定義された「バスク地方」は、フランス中央政府や地方政府との間で、「バスク地方特別協定」を締結し、言語政策、文化、環境、農林漁業、観光、越境協力など九つの重点分野で、公的な財政支援を受けた。こうして雇用創出と企業誘致が進んだ北バスクでは、1999年以降内陸部の人口流出に歯止めがかかり、海岸部と内陸部の中間地帯に若年就労世帯が少しずつ流入している。

「バスク地方2010」は2013年にいったん終了したが、2015年に発布された「共和国の領域新組織法（NOTRe）」は、地方分権と自治体間連携をいっそう推進する内容であったため、北バスクの市町村は計10個の自治体間連携組織を構想した。ところが、人口1万5千人以上の規模という連携要件を半数が満たさなかったので、158の市町村で一つの連携組織を形成することとなったのである。こうして、158のうち111の市町村（市町村数の70%、人口の66%）が賛成して、2017年1月に「バスク市町村共同体」が発足した。バイオナ市に本部を置き、初代首長には、バイオナ市長で中道右派「民主独立連合（UDI）」のジャン＝ルネ・エチェガレが就任した。目下6億8900万ユーロの予算（2021年度）でもって、主として経済・文化面での地方自治を展開している。

一連の地域振興の動きは、バスク・ナショナリストの再編を促しつつある。EMAとEBは、1993年にAB《祖国バスク主義者統一》として連携し、バスク・ナショナリストとしてはじめて10%

Pays Basque
Euskal Herria
COMMUNAUTÉ D'AGGLOMÉRATION
–
HIRIGUNE ELKARGOA
–
COMUNAUTAT D'AGLOMERACION

バスク市町村共同体のロゴ。「バスク」の部分が仏語とバスク語の２言語で、「市町村共同体」の部分が、オクシタン語を加えた３言語で表示されている

を超す得票率をあげた。その後、南バスクのＨＢがＡＢと連立して新たな政党バタスナを立ち上げようとすると、ＡＢはバタスナと共闘するか否かで分裂する。しかし、２００７年の総選挙に際して、ＡＢとバタスナにＥＡが加わり、ＥＨ Ｂａｉ《バスク地方・Ｙｅｓ》として再び連携し、２０１１年の地方選挙では、一部の町で得票率が30％を超すなど躍進した。こうして２０１４年以来、ウスタリツェ町とバイゴリ町では町長がバスク・ナショナリストであり、人口１万人を超すウルニャ町をはじめ、四つの町村において、バスク・ナショナリストが最大勢力となっている。ＰＮＶは１９９６年に北バスクに拠点を置き、ＥＨ Ｂａｉと距離を置いて活動しているが、これまでのところ思わしい成果をあげていない。とはいえ、その後の２０１７年の「バスク市町村共同体」発足と、翌年5月のＥＴＡ解散は、バスク・ナショナリズム勢力の地方自治レベルでの浸透拡大に、明らかに貢献している。

（萩尾　生）

# 23

# バスク・ディアスポラの現在

★時間的・空間的隔たりとの向き合い方★

バスク地方の外に生活の拠点を置くバスク系同胞の数を、バスク州政府は500万人と推算する。この数字をむろん鵜呑みにはできない。しかし今日、在外バスク系同胞による活動の圧倒的多数が、アルゼンチンと米国で展開していることは明らかである。19世紀以降これらの国に移住したバスク人の多くは、当初牧羊業に従事した。国家の発展が農村経済に依拠していたアルゼンチンでは、牧羊業の拡大で財を蓄えたバスク系同胞が発言力を高め、しばしば国家の最上層部まで昇りつめた。一方、米国西部に渡ったバスク人は、先に入植していた牧牛者の反感を買いながらも、黙々と農牧業に従事し、20世紀半ば頃まで、米国社会の表舞台に出ることがほとんどなかった。

バスク移民は、近隣・近親の者が連なって渡航し、異郷の地で一定程度生活の基盤を築いた後に、親族や同郷人を呼び寄せた。彼らは、「アウソ」(第5章参照)というバスク農村の互助慣行に準じ、相互扶助を目的とするコミュニティを組織化していった。当初個別に活動していたコミュニティは、20世紀半ば頃より連携を試みる。こうして現在、FEVA《アルゼンチン・バスク団体連盟》(1955年結成)、NABO《北米バスク協会》（1973年）、FCVV《ベネズエラ・バスクセンター連盟》（1991年）、FIVU《ウルグアイ・バスク団体連盟》（1997年）などが、各々の国のバスク系コミュニティの連合体として機能している。

中でもFEVAとNABOの規模の大きさは際立っている。アルゼンチンで毎年場所を変えて行われる「バスク民族週間」や、米国のアイダホ州ボイジー市で5年ごとに開催される「ハイアルディア Jaialdia（国際バスク文化フェスティバル）」などは、これらの連盟のリーダーシップなしに実現は困難であっただろう。

もっともFEVAとNABOの間には、前者がメンバー団体の政治的活動を事実上容認するのに対し、後者はそれを認めないという相違点がある。アルゼンチンは、スペイン内戦を逃れてきたバスク系文化人・知識人を受け入れ、フランコ独裁期を通して彼らの政治的・文化的活動を支援した経緯がある。バスク系同胞が社会の上層部を占め、概して高い評価を得てきたため、彼らの政治的言動はアルゼンチン政府に対する影響力を持つのである。しかし米国では、バスク系移民の人口比が非常に低く、彼らに対する関心も総じて薄いか、ときには非好意的ですらあった。バスク系移民の政治的言動が、彼らにとってプラスに作用するとは限らない。この点、NABOの元会長ピエール・エチャレン（Pierre Etcharren）によれば、1950年代から1960年代にかけて、米国内のバスク系同胞が連携を図った際に、フランコ独裁とETAの武力独立闘争をめぐり、同胞の間で心情的な亀裂が走

第5回世界バスク系コミュニティ会議（2015年）の一コマ（欧州、アジア、オセアニアのコミュニティ代表）

りそうになったという。この苦い経験から、NABOでは政治的主題がタブーとなっているのである。もっとも、米国のバスク系同胞が非政治的というわけではない。たとえば、アイダホ州議会は、2002年3月、ETAに表象されるバスク地方内のテロと暴力を非難し、バスク人の自決権を容認するよう訴える建白書を、上院下院とも満場一致で可決した。この建白書に法的拘束力はないが、アルゼンチンのブエノスアイレス州議会が賛同し、スペイン政府が米国政府に抗議するなど、国境を越えて反響を呼んだ。なお、NABOは本件に関与していない。ちなみにアイダホ州議会は、1972年にも、フランコ独裁を非難する建白書を可決している。

バスク州政府は、1994年に「バスク州の外のバスク系コミュニティとの関係法」（以下「関係法」）を発布し、海外バスク系コミュニティの支援に着手した。コミュニティが所在国で何らかの法人格を獲得し、バスク州政府の掲げる要件を満たせば、「バスクの家 Euskal Etxea」として公認され、財政援助や便宜供与を受けることができるのである。2022年末現在、アフリカ大陸を除く4大陸で計196の「バスクの家」が登録され、総計約3万人の会員を数える〈表1〉。アフリカ大陸でも、赤道ギニアにコミュニティ設立の動きがある。

関係法の意図するところは何か。たとえばスペインのガリシア州の場合、在外同胞支援は、州議会選挙における在外有権者の票獲得という側面が強かった。しかしバスク州の場合、在外有権者の票が州議会選挙の結果に与えた影響は、これまでのところ小さい。同法は、「バスクの家」で実践されるバスク語文化の継承・発展を後援して、「バスク」に対する肯定的なイメージを世界に発信し、長らくETAに表象されてきた否定的なイメージの転換を目指す。事実、「バスクの家」のメンバー要件

〈表１〉「バスクの家」の所在国／地域（2022 年 10 月現在）

| 地域 | 国 | 数 | 地域 | 国 | 数 |
|---|---|---|---|---|---|
| 欧州 | アンドラ | 1 | 中南米 | アルゼンチン | 87 |
| | イギリス | 1 | | ウルグアイ | 12 |
| | イタリア | 1 | | エルサルバドル | 1 |
| | スペイン | 12 | | キューバ | 1 |
| | ドイツ | 2 | | コロンビア | 3 |
| | フランス | 5 | | チリ | 4 |
| | ベルギー | 1 | | ドミニカ共和国 | 1 |
| 北米 | アメリカ合衆国 | 38 | | パラグアイ | 1 |
| | プエルトリコ * | 1 | | ブラジル | 3 |
| | カナダ | 2 | | ベネズエラ | 6 |
| | フランス ** | 1 | | ペルー | 4 |
| アジア | 中国 | 1 | | メキシコ | 3 |
| | 日本 | 1 | 合計：25 国／地域 | | 196 |
| オセアニア | オーストラリア | 3 | | | |

* プエルトリコはアメリカ合衆国の自治連邦区。
** フランスの海外準県である「サン・ピエール島・ミクロン島」。
（筆者作成）

について、家系や出身地や性別による制限を解除するよう指導が行われ、開かれた「バスクの家」が志向されている。

開かれた「バスクの家」のイメージは、ローマ、東京、ベルリンの「バスクの家」によっても喚起されつつある。「バスクの家」の大半はバスク系同胞が自発的に設立したものだが、ローマではイタリア古典文芸のバスク語翻訳業から、東京ではサッカーや音楽などへの興味関心から、そしてベルリンではゲルニカ空爆の歴史的記憶の継承から、それぞれ非バスク系の人びとが率先して「バスクの家」を設立し、会員も非バスク系が過半を占めているのである。上述した関係法の立案者であるPNVのヨス・レガレタ（Josu Legarreta）氏は、「バスクの家」において「バスク民族」としての民族性が時間の経過とともに希釈されていくのは想定内だと語り、開かれたバスク・イメージを構築する上でむしろ肯定的に捉えている。

ちなみに、「バスクの家」に対する財政援助は、各「バスクの家」の申請に基づき、所定の審査を経て予算が配分される。これに加え、バスク州政府主導の事業として、①若手有志をバスク自治州に招聘(しょうへい)し、将来のバスク系リーダーを育てる「ガステムンドゥ」事業、②インターネットを駆使した遠隔バスク語講座とバスク語講師養成事業、③1995年以来4年に1度開催されている「世界バスク系コミュニティ会議」などが展開している。

このほか、関係法は、在外バスク系同胞の「エウスカディ」への帰還を支援する。ところが、同様の帰還支援策はスペイン政府も実施しており、両者の所掌に関する棲み分けがときに曖昧である。また、在外バスク系同胞の多くがイメージする「バスク・ホームランド」とは、ナファロアとフランス領バスク地方をも含む、広義の「バスク地方」である。しかし、関係法がバスク州の法律である以上、帰還先は同州内を想定しており、法律立案者と受益者の間で領域性の認識にずれが生じこともある。さらには、国際的な人の移動の様態が、移動の地理的範囲と頻度の拡大とともに変化し、人の結合のあり方も、SNSを通じたネットワーク構築に顕著なとおり、今日急激に変わりつつある。こうした状況に鑑みて、2024年頃を目処に、関係法の改正がアジェンダに上っている。

なお、在外同胞支援は、スペインやフランスのような国家レベルでも、ナファロアやガリシアなどの州レベルでも、個別に実施されている。そして、在外バスク系同胞の大半は、複数の在外同胞コミュニティに同時に属している。この事実は、個人の帰属意識の複数性・多元性からだけでなく、ホームランドと渡航先との間で揺れ動く不安定なディアスポラ状況からも説明されるだろう。

（萩尾　生）

「ガステムンドゥ」事業によりバスク州政府に招へいされた在外バスク系同胞の若者たち。ゲルニカの古木の前で（2015年）

コラム7

# アルゼンチンの「バスクの家」

梶田純子

　アルゼンチン初の「バスクの家」（第23章参照）は、ブエノスアイレス市にある「ラウラク・バット（Laurak Bat）」（《四つは一つ》の意）である。スペイン・バスクで起こったカルリスタ戦争（第10章参照）でバスクの特権を剝奪したスペイン中央政府に対し、反対を表明するため、1878年に13人の移民が発起人となり創設された。

　設立目的は、バスク（人）の権利と自由を守ること、本国のバスク系諸団体との連携、バスク文化の知識と伝達を促進する本を揃えた図書館の創設、オーケストラや合唱団の組織化だった。

　この組織は、バスクで行われた政治活動や、バスク人の特徴である同胞との連帯、つまり互助関係を大事にした。相互扶助は、病院などへの寄付、困っているバスク人への個人的な援助であった。1879年には、初のバスク祭が開催され、多くの人びとが参加し、自分たちの民族衣装を身にまとい、多数の音楽家や声楽家が音楽を披露する場となった。

　1939年に、現在の場所に新たなセンターが造られる。そこにスペイン内戦による国外移住者が来たことで、1940年代以降、社会活動が活発になっていった。現在は、約500名の会員が所属しているが、バスク1世は、1割にも満たない。会費は月極めで、1000ペソ（約620円）を納め、会計係がしっかり管理している。

　センターの文化活動は、非常に重要視されており、創立当初の目的の一つであった図書室は充実したものであった。最近までは司書を配置し、バスク関係図書を探しに来た非バスク人の生徒や学生にまで図書を貸し出している。このほか、1878年から1893年まで新聞

アルゼンチンのブエノスアイレス市にあるバスク系コミュニティ「ラウラク・バット」の建物（萩尾生撮影）

*Laurak Bat* を発行し、その後も1911年から1970年まで、断続的に同名の雑誌を発刊し続けた。現在も、会員や他のセンターに向け、Eメールによる月2回の会報や年報を発行している。

一方、レクリエーション活動として、伝統的な「ピロタ Pilota」や「ムス Mus（カードゲーム）」の大会も開催されており、多くのチャンピオンを輩出してきた。レストランも併設されており、食、仲間を大事にするバスク人に、集いの場を提供している。もちろん、バスク語教室も、各センターで行われている。

ラウラク・バットの役員たちは、殆どが専従ではなく、仕事を持ちながら、活動や役職を分担して行っている。また、会員たちも同様である。大きな活動として、3月13日のセンター創立記念日、復活祭の日に行われる「祖国バスクの日」、9月8日「バスク・ディアスポラの日」などがある。また、守護聖人の日やアルゼンチンの祝祭日（5月25日の革命の日、7月9日の独立宣言の日）も祝っている。

また、センター近くのフランス・バスク出身の司祭が所属するサン・ファアン・バウティスタ教会で、30年以上にわたり毎月第2日曜日にバスク語のミサを行っている。

その他、第23章でも書かれているように、アルゼンチン全土では87団体（うちブエノスアイレス州に54団体、ブエノスアイレス市に12団体）が登録されている。その中には、フランス系バスク人が設立した「フランス・バスクの家」もある。スペインのバスク州政府は、ここも同じ「バスクの家」として公認しており、スペイン系、フランス系に関係なく、バスク人の子孫が双方のイベントに参加し、交流している。

コロナ禍になり、このような活動が衰退するのではないかと危惧され、アルゼンチンの他民族の協会／センターは、会員数も活動も激減したのであるが、バスク人のセンターだけは、逆に会員数も増えているところも多いという。なぜなら、オンラインでのミーティングやイベント、さらに対面とオンラインのハイブリッド方式を取り入れることにより、今まで参加できなかった遠方の人びとや仕事や家庭が忙しかった人びとも参加できる機会となったからだと現FEVA《アルゼンチン・バスク団体連盟》会長（ラウラク・バット副会長兼務）がいう。また、毎年10月か11月の1週間には、毎回場所を変えて「アルゼンチン・バスク週間」が催される。スペイン・バスク州の首班（レエンダカリ）も参加するのだが、内陸部の小さな町でも開催される。内陸部の方が、バスク系の人びとが固まって居住しており、活動が活発なのである。

このように、アルゼンチンでは、「バスクの家」が中心となり、バスク文化を継承しバスク人の絆を絶やさない営みが実践されている。

# Ⅳ

# われわれ意識をつくる
## アイデンティティと表象

Nire aitaren etxea defendituko dut.

わたしは父の家を守っていくのだ。

—Gabriel Aresti “Nire Aitaren Etxea”
ガブリエル・アレスティ「わが父の家」

# 24

# 記念日

## ★「祖国バスクの日」と「バスク州の日」★

国民や民族の一体感を確認し、その結束を鼓舞する装置の一つが、記念日である。国家の場合、史実か否かにかかわらず、建国、独立または解放の日が、国家の誕生日として祝福される。自らの国家を持たない民族の場合には、輝かしい過去を象徴する日を回顧することが、あるいは被征服、敗走、離散など民族の被った悲劇の日を決して忘れないことが、往々にして、将来の建設的目標へ向けて結集するための精神的支柱となっている。

この点、バスク・ナショナリズムの始祖サビノ・アラナは、記念日を定めて祝うことがなかった。最初の「祖国バスクの日（アベリ・エグナ）」の催事は、サビノの死後PNV《バスク・ナショナリスト党》の党首となった兄ルイス・アラナ（Luis Arana）によって、1932年の復活祭の日曜日に執り行われた。それは、アラナ兄弟がバスク・ナショナリズムの霊感を受けたといわれる年から50年目の節目を記念していた。しかし、実のところは、当時再編されたばかりのPNVが再度の内部分裂の危機にあったため、バスク・ナショナリストを今一度団結させるよう動員をかける必要があったのである。復活祭の日曜日に「祖国バスク」の復活を重ねる発想は、1916年のアイルランドの復活祭蜂起に着想を得たと思われる。また、１９３１年に発足したスペイン第二共和政が非宗教性を政策に掲げていたことへの反発も、多分にあったであろう。

ビルボで開催された第1回「祖国バスクの日」には、約6万人の参加者が集まり、バスク民族旗（第25章参照）を誇示して市内を行進した。第2回は翌１９３３年にドノスティアで、第3回は１９３４年にガスティスで開催された。続く１９３５年にはイルニャでの開催が画されたが、バスク・ナショナリズムの高揚を警戒する当局の圧力を受け、「バスクの日（エウスコ・エグナ）」の名のもとに、政治色を薄め、民俗色を強めた祭事として実施された。内戦前夜となった１９３６年には、準備に手間取り、復活祭の日曜日から遅れて5月31日に、複数の都市で個別に祝われた。

第１回「祖国バスクの日」のポスター（© sabino arana fundazioa）

しかし、内戦の勃発と、その帰結としてのフランコ独裁により、バスクの表象は公的空間から駆逐された。そのため、「祖国バスクの日」の催事は、バスク地方の外の「バスクの家」などで行われた。内戦後のバスク地方ではじめて大衆が動員された「祖国バスクの日」は、1963年に、フランス領ラプルディ地方のイチャス村において、ETA《祖国バスクと自由》の支援を受けて主催された。これは、PNV以外のバスク・ナショナリスト左派によって主導された最初の「祖国バスクの日」であった。翌年には、再びPNVが主導権を握り、ETAの協力を仰ぎつつ、内戦後はじめてスペイン領バスク地方のゲルニカにおいて、非合法的に開催された。さらに2年後の「祖国バスクの日」には、非バスク・ナショナリストのPSOE《スペイン社会労働党》も参加し、1975年には、ベルギーのフラマン語共同体からの参加があるなど、国際的な催事へと発展した。

こうして、「祖国バスクの日」は、バスク・ナショナリストの新旧世代や左派／右派という違いを超えて、また、バスク・ナショナリストと非バスク・ナショナリストの違いを超えて、バスク地方内外で、単一もしくは複数の場所で、あまねく開催されていった。フランコという外敵の存在は、「祖国バスクの日」の受容拡大に寄与したといえる。

事実、フランコ独裁が崩壊すると、1979年以降、PSOE等の非バスク・ナショナリストは「祖国バスクの日」に参加していない。催事は、バスク・ナショナリストが政党や政治団体別に、自らの主張を掲げて実施するようになったのである。今日、ETAとその周辺のバスク・ナショナリスト急進左派は、「祖国バスクの日」をバスク独立へ向けた大衆動員の道具とみなし、穏健派は、復活祭の日曜日という本来の宗教色を前面に出した祭典に還元しつつある。主催者と催行形態が多様化し

# 第24章 記念日

たとはいえ、復活祭の日曜日に、バスク・ナショナリストが、バスク・ホームランドと海外バスク系コミュニティにおいて、この催事を毎年祝うという様式は、すっかり定着している。

ところで、スペインを構成する17の州は、おのおの「州の記念日」を定めている。唯一の例外が、バスク州であった。上述の「祖国バスクの日」は、バスク・ナショナリストの催事であり、バスク州の祝日ではない。バスク州内の非バスク・ナショナリストにとっては、関心の対象外かきな臭い行事でしかない。他方、バスク・ナショナリストにしてみれば、バスク州に限定されず、ナファロアやフランス領バスク地方などでも祝されるべき催事である。こういうわけで、州発足後、PNVはバスク州議会を牛耳ったものの、州の記念日を公定することができなかった。

ところが、2009年5月に、非バスク・ナショナリストのPSOEがバスク州の政権を掌握すると、状況が急変する。バスク州議会は、10月25日を「バスク州の日（エウスカディの日）」とすることを可決し、2011年から、10月25日がバスク州の祝日となったのである。

なるほどこの日は、バスク州自治憲章発布の日であり、州の記念日として申し分ない。しかし、バスク・ナショナリストは、自治憲章に規定された権限が中央政府から完全に委譲されていないことを理由に、この日を州の記念日とすることに反対してきた。また、多くのバスク・ナショナリストが、10月25日を、1839年10月25日法の発布日として、すなわちバスク3県とナファロア県のフエロがスペイン立憲王政との統一性を求められた屈辱的な日として記憶していることは、第10章で既述のとおりである。事実、2012年にPNVが政権に返り咲くと、2014年に「バスク州の日」は廃止された。そして2016年には、最初のバスク自治政府発足80周年ということで、10月7日をその年だけの祝日に定めたのであった。

一方、ナファロア州の場合、「ナファロア州の日」が12月3日であり、当地出身の聖ザビエルの命日と重なる。しかし、1985年以前は、6月の最終日曜日に設定されていた。それは、ナファロア軍がカスティーリャ軍に大敗した1521年6月30日のノアインの戦いに由来する。しかし、カスティーリャへの対抗意識が覚醒することを懸念するPSOEの意向を受けて、12月3日に変更されたのである。

なお、フランス領低ナファロア地方のバイゴリ町では、北バスクのナファロア人の結束を確認し合う「ナファロアの日」の催事が、1978年以来、毎年4月最終日曜日に開催されていることを付記しておこう。

記念日は、歴史的な記憶に関わる「まつりごと」である。しかし、その記憶をいかに紡いでいくかという点において、政治的な恣意性からわれわれは決して自由でない。

（萩尾　生）

# 25

# イクリニャ

## ★民族旗か州旗か★

旗の機能の一つに、空間上の目印としての機能がある。目印とは、周囲の空間との差異化のことである。通常、旗には特定の意味が付与され、その意味内容を内面化して共有する人びとをまとめあげる。この統合機能は、その裏返しとして排除機能を併せ持つ。典型例は軍隊であろう。軍旗は敵味方を峻別する指標である。実際、「旗」という単語が「戦」を連想させるような言語が、世界には少なくない。

バスク民族を統合する願いを込めて制作された旗が「イクリニャ ikurrina」である（カバー折り返し部分の写真参照）。文脈によって、《バスク民族旗》《バスク国旗》《バスク州旗》のいずれにも翻訳可能である。《記号》や《徴》を意味するバスク語 ikur に基づく、サビノ・アラナの新造語である。

イクリニャのデザインを考案したのは、アラナ兄弟である。ルイス・アラナの手稿から、構想が固まったのは1894年春頃と推測される。横長長方形（280×500センチメートル）の下地は赤色で、対角線上を緑色の斜十字が走り、さらに対辺中央部を結ぶ白十字が最前面に引かれている。白色と緑色の十字の幅は等しい。サビノ・アラナによれば、「民衆を表す赤い下地の上には、法を象徴する聖アンデレの緑の十字が覆い被さる。なぜなら、法は民衆の上位にあるべきものだからだ。赤い下地と緑十字の上には白十字が覆い被さる。なぜなら、キリストのモラルは、法と民衆を統べるべきものだから」である。かくして、イクリニャの表象は、PNVの標語「神と旧法」に関連づけられる。すなわち「白十字が『神』を表象し、緑十字が『旧法』を表象する。そして、イクリニャの中央における二つの十字の結合が『と』を表象する」のである。

イクリニャのデザインについては、英国のユニオン・ジャックの影響を指摘する向きも多い。アラナ兄弟の育ったビルボ市が、19世紀末の工業化の過程で英国と密接な経済上の関係を有していたことや、サビノが晩年に主張したバスク連邦制が英国の連邦制に着想を得たふしがあることを考慮すると、そうした指摘もあながち否定はできない。

アラナ兄弟は、当初イクリニャをPNVの党旗とみなしていた。また、初期バスク・ナショナリズムがビスカイア地方に限定されていたのと同じく、イクリニャはビスカイアの旗でもあった。実際、イクリニャの下地の赤色は、ビスカイア紋章に由来する。アラナ兄弟にしてみれば、ビスカイア以外のバスク各地域は、おのおの旗を制作していくはずであった。ルイス・アラナは、後にバスク各地域の旗を案出し、それらを合体させたバスク連邦旗を提示した。しかし、それよりも早い速度で、イクリニャはバスク人の民族旗として、バスク地方全域、そして海外バスク系コミュニティで受容されていくのであった。

イクリニャがはじめて公的空間に翻ったのは、PNVの前身である「バスク人会議 Euskeldun Batzokija」の建物のバルコニーにおいてである。ビルボ市コレオ通り22番地、1894年7月14日

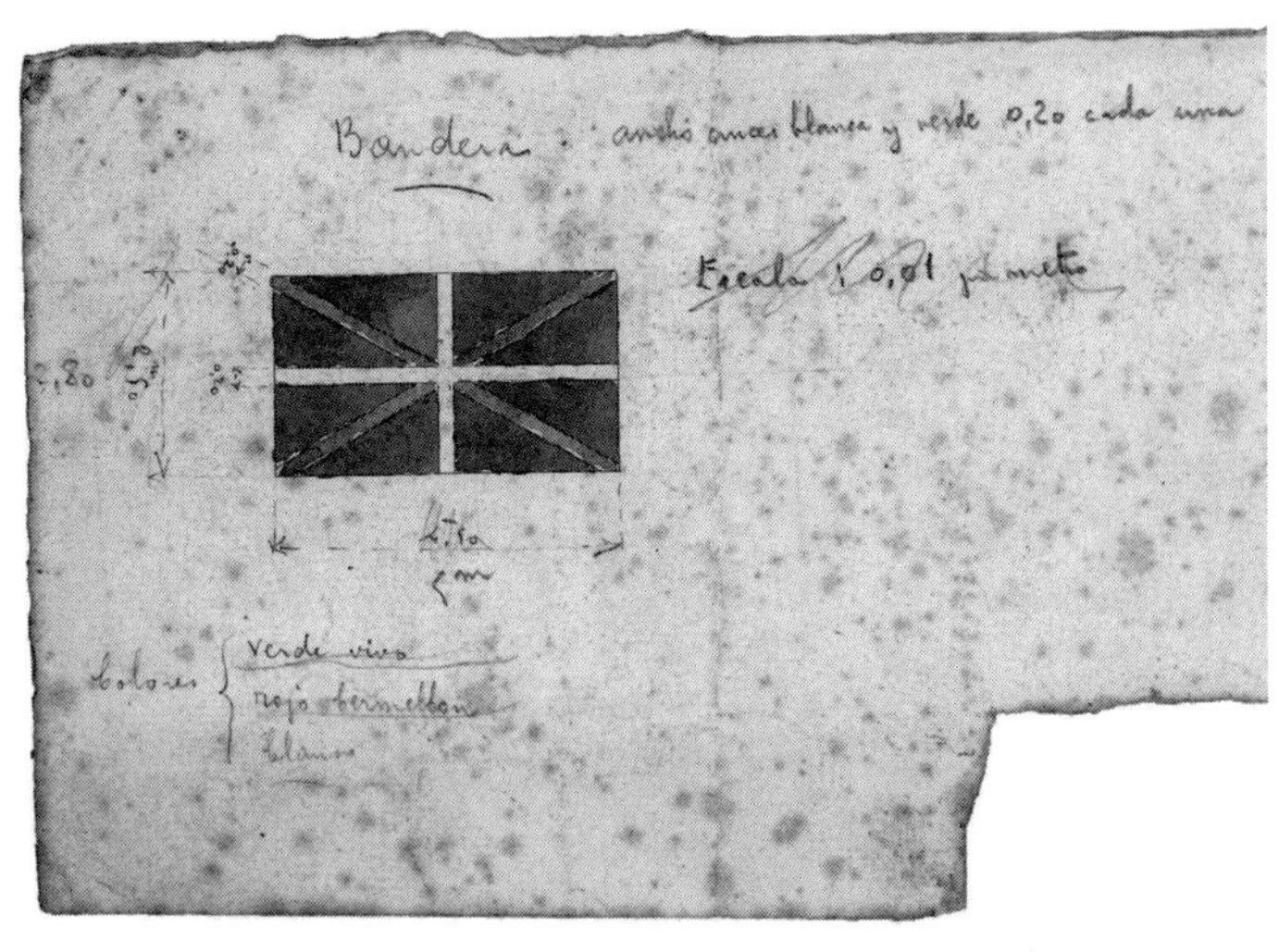


ルイス・アラナによるイクリニャの手稿（© sabino arana fundazioa）

午後6時のことであった。

さて、イクリニャはＰＮＶの活動範囲の拡大とともに普及したが、伝搬のメカニズムには、不明な点が多い。だが、１９２３年にプリモ・デ・リベーラ独裁政権が行使したイクリニャの非合法化は、この頃までに、イクリニャが当局にとって目障りな存在と認識されるくらい、社会に普及していた事実を示唆する。そして１９２０年代後半には、イクリニャがフランス領バスク地方にも浸透していた。

その後、１９３２年に始まる「祖国バスクの日」の催事や、内戦勃発直後に発足したバスク自治政府によるイクリニャの公認などは、イクリニャの地位をバスク民族統合の象徴にまで押し上げたが、内戦の敗北とフランコ独裁により、イクリニャは公的空間から排除された。

反対に、フランコ独裁体制下を通して、イクリニャはバスク民族の抵抗のシンボルと化した。イクリニャの掲げられた「時」は、内戦とそれに続く抑圧の記憶と結びついている。フランコ蜂起の日やゲルニカ空爆の日、あるいは祖国バスクのために殉死した同志の命日には、喪章を付けたイクリニャが翻った。また、フランコが定めた「スペイン国民の日」への抵抗、あるいは祖国バスクへのエールとして、イクリニャがはためいたのである。

イクリニャが据え置かれた「場」は、なによりも人目に付く場所であった。当局の弾圧を回避すべく、特定個人に帰することの困難な公的性格の強い場所、たとえば教会やカテドラルの尖塔、はたまた遠望のきく山頂にイクリニャが掲揚された。あるいは、デモに際して、通りの壁面やビラなどにイクリニャは描かれた。それは、私的空間に放逐された「バスクなるもの」を公的空間へ復権させようとする、強固な意思表示であった。

スペインでは、フランコ没後の1977年に、イクリニャの掲揚が合法化され、2年後のバスク州の成立とともに、イクリニャは同州の州旗となった。現在では、国と地方公共団体のすべての行政機関において、スペイン国旗の明示的な掲揚が義務づけられている。したがって、イクリニャは、公的機関においてはスペイン国旗とともに掲げることが必要である。欧州や地方公共団体の旗も、同時に掲揚できる。ところが実態はというと、バスク・ナショナリストは、スペイン国旗を意図的に掲揚しないことがある。たとえば、PNV政権下のバスク州首班の公邸に、スペイン国旗が翻ることはなかった。が、PSOE政権となった2009年以降は、今日のPNV政権下でも、イクリニャ、スペイン国旗、欧州旗の三つが掲揚されている。このほか、旗の掲揚をめぐる論争を避けるために、あえて一切の旗を掲げない市町村役場もある。

ナファロアでは、バスク・ナショナリズムの影響を受けて、1910年にナファロア旗のデザイン（第18章参照）が描かれた。これが1982年のナファロア州成立とともに州旗となった。一方、公的機関におけるイクリニャの掲揚は認められていない。これに不満なバスク・ナショナリストは、役場のすぐ隣の私有地に旗竿を立ててイクリニャを掲揚するなど、精一杯の抵抗を見せている。その後2015年にバスク・ナショナリストがナファロア州政権の座につくと、サン・フェルミン祭の開催を告げるイルニャ市庁舎にイクリニャがはためくなど、公的機関におけるイクリニャの掲揚が「事実上」実践される事例がちらほら確認されるようになった。とはいえ、ナファロアにおけるバスク・ナショナリスト勢力は依然少数派であり、イクリニャ掲揚の「法的」認知をめぐっては、州議会における攻防が今日まで継続している。

最後に、フランス領バスク地方では、地域の言語・文化、アイデンティティを表象するものとして、公的機関におけるイクリニャの掲揚が、フランス国旗が掲揚されているかぎり、比較的容認されている。たとえばバイオナ市庁舎には、バイオナ市の旗、東バイヨンヌ小郡（カントン）の旗、イクリニャ、フランス国旗、欧州旗の5本の旗が掲げられている。

イクリニャは、今日、バスク地方全域と在外バスク系コミュニティにおいて、あまねく受容されている。サッカーや自転車の国際競技大会、あるいはユーロヴィジョンのような国際歌謡大会など、様々な催事の折りに、、イクリニャがはためく光景は珍しくない。しかし、こと公的機関における掲揚となると、様々な旗の掲揚の可否、掲揚する場合の旗の大きさと掲揚序列など、旗の象徴機能をめぐる熾烈な駆け引きが行われているのである。

（萩尾　生）

# 26

# バスク民族の歌

## ★歌曲の政治性★

国歌とは、当該国とその国民を象徴するものとして、法令や国民の共通理解によって認知された楽曲のことである。スペインのように、歌詞のない国歌も例外的に存在するが、大半の国歌は歌詞をともない、国家の式典や公的機関の諸行事、あるいは国際的な行事において斉唱される。歌詞の意味内容を響かせる斉唱という行為は、その場に参集した人びとをときに陶酔させ、同じ国民としての一体感を明確に意識化させる効果を持つ。そこに国旗があれば、視覚面からの演出効果も期待できる。

では、主権国家を形成していないバスク人の場合、「民族」としてのまとまりを象徴する歌曲は何であろうか。7領域に広がるバスク民族としての同胞意識が民衆の間で覚醒したのは、19世紀後半である。これ以降の事例をたどると、少なくとも三つの歌曲が、バスク人の「民族歌」に値すべき地位にあることがわかる。作曲年代順に、「ゲルニカの木」「万歳、万歳」「バスクの兵士」の三つである。いずれもバスク語で歌われる。

まず「ゲルニカの木」は、ギプスコア出身のロマン派即興歌人ホセ・マリア・イパラギレ（Jose Maria Iparragirre）の作詞による。作曲は、同時代のオルガン奏者ファン・マリア・ブラス・アルトゥナ（Juan Maria Blas Altuna）である。カルリスタ戦争で敗走し、後にアルゼンチンに亡命する流浪の詩人自らの弾き語りによって、1853年にマドリードのカフェで初演された。

ゲルニカの木は／祝福されている。／バスク人の間で／あまねく愛されている。
世界に種子を／与え、そして広めよ！／われわれはあなたを誉め称える／聖なる木よ！

ゲルニカは、内戦における空爆と、それに抗議したピカソの絵画「ゲルニカ」で名高いが、何よりもバスク地方の政治的自治の象徴であった。カスティーリャ国王の即位に際して、ゲルニカのオークの木の下で、ビスカイア地方の慣習法・地方特権であるフエロの遵守を宣誓する習わしが続いてきたのである。「ゲルニカの木」は、このフエロが象徴するバスク地方の自治と自由を称える歌である。カルリスタ戦争の終結によりフエロが実質的に廃止されると、それに反対する人びとの憤怒が、この歌に託されたのであった。

ギターを抱えて弾き語りするイパラギレの銅像（ゲルニカ市内）

次の「万歳、万歳」は、作者不詳の民謡の旋律をもとに、バスク・ナショナリズムの父サビノ・アラナが自ら歌詞をつけた歌曲である。その旋律は、古くは、舞踏の始まりの挨拶の際に演奏されていたらしい。歌詞からもわかるとおり、ＰＮＶの標語「神と旧法」、すなわちカトリックと、ゲルニカの木に象徴されるフエロを称え、自ら案出した「祖国バスク」の栄光を高らかに歌う、まさにＰＮＶ賛歌である。

万歳、万歳、祖国バスク／栄光、栄光、栄光を／天におはする善なる神に
ビスカイアにある1本のオークの木／その法と同じくらいに／古く、強く、健全だ
オークの木の頭上には／聖なる十字架／つねにわれらが天の高みに
歌え「万歳祖国バスク」を／栄光、栄光、栄光を／天におはする善なる神に

最後の「バスクの兵士」の歌詞は、１９３２年にＰＮＶの幹部ホセ・マリア・ガラテ（Jose Maria Garate）によって書かれた。旋律は、アラバの伝統歌謡に基づく。そして１９３６年の内戦に際して、別人によって戦意高揚の歌詞が補筆された。今日歌い継がれているのは、以下の歌詞である。

われらはバスクの兵士なり／祖国バスクを解放すべく／
祖国のために／血を与えん用意あり。
雄叫びは聞こえぬ／山のいただきに！／
いざ兵士よ、皆して進まん／イクリニャの後に続いて

以上3曲のうち、バスク民衆に最も人気が高いのは、イパラギレという傑出した詩人の詩趣に富

む「ゲルニカの木」である。実際、幾人ものミュージシャンがこの曲を取り上げ、録音発表している。しかしこの歌は、北バスクではあまり知られていない。また、南バスクでも、近年の若年層にはさほど歌い継がれていない。一方、「万歳、万歳」は、明らかにＰＮＶ賛歌であり、ＰＮＶ党員とその支持者の間で、世代を超えて歌い継がれている。なお、「バスクの兵士」は、もともとＰＮＶ幹部の作詞だが、歌詞の内容が武力闘争によるバスク独立を目指す立場と合致することから、ＥＴＡを中心とするバスク・ナショナリスト急進左派のデモや集会において歌われる。直立不動で、左手の拳を高く掲げて歌われてきた。しかし、ＥＴＡの武装闘争放棄とそれに続く解散を経て、今日では公共空間で聞かれることが少なくなった。

１９７９年にバスク州が成立した後、州のシンボルを制定するにあたり、イクリニャを州旗とすることに異論はほとんどなかった。しかし、州歌を制定するにあたっては、紆余曲折があった。当時バスク州議会を掌握していたＰＮＶは、「万歳、万歳」を州歌に選定しようとした。しかし、バスク・ナショナリストの一部や全国政党は、その党派的内容の歌詞を理由に反対し、民衆の人気を博していた「ゲルニカの木」を推したのである。「ゲルニカの木」が象徴するバスクの自治と自由は、スペイン国内の地方自治へのオマージュとして解釈可能だ、という理由もあった。なお、「バスクの兵士」を推したであろうバスク・ナショナリスト急進左派は、議会政治をボイコットしていたため、議論に参加していない。

論争の結果、ＰＮＶ色の強い「万歳、万歳」の歌詞を省き、旋律に若干の編曲を施し、標題を「バスク民族賛歌」と改めることで、１９８３年に、バスク州の州歌が誕生したのであった。スペインの

17の州のうち13の州が州歌を定めているが、公式の歌詞を定めていないのは、バスク州とリオハ州の州歌のみである。

以上の4曲は、いずれも南バスクで作られた歌曲であり、作詞作曲の動機は、「バスク民族賛歌」を除き、程度の差こそあれ、戦と関連していた。ところが、おそらく北バスクで作られ、バスク地方全域で、公的性格の強い式典の始まりと終わりに奏でられる楽曲が存在する。それは「アグル・ハウナク」である。「アグル」は、出会いや別れの際の挨拶ことばであり、「ハウナク」は、《殿方》の意味である。つまり、《こんにちは、皆さん》あるいは《さようなら、皆さん》くらいの意味である。

こんにちは、皆さん、皆さん、こんにちは／重ねてこんにちは
すべてのひとは／神の御業です
あなたがたがそうですし／わたしたちもそうです
こんにちは、皆さん／こんにちは／重ねてこんにちは
わたしたちはここにいます／こんにちは、皆さん

宗教色を帯びた、なんともたあいのない歌詞である。儀式用の曲として頻繁に用いられているとはいえ、州歌に定めるには、インパクトが小さかったと思われる。ここで言うインパクトとは、人びとの一体感と結束を鼓舞する歌詞と旋律の力強さのことである。

（萩尾　生）

# 27

# バスク語の「正常化」

## ★言語政策と言語権★

スペインの現行憲法である1978年憲法第3条は、カスティーリャ語（以下「スペイン語」）をスペインの国家公用語と定める。と同時に、スペイン各地に根ざすその他の言語も、州内の公用語となりうる可能性を明記する。憲法が列挙する国家の排他的権限の中に、言語という項目はない。国家の排他的権限に明示されない事項は、同憲法の規定により、州が権限を持つことができる。よって、言語に係る権限は各州にあると考えられる。

実際、州の中には、スペイン語以外の言語を州の固有言語と定め、スペイン語とともに公用語の地位を与える2言語／多言語共同公用体制を敷くところがある。固有言語には、スペイン語との関係において、社会的な機能や地位が低くなってきた歴史的経緯がある。対等な共同公用性を担保するためには、固有言語に対する積極的な地位是正措置が求められよう。これは、1960年代のカタルーニャ社会言語学者らが提唱した、言語の「正常化 normalización」という考え方に基づく。劣位に置かれた言語の社会的な機能と威信の再建のみならず、社会的な諸制約や人びとの意識上の障壁を除去することも重要な課題とされるのである。言語の「正常化」は、領域性をともなう固有言語に対する集団的言語権の行使を目指す場合もある。

バスク州では、1979年のゲルニカ憲章が、バスク語を州の固有言語に選定し、スペイン語との2言語共同公用体制を謳った。もっとも、スペイン憲法がすべての国民に対してスペイン語を知る義務と使う権利を規定する一方で、ゲルニカ憲章は、すべての州民にバスク語を用いる権利を保障するが、そうする義務を課さない。バスク語とスペイン語の共同公用性は、対等ではない。

3年後の1982年11月、バスク州では、スペイン初の言語正常化法となる「バスク語使用正常化基本法」によって、バスク市民の言語権を擁護するために公的機関がとるべき手段・方策が、行政、司法、教育、メディアなどのあらゆる社会領域において定められた。今日、言語政策は州政府文化省言語政策局が主導し、バスク語アカデミーが諮問機関に指定されている。州内のすべての公的機関において、スペイン語とバスク語のうち本人の指定する言語による対応が保障されている。

一方ナファロア州では、自治憲章に相当する1982年の組織法と1986年の「バスク語特別法」によって、以下のことが定まった。①ナファロアの固有言語はスペイン語とバスク語の二つであること。②ナファロア全域を市町村単位でバスク語圏、非バスク語圏、2言語混交圏の三つの言語圏に分類すること。③バスク語はバスク語圏においてのみスペイン語とともに公用語の地位を有すること。

このように、ナファロアにおけるバスク語は、スペイン語に対峙する固有言語として位置づけられず、バスク語の「正常化」は政策目標にない。言語の「正常化」は、社会言語学的状況を転換させるための政策介入をともなうが、ナファロアにおける三つの言語圏の設定は、各市町村の社会言語学的現状の追認にすぎず、その変革を意図しない。言語圏の変更は2010年にはじめて実施された。全272市町村のうち4市町村が、非バスク語圏から2言語混交圏への変更可能性を認められ、市町村議会の承認を得た3市町村が最終的に移行したに留まる。

ナファロアでは、UPN《ナバーラ人民連合》のように、州内のバスク的要素に積極的価値を認めない政治勢力が一定の支持を得、1991年から2014年に至るまでの間、州の政権を掌握してきた(第19章参照)。UPN政権は、州政府内の言語政策局を廃止した後、2007年に外郭団体としてナファロア・バスク語研究所(Euskarabide)を設置し、言語政策に関する企画、助言、調査の権限を付与するだけの消極策を採った。

2008年現在1405あった州政府職員ポストのうち、バスク語会話能力が求められたのはわずかに1ポスト。固有言語による州立テレビ・ラジオ放送局がないスペイン唯一の州。EU機関におけるバスク語の使用を認める提案を否決したEU内唯一の地域……。このようなナファロア州政府のバスク語に対するかたくなに否定的な姿勢は、2015年にバスク・ナショナリスト勢力がはじめて州の政権に就くと好転する。しかし、今日まで連立少数与党であるため、バスク語を振興する立場からすれば、いまだ予断を許さない状況であることに変わりない。

なお、フランス語を共和国唯一の公用語と断じるフランスでは、2008年の憲法改正により、バスク語を含む国内の地域諸語が同国の文化遺産である旨明記された。しかし、文化遺産とは、過去のある状態を復元・保存するニュアンスが強い用語である。地域諸語は、主として教育・文化・観光の

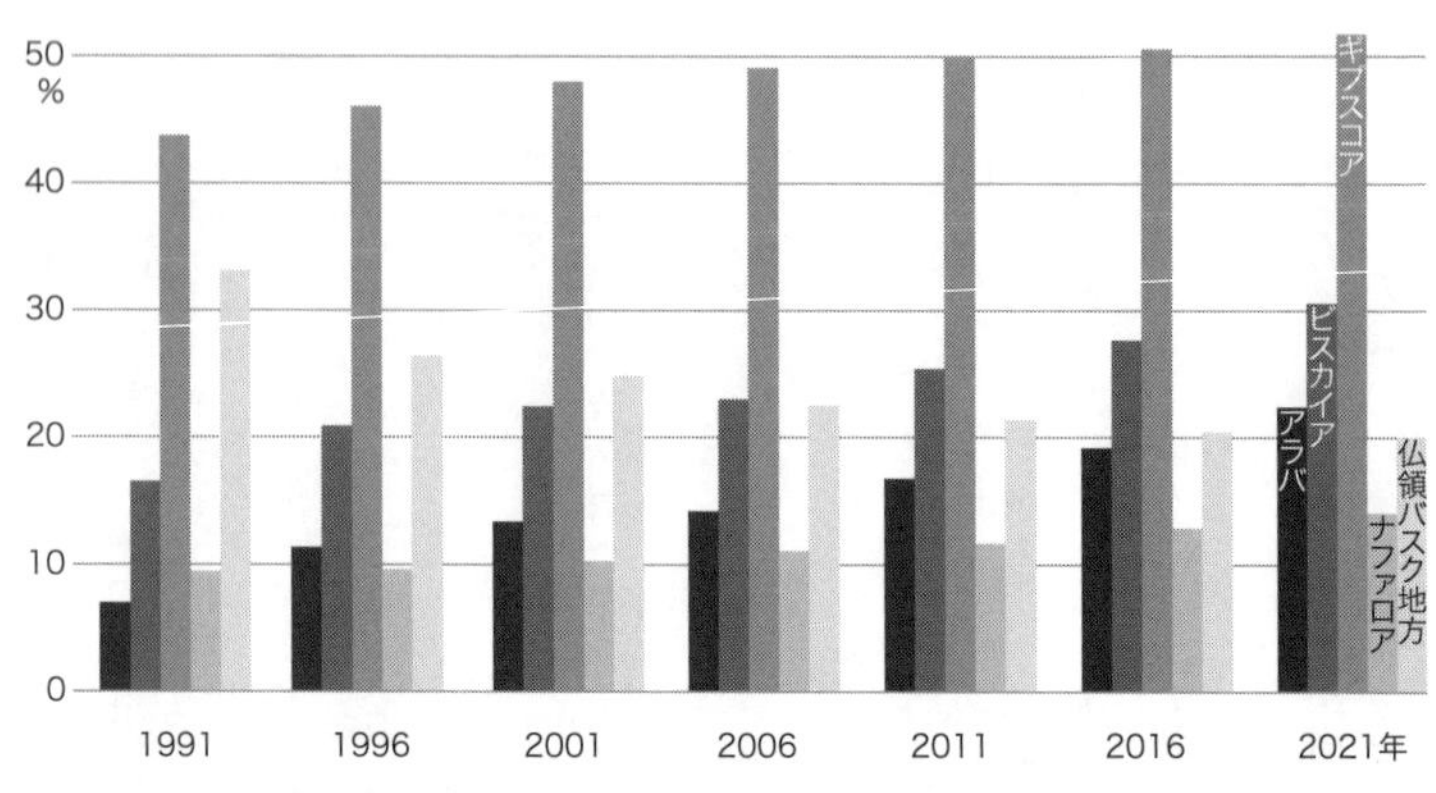


〈図１〉バスク語話者の領域別人口比の経年推移（1991 ～ 2021 年）
出所：Soziolinguistika Klusterra, *Hizkuntzen erabileraren kale neurketa*. Euskal Herria, 2021.

領域における限定的使用が公認されているに留まる。フランス領バスク地方では、２００４年に設立された公法人バスク語公務局（ＯＰＬＢ）がバスク語の権利擁護の任務を担う。２０１７年にバスク市町村共同体が発足して、バスク語の振興が地方自治行政のアジェンダに明記されるようになったものの、バスク語が公用語の地位を欠く状況に変わりなく、振興の射程には限界があると言わざるをえない。

１９８０年代後半よりバスク州政府が主導し、現在ではナファロア州政府およびＯＰＬＢと協力して実施する社会言語学調査によれば、バスク語話者の割合は、過去20年間バスク州で増加傾向にあるが、ナファロア州では微増傾向、フランス領バスク地方では漸減の傾向にある〈図１〉。この調査は、被調査者が調査者との面接を通して自己申告した結果に基づく。ところが、バスク語話者がつねにバスク語を話しているわけではない。公共空間におけるバスク語使用の実際は、民間団体が１９８９年以来定点観察してきた結果〈図２〉のとおり、ギプスコア県を除き、バスク語話者の半分にも満たない。とくに医療や司法の現場における

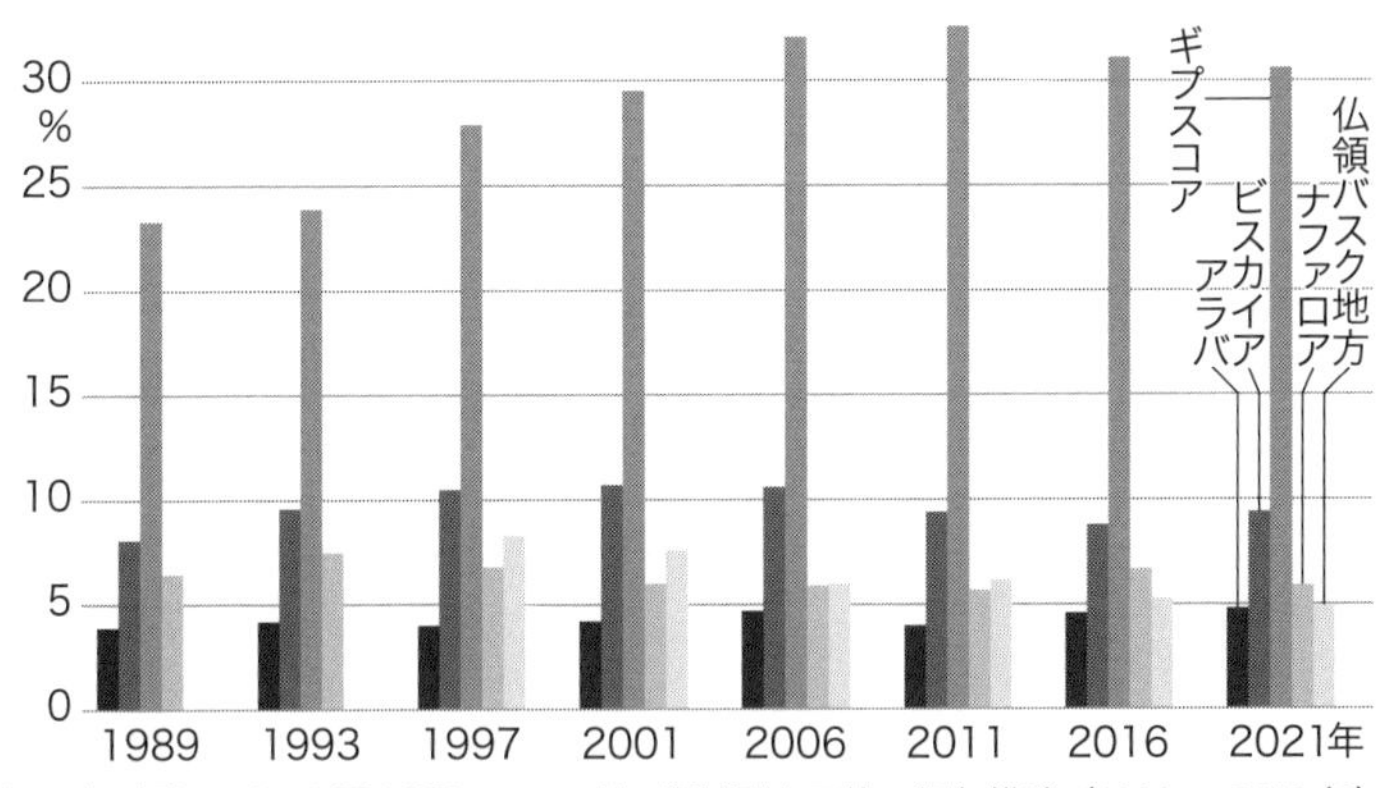


〈図 2〉実際にバスク語を話している者の領域別人口比の経年推移（1989 ～ 2021 年）

出所：Soziolinguistika Klusterra, *Op. cit.* Euskal Herria, 2021.

バスク語使用の促進は、喫緊の課題となっている。

この点に関して、公共空間におけるバスク語の「可視化」と「可聴化」を目指すべく、バスク全土で２０１８年に始まったのが「エウスカラルディア Euskaraldia」と呼ばれるキャンペーンである。見知らぬ人に対する第一声をバスク語以外の言語で発する心理的性向を変えようという意図のもと、バスク語を話す／理解する人びとがピンバッジを付けて公共空間に繰り出し、ピンバッジを付けている人とは誰であれ、会話の第一声をバスク語で行うのである。毎年「国際バスク語の日」（コラム９参照）に合わせて２週間近く催され、バスク州政府の支援もあり、初年度には22万５千人が参加した。

以上から、バスク州のようにバスク語に対する積極的擁護策が講じられているほど、バスク語話者の比率が高く、比率の経年増加傾向も強いと、ある程度は言えよう。だが反対に、バスク語話者の割合が高く、バスク語に対する住民の積極的価値付けが強い領域ほど、バスク語に対する積極的地位是正措置を採用しやすくなる、とも考えられる。

なお、ガスティス市に隣接するカスティーリャ・イ・レオン州の飛び地トレビニョ（第7章参照）では、住民の22％がバスク語の話し手であり（2012年）、学童の6割以上がバスク語を学んでいる。カスティーリャ・イ・レオン州では、ガリシア語とレオン語が擁護されるべき少数言語として公認されているが、トレビニョのバスク語には同様の地位が保障されていない。トレビニョ内の二つの自治体が2020年に策定した「バスク語振興戦略プラン」は、これに反対する州政府との間で目下係争下にある。

最後に、EU機関でバスク語の限定的使用が認められていることと、スペイン上院におけるバスク語の使用が、カタルーニャ語、バレンシア語、ガリシア語の使用とともに2011年1月に認められ、2022年現在、下院におけるこれらの言語の使用が議論の俎上にあることを、補足しておこう。

（萩尾　生）

# 28

# バスク語教育の現状

★存続・教育から普及へ★

バスク語の言語権を保障する今日の諸政策は、1960年代にギプスコア県とビスカイア県で興ったバスク語復権運動の成果といってよい。バスク語の擁護を主張する社会的思潮は、16世紀中葉以降、今日に至るまで幾度か確認されるが、1960年代に始まる社会運動が従前のものと一線を画しているのは、フランコ独裁によるバスク語・バスク文化に対する抑圧や、高度経済成長とともに大量流入してきたバスク語を解さないスペイン人労働者の存在、といった政治社会的変動の中で、バスク語の存亡に対する未曾有の危機意識が醸成され、当時の植民地独立や対抗的文化運動といった世界的時流とあいまって、バスク地方内外の広範な層の支持を獲得した点にある。

たしかに、独裁初期にあっても、たとえばバスク語アカデミーは細々と活動を継続していたし、バスク農山漁村ではミサや冠婚葬祭におけるバスク語の使用が黙認されることがあった。しかし、このバスク語復権運動が目指したのは、博物館の標本や民俗芸能の見せ物、はたまた宗教的儀式の供え物としてバスク語を保存することではなく、日常生活の公私あらゆる場面で普通に用いられる伝達手段としてのバスク語を蘇生させることであった。

復権運動の重点課題の一つが、バスク語の教育である。その基本理念は、エウスカルドゥンツェ（euskalduntze）とアルファベタツェ（alfabetatze）の二つだ。前者は「バスク語を教育言語として用いながらバスク語を教え、バスク語の話者を育てること」を意味し、後者は「バスク語の話者にバスク語の読み書きを教えること」を意味する。教育の現場では、両者が一組になって機能している。

バスク語教育は、バスク語の世代間継承を主眼として、イカストラ（ikastola）《学び処》と呼ばれる教室／学校に就学前後の幼児・児童を集めて開始された。当初は、多くがカトリック教会の庇護を受けながら、半ば非合法的に運営された。学童が成長するにつれて、就学前教育、初等教育、そして中等教育をもカバーするようになり、1960年にギプスコア県で3拠点を数えるにすぎなかったイカストラは、フランコが没する1975年には、フランス領を含むバスク全土で、160拠点約3万4000人の生徒を抱えるに至った。また、イカストラと並行して、1960年代半ばに、社会人を対象とするガウ・エスコラ（gau eskola）《夜間学校》が有志によって設立された。夜間学校もまた、やがてバスク全域に広がり、昼間クラスを含むエウスカルテギ（euskaltegi）《バスク語塾》へと発展していく。

イカストラ連盟のHPより

イカストラとバスク語塾は、都市部に顕著な現象で、女性の参画が際立っていた。事実、イカストラの教師は、アンデレニョ（andereño）《女先生》と呼ばれていた。1968年にバスク語アカデミーが「共通バスク語」を提唱してからは、この「共通バスク語」をもとに読み書きが教えられていく。また、教育方法には、視聴覚機器を用いたコミュニカティヴ・アプローチや、バスク語を教育言語に用いるイマージョン教育など、1970年前後としては最先端の言語教授法が実践された。

スペイン民政復活後は、イカストラをいかに学校教育制度に統合するか、すなわちバスク語のみを教育言語とする教育方法に対する法的措置が争点となった。バスク州では、「バスク語使用正常化基本法」が発布された1982年の翌年から、高等教育を除くすべての教育段階において、Aモデル（スペイン語が教育言語、バスク語は必修の学科目）、Bモデル（スペイン語とバスク語の双方が均等に教育言語）、Dモデル（教育言語がバスク語、スペイン語は必修の学科目）の三つの言語教育モデルが導入され、イカストラの教育実践がDモデルに反映された。その後1993年に、各イカストラは公立学校に編入するか否かの選択を求められた結果、約4割のイカストラが公立校への編入を選択し、残りは私立校としての地位を選んだ。なお、初等教育段階でDモデルを選択する生徒の数は、1990年代半ば以降、他の言語モデルを選択する生徒の数を上回っている。2021年現在、高等教育段階以前の教育段階において、学童の64・2%がDモデルを選択している。

これに対しナファロア州では、イカストラは私立学校と位置づけられる。州は三つの言語圏（第27章参照）に区分され、バスク語圏では、バスク州に準じたA、B、Dの三つの言語教育モデル（ただしBモデルの教育言語は、バスク語4割／スペイン語6割）が導入されている。2言語混交圏では、これら三つの言語モデルに加えて、バスク語教育が一切行われないGモデルも存在する。そして非バスク語圏では、A、D、Gの三つの言語モデルが導入されている。いま言語圏別のデータを示す紙面の余裕はな

イカストラはフランス領バスク地方でもリセ（中等教育機関）をカバーしている
（ベルナト・エチェパレ・リセのHPより）

い。ここでは、ナファロア全体で、初等教育に在籍する生徒の6割がGないしAモデルに、3割がDないしBモデルに登録していることのみ指摘しておく。

フランス領バスク地方では、最初のイカストラが１９６９年に設立された。１９８２年以来、フランス教育省との協定に基づく文化団体として認知され、１９９０年代半ば以降公的な財政援助を受けている。２０１６年にリセが開校し、高等教育以前のすべての教育段階をカバーするに至った。公立学校では、１９８３年に初の2言語初等学校が開設され、スペイン領バスク州のBモデルに準じた言語教育が提供されている。

２０２１年現在、初等学校において何らかの形でバスク語の教育を受けている生徒の割合は、バスク州でほぼ１００％、ナファロア州で約30％、フランス領バスク地方で約40％である。

20世紀末頃から新たな論点となっているのが、英語教育の導入である。その是非はさておき、バスク州では、１９９０年に4歳からの英語教育が導入され、学童は、バスク語、スペイン語、英語の3言語教育を受けている。ナファロア州では、A、B、D、Gモデル以外に、スペイン語と外国語（主に英語）の2言語による学科目教育を行うＰＡＩプログラムが導入され、A、D、Gモデルとの掛け合わせ（3言語教育）が可能である。また、Dモデルにおいても、5歳からの英語教育が導入されている。２０２１年度には、全生徒の3分の2がＰＡＩプログラムに登録している。フランス領バスク地方では、初等教育段階で、外国語あるいは地域諸語を週1〜2時間教えることが義務づけられているが、生徒の大半は外国語を選択している。バスク語を母語としない学童に対するバスク語学習の動機づけも、バスク地方全域に共通するいま一つの新たな論点である。

なお、教育制度とは独立して活動するバスク語塾が対象とする生徒は、社会人・学生一般と一定以上のバスク語能力が求められる教員や公職を目指す集団、に大別される。民間バスク語塾としては、フランコ時代から活動を開始し今日バスク全域で活動を展開するAEKと、ナファロアおよびアラバを活動拠点とするIKAとが、公共バスク語塾としては、バスク州政府所轄のHABEが、それぞれ代表格である。今日バスク全土でおよそ4万人の生徒がバスク語塾に通っている。もっとも昨今のHABEは、個別のバスク語塾を運営するというよりは、バスク語塾活動全般の調整とバスク語文化の対外普及へと、活動の重点を移行させている。

なお、2007年には、バスク語とバスク文化の対外普及を任務とする「エチェパレ・バスク・インスティテュート」が、バスク州政府の肝いりで設立され、2022年現在、世界の36の高等教育機関において、バスク語・バスク文化講座が開設され、1300名の学生が受講している。このほか、特定テーマに特化した大学院レベルでの講座も9機関に設置されている。さらに同インスティテュートは、62の在外バスク系同胞コミュニティにおけるバスク語教育も支援する（受講生は1866人）。一度は存亡の危機にまで陥ったバスク語であるが、その存続と教育を振興する社会運動は、今やその対外普及を図る段階までたどり着いている。

（萩尾　生）

# 29

# 現代スペイン・バスク社会におけるカトリック教会

## ★暴力と分断をこえて★

狭義のスペイン・バスク地方におけるカトリック教会（以下教会と略記）の行政領域は、教皇庁とスペイン政府との間で締結された1851年コンコルダート（政教条約）にしたがって、アラバ、ギプスコア、ビスカイア地方を一つに統合する形でガステイス司教区が創設されたことに始まるといえる。それ以前はサンタンデール、カラオラ、イルニャなどの司教区に組み込まれていた土地から一つの自立した司教区が形成されたのである。初代司教アルグアシル（Alguacil）が着座したのは1862年のことであった。

バスク地方の政治エリートは、カトリシズムを地域独自のアイデンティティ維持のための支柱としようとする点で一致していた。19世紀後半の復古王政期にはカトリックと結びついたバスク・ナショナリズムが形成され、「カトリック＝スペイン」の言説からたもとを分かつ政治運動の存在が明らかになった。カルリスタ戦争終結後も、カルリスタ、インテグリスタ、フエリスタ、バスク・ナショナリスタなどの諸政治勢力は、カトリックに基づく宗教的愛国心をもつところでは一致したが、政治的にはまとまることができなかった。

宗教団体としての教会は、特定政党の支持層と同一視されることを回避しようとする、「非政治的」組織である。しかし、カトリックをスペイン的なものとする傾向の強いバスクの教会高位聖職者とは対照的に、日常の宗教実践を通じて人びとと密接にかかわる下位聖職者には、バスク・ナショナリズムの思想に基づいてアラナが1895年に結党したPNV《バスク・ナショナリスト党》に共鳴する者が増え、バスクの高位聖職者はバスク出身者であってほしい、との願いを強めていった。

復古王政期に教会関係者の間で醸成されはじめたバスク・ナショナリズムであったが、続くプリモ・デ・リベーラ独裁体制期には弾圧を受けた。たとえば体制側はバスク語で説教を行った神父に対して罰金の支払いを命じた。バスク出身のムヒカ（Muxika/Múgica）が1928年にガステイス司教区に着座したのちにも、状況は大きくは変わらなかった。

第二共和政期には、PNVは党内の分裂に苦しみながらも自治の獲得を目指して活発に動いた。共和国議員となったアギレは、平信徒として構築してきた人的ネットワークを駆使しつつ、バスクのために働いた。そして内戦が勃発すると、スペインの高位教会聖職者の反対をおして共和国陣営に与し、1936年10月にはバスクの自治を獲得した。

共和国陣営は内戦で大規模な聖職者殺害を行ったが、バスク地方では、反乱軍の蜂起が成功しなかったビスカイアとギプスコアでも、そのような暴力的な聖職者迫害は見られなかった。トレド首座大司教ゴマにより発表されたスペイン司教団集団司牧書簡は、共和国の聖職者迫害を非難して反乱軍の戦いを聖戦とみなしたが、ガステイス司教ムヒカは書簡に署名せず、フランコ陣営が行ったバスク人聖職者16名の処刑に抗議した。ムヒカは内戦後もガステイス司教区に戻ることはなかった。また、バスクの下位聖職者には、フランスなどに亡命状態で暮らした人びとが多数いた。

フランコ独裁体制下では、バスク・ナショナリズムは弾圧され、国家の統一性を脅かす地域言語バスク語の使用は公的な場では禁止された。他方で、信仰団体としての教会の活動に対しては、独裁体制は干渉することができないため、バスクにおける教区教会は人びとの「避難所」として機能した。バスク内に留まった聖職者たちの思考・行動も徐々に反体制運動支持へと転換していった。

ところで、19世紀半ばに創設されたガステイス司教区が、現在のようなガステイス、ビルボ、ドノスティアの3司教区に分割されるのは、フランコ体制下の1947年のことである。この分割には、ナシオナル・カトリシスモを標榜する独裁体制によるバスク地域への政治的な懐柔の意味があった。またナファロアでは、1956年にイルニャが大司教座に昇格した。しかし注目しなくてはならないのは、イルニャ＝トゥテラ大司教区がドノスティア司教区を包括し、ガステイス司教区やビルボ司教区はブルゴス大司教区に所属しているという分断の事実である。これは、バスク全体で一つの大司教区を構成させまいとする政治的意図と読むことができよう。

1960年代以降は、多くの下位聖職者が反体制運動に協力した。ETAの創設後、独裁からの解放をもとめて多数の青年平信徒がETAに加わるとともに、司祭や神学生からもETAを援助するものが出始めた。解放の神学に影響を受けたバスク聖職者の中には、実際にETAによる武装闘争に参加し、実刑を受ける者も増えた。1968年夏、ETAによる最初の暗殺が起きたのちにおいても、ETAを支持する教会関係者は後を絶たなかった。

フランコ独裁終焉後もETAへの平信徒・聖職者の関与は続いた。他方で、第二バチカン公会議後教会の現代化を目指す教皇庁は民族自決を考慮し、バスクの司教区にはバスク出身の司教を任命せよとの要求に応えた。民政移行期の1979年、ドノスティア司教にセティエンが任命された。彼は継続するETAの暴力を弾劾しつつも、警察によるETA活動家に対する拷問などには断固として反対した。教会はバスクにおける自己決定権の要求を擁護するべきだとしたセティエンは、長年にわたり、教会内におけるバスク・ナショナリズムのイデオロギー的な参照点であった。その後も、バスク3司教区の高位聖職者は、ETAの流れをくむとされる政治組織バタスナの非合法化が議論された折には、集団司牧書簡を出して反対した。また2003年当時のレエンダカリ（バスク州政府首班）の名を冠したイバレチェ計画、つまりバスク州自治憲章の改正案が公になると、スペイン司教協議会長であったマドリード大司教ロウコはこれを受け入れがたいものとして声明を出したが、ドノスティア司教だったウリアルテは、スペインの司教団を統括するべく司教協議会長が出した前述の声明と自分自身の立場は別個のものだと述べた。

このように、バスクにおける教会はバスク・ナショナリストに寄り添う立場を貫いてきた。しかしながら、理由はどうあれETAが人びとを殺害した事実を記憶に留めるべく、近年になって、小規模ではあるが、ETAによって殺害された人びとの残された家族に対して寄り添い共にあろうとする姿勢（コンパッション）を公的に示しはじめている。身近な人びとを失った家族が殺害に関わった人物に対する罪の償いを求める中で、教会はどうすれば本来的な福音にもとづく地上の平和を人びとにもたらすことができるのか、問われているといえよう。

（渡邊千秋）

# 30

# 身体性とバスク・アイデンティティ

## ★伝統スポーツの技法★

アイデンティティとは、何らかの外的要因による自らの不安定な状況を回避したり、差異化するための意識のことである。そうした意識は、自らの帰属意識を刺激することもある。ピレネー山脈の西に位置するバスクの場合は、ローマ帝国、フランク族、イスラーム勢力、ナポレオン、そしてフランコなど、歴史的に外部からの政治的圧力を受けてきた。このため、その反作用としてのわれわれ意識が強く覚醒させられたと思われる。

ところが、バスク地方の内部で谷ごとに異なるバスク語方言は、外部の人びとには理解不能であったため、バスク人全体の意思疎通をはかるには、共通バスク語を決定せねばならないほどの状況であった。同じことは言語に限定されず、日常生活に直結する文化一般についても言える。その代表例がバスク舞踊であり、バスク伝統スポーツである。

バスク舞踊では、人びとは音楽を聴くだけで自然と身体が動きはじめる。これは守護聖人祭や小さな集会においてよく見かける光景である。小さなときから見よう見まねで身体を動かし、少しずつ技法や舞踊の流れを身につけていく。そして上達の最終目標は憧れの人と一緒に踊ることにある。もちろん多くの人が同じ動作を繰り返す中で、一種の陶酔感覚が生まれ、一体感に浸ることもあろう。つまり舞踊を身体化することは一種のアイデンティティの表現である。その土地の舞踊に優れていれば、自他ともにこの地域の住民であることの誇りが芽生える。

もちろん外部の人びとも彼の地で長期間滞在するうちに身につけることもあろう。それは移住地に根を下ろそうとする意思表示でもあり、そうなれば移住先に居住して受け入れられる存在となる。

一方、バスク伝統スポーツの多くは労働から派生したものである。日常労働に基因している以上、その技術はよく把握されている。したがって、必要なのは一定時間内の効果的持久力である。たとえば、丸太切り。同じ丸太を切ることが義務づけられた競技では、相手の力量が手に取るようにわかるので、丸太を切るペース配分が可能となる。もし強力な相手であれば余裕はなく、その逆であれば、途中休憩をはさみながらゆっくりと確実に切る。バスクでの労働は人力では

丸太切り

エウスカル・ピロタ

なく機械化が主流を占めるようになり、手作業はなくなりつつある。しかしあえて身体を駆使してかつての労働を再現するようなスポーツに価値を置いている。

さらにエウスカル・ピロタというボールゲームでは、素手でボールを打つ競技（エスク・ピロタ）が一番人気がある。用具を使用したほうが手に負担が少なく、かつスピード感もあり、見応えのある試合が期待できる。しかしバスクの人びとはそうは考えない。手の痛さを我慢し、最後まで試合を放棄しない姿勢に、バスク人の誇りを重ねているのである。その典型が、バスク人フランシスコ・ザビエルの「右手」である。ローマのジェズ教会に安置されているその右手は、素手競技のピロタ選手の右手に近似しており、ザビエルは１９６２年にエウスカル・ピロタの守護聖人とされた。過去の有名なピロタ選手の右手は、そのほとんどがザビエルの右手と同じように小指のほうへ曲がっていた。このことからもバスク人の象徴として「右手」が機能していることがわかり、またこれはエウスカル・ピロタという球戯が存続している理由でもある。事実、現在ナファロア州ではサッカー選手よりも、ピロタ選手のほうに人気があり、それの関連商品も販売実績をあげているという。

これらのバスクの身体性は、フランコ時代はいうに及ばず、自治権獲得後も政治集会の前座として機能していた。つまりバスク舞踊やバスク伝統スポーツをする身体性がバスク・アイデンティティの中心となり、さらにバスク・ナショナリズムへとつながっていく。この流れは外的要因によって「自分たちは何者か」「バスクたりうる条件とは」という問いを発せられるような事態が生じたことに起因している。一方で、バスク文化の創造（意図的）ではないかという説も唱えられているが、必ずしもそうとは限らない。スコットランドのように伝統の創造を明確にされた例は別として、かつての労働をスポーツ化して楽しむということは、娯楽を希求していた反動ともとれるからである。

しかし現在は20世紀に流布した反近代のナショナリズムとは異なり、バスク語を使用し、バスク舞踊を楽しみ、バスク伝統スポーツをすることによって、またそれらを目の当たりにすることによってわき上がる「と共にある」という新たな共存感覚がバスクにも芽生えつつある。これをジャン＝L・ナンシーは「パルタージュ」と言い、日本語では「分割－分有」とされている（J＝L・ナンシー『無為の共同体――哲学を問い直す分有の思考』）。

（竹谷和之）

# 31

# バスク・アイデンティティの復興

## ★「記憶」の継承と再生の「場」★

今日「バスク・アイデンティティ」と呼ばれるものは、スペイン・ナショナリズムに対峙することで、強烈に発現してきた。その遠因の一つは、スペインが近代国民国家を十分に形成できず、地域的／民族的ナショナリズムを払拭しえなかったことにあろう。とはいえ、スペイン内戦の直接の帰結であるフランコ独裁が「バスクなるもの」を示威的に抑圧した結果、その「バスクなるもの」の興亡に係る危機感が覚醒され、かえってバスク意識を高揚させる契機となった、という側面も忘れてはなるまい。

バスク人をも二分したスペイン内戦は、「勝者」と「敗者」を生み、戦後バスク社会の中で両者は峻別されて並存した。「敗者」は制裁を受け、「バスクなるもの」一切が公的空間から放逐される。人名や地名などの固有名詞がバスク語表記からスペイン語表記に矯正され、伝達手段としてのバスク語や内戦で共和国側に与した事実は、家庭などの私的空間に封印された。「敗者」はバスク社会の中で沈黙を余儀なくされたのである。

初期のフランコ独裁下で「バスクなるもの」を公的に表明することができたとすれば、それはカトリック教会の庇護下においてであった。フランコ政権は、カトリックを国家統一の拠り所の一つとみなしていたからである。ところが、バスク地方の低位聖職者の中にはバスク語を解するバスク人が少なからずおり、彼らは、ミサや様々な教会行事において、バスク語を用いて身の上相談に応じたり、「バスクなるもの」の表明を暗に支持したりした。また、公立の高等教育機関を欠いていたバスク3県とナファロア県では、セミナリオ（神学校）が知的活動の重要な一翼を担っていた。カトリック教会のバスク人低位聖職者は、沈黙を強いられた「敗者」の精神的支えであった。

　内戦の敗者としての記憶を幼少時に刻んだ世代が、その記憶を次の世代に継承する時期が１９６０年前後である。ここで問題となったのが、バスク語の世代間継承である。先の世代の多くは、バスク語を第一言語として育ち、バスク語の運用能力を保持していた。ところが彼らは、自分の子どもたちが小学校に進学してスペイン語を使用しなければならない局面に、この時期遭遇したのであった。そこで、自分の子どもたちがバスク語を忘れないように、バスク語による教育を継続的に行う試みが生まれた。これがイカストラの発端である。敬虔なカトリック信者で、子どもの養育など家事に専念するのが模範的な女性、という社会通念が強かったこの時代、イカストラの運動は、しばしば教会の庇護を受けながら、バスク女性の献身的な努力により、沈黙の社会に広まったのである。

　他方１９６０年前後という時代は、冷戦構造の中で西側陣営の一員としてスペインが国際社会に復帰し、高度経済成長を遂げていく過渡期に相当していた。ヒトの流動性が高まり、欧州の民主主義国家や権威主義国家の実情は、近隣の西欧諸国へ出稼ぎに出た労働者や海外からの観光客などを通して伝わってきた。また、バスク市民には余暇を楽しむ余裕が生まれつつあった。夕方から夜半にかけて

ポテオ（チキテオ）の様子。今日では女性の姿も多い。また、タベルナ（バル）の中が禁煙となり、街路は喫煙の場と化しつつある

タベルナやバルをはしごしながら飲食物をつまんで歩くポテオ（チキテオとも）と呼ばれる習慣は、その一例である。ポテオはクアドリーリャと呼ばれる男性中心の同世代仲間集団によって行われた。

じつは、飲食街の喧噪の中で繰り広げられるポテオこそが、様々な情報交換の場であった。個々の「敗者」が保持していた「記憶」や「物語」、あるいは散発的に実践されていた「バスクなるもの」の継承維持の活動は、信頼できる仲間に伝えられ、各家庭に持ち帰られた。そうして、バスク語・文化の抑圧された状況に対する共通認識が確認され、抑圧に抗う共通意思の下地が緩やかに築かれていったのである。1960年代半ばになると、「バスクなるもの」は、通りにばらまかれるビラや壁面の落書き、あるいは教会の尖塔や山頂に掲げられたイクリニャなどを通して、バスク社会の公的空間に再び姿を現していく。このように可視化された集合意思は、イクリニャ掲揚、バスク語擁護、バスク独立等々、様々なシンボルや標語のもと、しばしば集団の示威行動へと発展し、国家権力と対峙した。

中でも、ETAの武力闘争に代表されるバスク・ナショナリズム運動や労働争議に対して、国家権力は非常事態宣言を再三発令して弾圧した。1956年以降フランコ政権下で発せられた非常事態宣言のほとんどが、ビスカイア県とギプスコア県に対するものであった。なるほど両県は、1937年に「裏切りの県」と烙印づけされた経緯を持つ。ところが、負の烙印づけが、個人ではなく領域に対して行われた結果、当の領域が「バスク」という固有名詞で括られ、かつまた実体化していったのである。しかも、烙印づけは非バスク系労働者に対しても一律に行われたため、彼らとバスク・ナショナリストとの間に、同じ「バスクの受苦者」としての連帯感が芽生えたのであった。

以上が、バスク・アイデンティティがスペイン・ナショナリズムに抗う民族的アイデンティティとして復興していった過程の粗描である。もっとも、アイデンティティとは、集団のみならず個人の存立基盤にも深く関わっている。フランコ独裁がその最初期に強行したのが、人名のバスク語表記の排除であったように、フランコ没後、真っ先に行われたのが、人名や地名などの固有名詞に係るバスク語表記の復権であったことには、やはり留意しておきたい。

一方のフランスでは、革命以降、フランコ政権のような権威主義体制が40年も続いたことはない。しかし、学校、軍隊、儀式・祭典、様々な国家シンボルなどの装置を駆使して、フランス共和国への国民統合が周到に行われた結果、フランス領バスク地方のバスク・アイデンティティは、今日スペイン側よりも相対的に弱い。フランス領バスク地方のバスク・ナショナリストには、二つの典型がある。一つは、スペイン領バスク地方から越境してきた者とそのシンパである。もう一つは、フランス領バスク地方出身者が、パリなどで立身出世を夢見たものの、諸般の事情により挫折して帰郷した事例である。こうした人びとは、自身の挫折あるいは剥奪感の原因を往々にして「抑圧されたバスク地方」の出自に帰し、それを打開すべく、バスク・ナショナリズムへと身を投じていったのである。

単純化のそしりを恐れずに言えば、挫折や剥奪感といった個人的経験は、同世代人に共感されたにせよ、集団の記憶に昇華されなければ、次世代に継承されにくい。一方、スペイン内戦と結びついて共有された集合記憶は、多くの場合、次世代に語り継がれていった。とはいえ、内戦とフランコ体制を知らない世代が台頭してくる20世紀末には、次章で述べるように、従来の記憶に縛られない新たなバスク・アイデンティティが芽生えてくるのであった。

（萩尾　生）

# 32

# 変容する バスク・アイデンティティ

## ★バスク地方辺境域とグローバル都市★

スペイン（およびフランス）に対する異議申し立てとしての対抗的バスク・アイデンティティは、20世紀末より揺らぎを見せている。その要因は少なくとも三つ考えられる。

まずは、スペインの民主化・分権化が深まり、対抗的アイデンティティの拠り所だった「敵」の姿が不鮮明になるとともに、フランコ体制を知らない世代が台頭してきたことである。たしかに、旧来の敵が存続していると標榜したり、新たな敵を捏造したりして、対抗的バスク・アイデンティティの維持を図る諸派が残存しているのは事実である。しかし今日、フランコに比するような敵を想定することは説得力に乏しく、従来型の対抗的アイデンティティの堅持は困難となっている。

実際、今日のバスク州の政局運営においては、バスクかスペインかという対抗的な姿勢に基づくイシューよりも、政治思想の相違によるイシューの方が、ともすれば、より尖鋭化しているように見える。というのも、バスク州の政権を主導する穏健中道のPNVは、バスク・ナショナリスト急進左派と協調することが少なく、全国政党中道左派のPSOEとの連立政権樹立をしばしば優先させてきたからである。

次に挙げられるのは、バスク地方の再領域化であろう。自治権の獲得は、広義のバスク地方全域で一律に達成されたのではない。スペイン領内においてバスク州とナファロア州が分断されてから40年が経過した。フランス領でも、バスク市町村共同体が発足して5年になる。バスク・ナショナリストが標榜していた7領域から成るバスク地方という旧来の空間領域枠組みは、相異なる自治権を享受する三つの領域によって、相対化されつつある。

たとえば今日のスペインでは、公共機関が、本書の冒頭に示したようなバスク7領域からなる地図を掲げることはない。バスク州政府の文書において表示される地図は、当然のことながらアラバ、ギプスコア、ビスカイアという三つの歴史的領域から成る州の領域であり、ナファロア州においては同州の領域である。義務教育の現場でも、バスク7領域からなる地図を掲載する教科書は、原則としてなくなった。バスク7領域から成るバスク地方という空間認識が継承されているとすれば、それは公的空間以外の場所においてである。この点、海外のバスク系コミュニティにおいて想起される「バスク・ホームランド」が、依然として7領域から成るバスク地方である点は、興味深い現象である。

かたやフランス領バスク地方では、2017年にバスク市町村共同体が発足して以来、同共同体内部の下位区分単位は、歴史的領域のラプルディ、低ナファロア、スベロアでなく、10個の市町村クラスターとなった。ここでも、新しい行政区画に基づく空間領域の設定が、人びとの帰属意識にどのような変化をもたらすか、今後の推移を見守る必要があろう。

というのは、新たな空間領域の画定を通して境界線の内側の人びとの間に一種の共同体意識が芽生えるという現象は、世界の随所で普遍的に確認されるからである。バスク地方の周縁域においても、

第32章

## 変容するバスク・アイデンティティ

たとえば「アラバのリオハ」と呼ばれるバスク州アラバ県最南端域は、隣接するリオハ州との関係が深く、歴史的にバスク意識は薄かった。ところが、リオハ州との間に明確な州境が引かれて以来、この地域では、民族的な「バスク人」ではないが、「バスク州人」を標榜する人びとが増えている。

さすれば、フランス領バスク地方において「バスク」の名を関する市町村共同体という地方行政上の枠組みが誕生したことは、当地北端部のバイオナ市におけるバスク意識とオクシタン意識の将来にとって、相異なる効果を持つであろう。バイオナ市は、オクシタン語の一種であるガスコン語圏とバスク語圏の境界上に位置する。街角の道路標識などの一部は、2000年前後よりフランス語、バスク語、オクシタン語の3言語表記に変わったが、バスク市町村共同体成立後、顕著なオクシタン語復権運動はほとんど確認されない。

最後の要因は、グローバリゼーションの展開にともない、異なる生活様式や価値観を持つ人びとがEU圏外から流入し、かつまたその定着が進行していることである。バスク地方は、19世紀後半と20世紀中葉に、スペイン国内から大量の労働者を受け入れた。最初の場合、彼らに反発する形でバスク・ナショナリズムが生まれ、2度目の場合には、彼らの一部を巻き込んでバスク・ナショナリズムは変容・再生した。そして1990年代以降、数の面では過去2回の事例に及ばないものの、バスク地方の都市部に、ラテンアメリカ、東南アジア、アフリカなどから、文化的異質度の高い人びとが流入しているのである。

その早い時期の一例が、ビスカイア県オンダロア町の場合だ。バスクの漁業を支える伝統的漁港として有名なこの町は、1992年頃よりセネガル人を中心とするサハラ以南のアフリカ出身者が、労

「新しい世界の実現を心から願う」など、様々なプロテスト・メッセージ壁画が並ぶビルボ市のサンフランシスコ界隈

働力を補塡すべく漁業労働者として流入してきた。一時は1万人を超す人口を抱えたこの漁町は、2021年には8400人にまで人口が減少しているように、地元に留まって漁業に従事する若者の数は減少の一途だったのである。30年経過した今日、オンダロア町の住民の11%が外国籍の住民である。セネガル人は約230人を数え、この地で生まれ育ったセネガル人2世が目下義務教育課程を終える時期を迎えている。

いま一つの事例は、ビルボ市イバイオンド区に位置する「サンフランシスコ界隈」(サンフランシスコ、ラ・ビエハ、サバラの3地区から成る)の場合だ。社会学者アルフォンソ・ペレス＝アゴテ(Alfonso Peréz-Agote)らの調査によれば、この一角は、1998年に1万4123人の住民(ビルボ市全体の3・9%)を抱えていたが、ビルボ市の総人口が微減する中で、外国人の流入によって、2008年には1万7132人(ビルボ市全体の4・8%)へと、10年間で21%の人口増加をみた。事実、サンフランシスコ界隈の住民に占める外国人の割合は、1998年の3・03%(ビルボ市全体では0・75%)から、2008年の21・14%(ビルボ市全体では7・05%)へと急騰した。外国人の年齢は、25歳から34歳の年齢層に集中しており、国籍別割合では南米と北西アフリカの出身の単身者が目立つ。

じつは1980年代までのサンフランシスコ界隈は、貧困、麻薬、売買春、ジプシー(ロマ)、暴力、犯罪という負のイメージに覆われ、不用意に近寄るべきでない一角として悪評高かった。ところが1980年代半ばに始まるビルボ都市再生計画の一環として、サンフランシスコ界隈をかつてのニューヨークのソーホーのように学芸を志す若者に開放し、地区のイメージ好転を図る案が浮上する。こうして、公的助成を通して、芸術振興財団「ビルボ・アルテ」や、教会を改装したライブハウス「ビルボ・ロック」が開設されたほか、将来のアーティスト向けに不動産価格を廉価に抑える措置が導入された。結果は、バスクの公的機関の期待と異なり、地元の若者というよりも、西欧以外の諸国から、必ずしも学芸を志すとはかぎらない外国人が転入してきたのであった。

２０２１年現在、バスク州の人口の11・5％、ナファロア州の人口の16・8％が外国出身者である（IKUSPEGI, *Panorámica* No.84）。とくにバスク州では、２０１０年代に、ＥＵ圏外からの流入者の増加率が、スペインの中でもきわめて高い地域となっている〈図1〉。

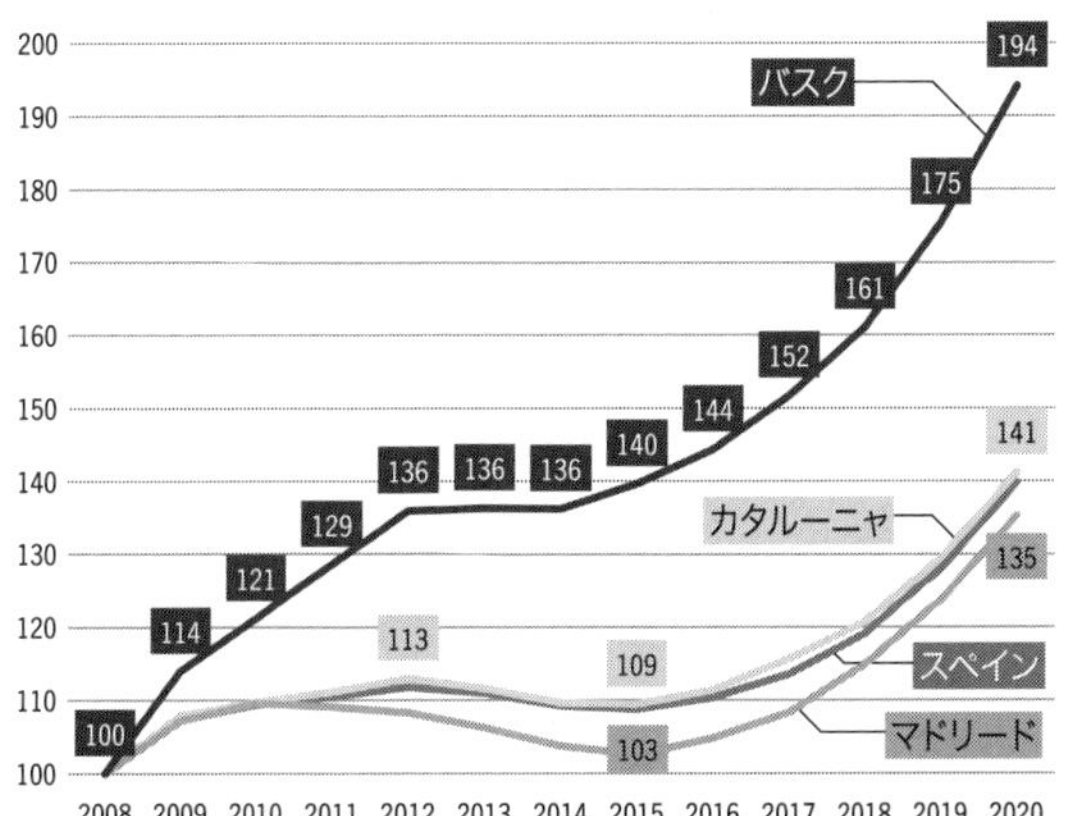

〈図１〉2008 年から 2020 年の間の EU 域外出身者数の増加率（2008 年を 100 とした場合）

出所：Julia Shershneva, Maite Fouassier Zamalloa (coords.), *Tendencias y retos en la integración de la población inmigrante en Euskadi*, 2021, p.16. を基に作成。

流入者と地元民との交流は、上述のオンダロアやビルボなどの都市部で、若い世代を中心に文化施設を通して実践されている。このような場で実践されるハイブリッドな文化活動は、なるほどバスク州政府が公言するように、「新たなバスク・アイデンティティ」を訴える「新たなバスク文化」と言えるかもしれない。しかし、そうした文化実践は、ともすれば、教育を受ける権利や就業の機会を必ずしも十分に享受できずに阻害された人びとによって成されているかもしれないのである。

（萩尾　生）

コラム8

## シンボルと表象

吉田浩美

バスクの代表的なシンボルといえば、なんといっても「ラウブル（lauburu）」であろう。ラウブルとは左図のような形の十字で、バスクへ行くとこれがイヤリングや指輪やペンダントトップ、グラスやカップ、ナプキンなどのリネン類など、あらゆるものに意匠されているのを目にする。ラウブルが彫刻されている古い木製の家具や墓石もよく見られる。このマークが付いているグッズであれば「バスクのものだ」と認識されると言ってよい。ナファロア王国のサンチョ3世（在位1004〜1035年）の兵士たちがその紋章にラウブルをモチーフとして使っているのが古い写本に見られると言う。このようにラウブルはまさに「バスク」をシンボライズするものである。

ラウブル

その起源には諸説あるが、インドのまんじ（卍）を起源とするという説が有力である。まんじはヨーロッパに広く伝わったものだが、バスクもその例に漏れなかったようだ。バスクではいわゆる卍のような直線的なフォルムではなく、先端が丸い形に変わったわけである。この形が何を表すかは定かではないが、キリスト教が広まる以前は太陽信仰が主であったことから、太陽とその動きを表しているとする説がある。また、右向きのものは「生」を、左向きのものは「死」を象徴するとする説もあるが、これは新しい「風評」のようで、根拠はないようだ。

語源については、ラウ（lau）はバスク語で《4》、ブル（buru）は《頭》の意であるが、そもそもの語源はラテン語のlabarum（ローマ帝国軍の紋章）であり、これが時とともに変化したものが、民間語源によりラウ《4》とブル《頭》に結びつけられた、とする説もある。石に刻まれた古いラウブルはビスカイア県に多く見られる。メニャカでは、ラウブルならぬイルブル（イルは《3》）、すなわち3頭のものが発見されているが、これは鉄器時代のものと見られている。イルブルはラウブルに比べはるかに珍しいという。

太陽の象徴としてのひまわりも重要なものであろう。これも太陽信仰の名残りで、魔物は昼を嫌うことから魔除けの意味が込められている。今もひまわりのドライフラワーや、ひまわりを象ったオブジェを入り口に掲げている家が見られる。また、ラウブル同様、アクセサリーなどのデザインに取り入れられ、広く愛されている。

墓石に彫られたラウブル

キーホルダー、絵葉書、イヤリングなど、様々なものにラウブルがデザインされている

コラム9

## 国際バスク語の日とバスク・ディアスポラの日

萩尾　生

12月3日を「国際バスク語の日」に定めることは、バスク州政府とバスク語アカデミーによって、1995年に制度化された。もっとも、バスク語を記念する日を定めようという動きは、1948年、フランス領バスク地方に活動の拠点を移したバスク研究協会の第7回会議にさかのぼる。

12月3日という日付は、ザビエルの命日にちなむ。ザビエルの母語の一つがバスク語であったことは、ほぼ確実なようだが、彼が終生バスク語話者であり続けたかどうかは、見解が分かれる。これまでのところ、現存する彼の書簡の中にバスク語によるまとまった記述は見当たらない。1552年末に中国の上川島でザビエルが病没した際、彼を看取った一人が、ザビエルの弟子、中国出身のアントニオであった。後にアントニオに聴き取りを行ったイエズス会のヴァリニャーノ（Valignano）によると、ザビエルが死の床で発したことばは、アントニオが十分な運用能力を有していたラテン語、スペイン語、ポルトガル語のいずれでもなかったという。おそらくザビエルの母語であっただろうというのが、ヴァリニャーノとアントニオの所感である。12月3日の「国際バスク語の日」を推す立場は、この記録を根拠としている。

ともあれ、制度化された「国際バスク語の日」については、それを最初に発案したバスク

国際バスク語デーのロゴ。2005年に彫刻家のネストル・バステレチェアによって考案された

研究協会が、２００６年より新たな顕彰事業を開始している。バスク本土の外でバスク語の存続と普及に貢献した団体に対する表彰は、当初アルゼンチンの在外バスク系コミュニティを中心に行われていたが、近年では、ベルリンやローマのバスク文化団体、米国ネヴァダ大学バスク研究センターなど、学術・文化団体へと対象の幅を広げており、バスク語文化がグローバルに認知されつつある現状をより強調するかのようでもある。

　なお、２０１０年、ＰＳＯＥ政権下のバスク州議会は「国際バスク語の日」に関する宣言を採択した。バスク語がバスク社会の重要な遺産であることを認めつつも、この記念日を２言語社会・多言語社会を醸成する過程に位置づけることで、ともすればバスク語１言語社会を希求しかねないような風潮を抑制する内容であった。

バスク・ディアスポラの日のシンボル・マーク

　一方、「バスク・ディアスポラの日」を制定する案は、２００３年の第３回「世界バスク系コミュニティ会議」（第23章参照）における議論から生まれ、２０１５年の第６回会議で具体化した。世界に広がる「バスクの家」から挙げられた計46の候補をもとに専門家を交えて検討を重ねた結果、９月８日を「バスク・ディアスポラの日」とすることが、２０１８年に決定されたのである。

　この日付は、エルカノがセビーリャに帰港した１５２２年９月８日に由来する。エルカノとは、マゼランとともに出航し、マゼランが客死した後艦隊を率いて、人類初の世界周航を達成したバスク人である。じつは、その時の生還者18名のうち４名がバスク人であった。３年後、エルカノは、ロアイサ遠征隊の副隊長として東回り周航路の開拓に挑む中で没するが、彼の死後遠征隊を率いて人類2番目の世界周航を成し遂げたのは、これまたバスク人のアンドレス・ウルダネタ（Ardres Urdaneta）であった。

このように「バスク・ディアスポラの日」は、いわゆる「大航海時代」の幕開けに貢献したバスク人の誇りを鼓舞する性格が強い。とはいえ、この記念日の受容のされ方は様々である。往時の造船技術を用いて再現したビクトリア号をクルーズ船として活用するなど、ロマン主義的感興に訴える観光産業に早速利用される一方、エルカノ自身がディアスポラ的境遇にあったわけではないとする見解があるほか、スペイン帝国の植民政策に与したエルカノはその後450年に及ぶヨーロッパ植民地主義の先鞭をつけたとして、この記念日に反発するバスク人も少なくない。

そもそもエルカノの帰還をめぐっては、いくつかの解釈が存在する。エルカノの帰還から500周年に当たる2022年、バスク州政府は、9月8日ではなく、エルカノがカディスのサンルカル港に帰港した9月6日を「エルカノの日」とし、この年限りの州の祝日とした。第24章で見たような記念日の恣意性が、ここにも窺えよう。

以上触れてきた二つの記念日のうち、「国際バスク語の日」の方が、バスク系同胞コミュニティのみならず、バスク語やバスク文化に興味を抱く世界中の文化団体においても祝われるなど、より広範な参加者を集めているようだ。当初は、世界各地で個別に各種企画が催されていたが、新型コロナ肺炎感染症の蔓延後は、散在する参加者がオンラインでつながって盛り上がる新たなタイプの公的記念行事になりつつある。

コラム10

## コリカ

萩尾 生

「コリカ korrika」とは、今まさに走っている状態を意味するバスク語である。しかし、バスク語を大切に思う人びとにとって、コリカと言えば、バスク語擁護のためのバスク地方走破キャンペーンのことが、真っ先に頭に浮かぶだろう。

コリカのイベントは、1980年に始まった。ほぼ隔年ペースで開催され、2022年3月から4月にかけては、22回目のコリカが催された。主催団体は、AEKと呼ばれる民間のバスク語塾である。1960年代半ばに、社会人のためのバスク語夜間学校がバスク地方の各地で開設されたが、そうした個々の夜間学校間の連携・調整役として誕生したのがAEKであった。1974年にギプスコア県で創設されて以来、バスク7領域に活動範囲を広げ、今日では221校で600人以上のスタッフを抱え、昼夜を問わずバスク語学習講座を開講している。受講生数は、1980年代半ばに5万人を超えたが、ここ数年は1万人強で推移している。

コリカは、駅伝形式で、24時間絶え間なく、およそ2週間かけて、バスク全土をジグザグに走破する。走行距離は2500キロメートルを超すこともある。参加者は、1キロメートル単位で設定された参加費を支払い、AEKが配布するゼッケンを付けて走る。単独でもグループでもよいし、走るといっても、マイペースで進めばよい。参加者は、3歳前後の幼児から90歳を超すお年寄りまで、老若男女様々である。重要なのは、イクリニャの付いた木製バトンをゴールまで受け継いでいくことである。このバトンは中が空洞になっていて、そこに主催者のメッセージが入っている。内容は毎回異なるが、ゴール地点において、このメッセージが読み上

第22回のコリカは、2022年春にバスク本土以外の26カ所でも同時開催された。
出所：AEKのHPより。

げられる。ベルチョ（第38章参照）の形式をとり、即興歌人によって詠み上げられることが多い。

　コリカの走路は毎回変わるものの、バスク7領域をくまなく通り抜ける点が重要である。コリカとは、バスク7領域の一体性を再確認する作業でもある。言うまでもなく、バスク・ナショナリズムとの親和性が強い。１９８３年の第3回コリカは、ガスティス市南部に隣接するカスティーリャ・イ・レオン州の飛び地トレビニョを、走路に加えた。また、２０１１年の第17回コリカでは、米国、チリ、オーストラリアなど、バスク・ディアスポラ社会が、本土と同時間帯にコリカを実践した。以来、コリカのイベントには世界中のバスク系コミュニティが参加し、連帯の意を表明するようになっている。

　コリカの最中、沿道では楽曲、舞踏などのパフォーマンスが繰り広げられ、各種デモも行われる。多くの出店が建ち並び、Tシャツやバッジや様々な記念グッズが売られる。また、テーマソングや記録映画がつくられ、ＤＶＤとして販売されたり、オンラインで配信されたりする。

　そもそもコリカは、ＡＥＫの活動資金の獲得を目的としていた。１９８０年にバスク州政府が発足した際、政権党のＰＮＶに近い人びとは、新設された公立バスク語塾のＨＡＢＥに引き抜かれた。ＡＥＫに残った活動家の多くが、バスク・ナショナリズム急進左派の支持者であった。州政府は、バスク語塾に対する資金援助に際し、教員の資質や施設の整備など条件を課したが、明らかに公立のＨＡＢＥに有利であった。こうして、１９９４年に和解するまで、ＡＥＫとＨＡＢＥの間には、根深い亀裂が生じたのである。

　今日のＨＡＢＥは、バスク州内の各種バスク語塾の運営を指導している。自らはラスカオ町のマイスピデ校を中心に、主として教員や公務員を志す人たちにバスク語教育を提供している。その質の高い教育方法は、海外からも注目されているが、それがＡＥＫの前身であるバスク語夜間学校の実践の中から、試行錯誤を経て生まれたことを、われわれは忘れてはなるまい。

　かつて筆者は、１９９３年３月の第8回コリカに参加した。ＡＥＫとＨＡＢＥの間に遺恨が残る時期だったが、立場の違いを超えて約60万人が参加した。参加者数は、その後も維持されている。２０２２年４月、コロナ禍の東京で、筆者は30年ぶりに第22回コリカに参加した。コリカのダイナミズムは、ＡＥＫ支援という即物的な目標を超えて、バスク語擁護の意思表示手段として、民衆の意識にしっかと根を下ろしている。

# きずなとしがらみの間
## 伝統文化

Maitiak galdegin zautan premu nintzanez
premu, premu nintzela bainan
etxerik ez, etxerik ez

恋人が尋ねた、跡取りですかと
跡取り、跡取りではあるけど
家がないのです、家がね

―Herrikoia
バスク民謡

# 33

# 伝説・伝承

## ★昼と夜、大地と精霊★

バスクの伝説・伝承では、「昼と夜」の対比、そして「大地の存在」が大きな意味を持っている。また、多くの精霊や妖精や魔物が登場する。

**【昼と夜】** 世界は「昼」と「夜」に二分されると考えられる。昼は太陽に支配されており、人間のためのものである。夜は暗く恐ろしいもので、「夜のもの」すなわち地下に住む精霊や妖精、魔物などが地上へ出て活動する時間であるとされる。

**【母なる大地】** バスクの伝説・伝承について大きな業績を残した民俗学者のホシェミエル・バランディアラン（Joxemiel Barandiaran）によると、大地は生きとし生けるものを養う存在であり、月と太陽の母である。太陽は、光と熱を与えてくれるだけでなく、「夜のもの」である地下の精霊や魔物が昼に活動することを妨げてくれる。

**【マリ】** マリは「月と太陽の母である大地」の女神があり、「母なる大地」を擬人化したものと考えられる。地域によりその姿形は様々である。マリは普段は地下に住んでいるが、地上にも現れる。その際、地下と地上の通路となるのが洞穴であり、バスクの各地にマリにまつわる洞穴が見られる。洞穴の火のそばで髪をくしけずる姿や、機織りをする姿などが見られるとされる。マリとその配下の者たちは様々な自然現象――とくに、嵐の起こし手であるとされる。マリは、火に包まれた鎌の姿となって空中を移動することがあるが、嵐を呼び起こすときは馬車に乗って空を駆け巡り暗雲を指揮するとされる。マリがもたらす嵐や雹の被害から息災であるために、洞穴の前で司祭がミサをあげることもある。

マリは嘘、盗み、野心、うぬぼれなどを良しとせず、人間がこのようなことを通じて得たものを取り上げてしまう。そしてそれらを自らの糧とするという。また、間違ったことを罰する。その一方で、マリは人に求められると適切な助言をくれる。マリに対する尊崇の証としては牡羊が最良とされる。

**【バサハウン】**「森の主」の名を持ち、森の中や洞穴に住むこの魔物は、長い毛に覆われた大柄な人間の姿をしており、片方の足は人間のそれのようだが、もう一方は円盤形であるという。羊の守護者であり、嵐が近いことを羊飼いに教えてくれたり、夜には羊の群れの周りに現れて、狼が近づかないようにしてくれる。バサハウンが来ると羊たちは首につけられたベルを鳴らして羊飼いに知らせる。おかげで羊飼いは安心して眠れるのだという。しかし地域によっては乱暴な悪者として現れることもある。また、バサハウンは最初の農業者、最初の鍛冶屋、最初の粉ひき職人であるとされる。聖マルティニコが知恵を働かせて、バサハウンから麦とトウモロコシの種を手に入れ、また鋸の作り方、水車のシャフトを頑丈にする方法を聞き出して人間に授けたという言い伝えがある。

**【バサンドレ】**「森の婦人」の意。ときにバサハウンの妻として現れる。洞穴の入り口で金の櫛で髪をとかしているという。ある羊飼いがバサンドレの金の櫛を盗んだところを見つかったが、逃げるうちに夜が明けたため、バサンドレに捕まらずにすんだという。

**【タルタロ】** トルトともいう。一つ目の巨人で、若い人間をさらっては食べてしまう恐ろしい魔物。山の洞窟に住み、羊の群れを飼っている。ある地域で、山の中で道に迷った若い兄弟がタルタロに拉致された。一人は食べられてしまったが、一人は機転を利かせて逃れたという。また、タルタロの王が娘の婚約者に難題を課したが、婚約者がうまく解決し、娘とめでたく結婚する話もある。

**【ラミア】** 最もよく知られ、あらゆる場所に頻出する精霊。ギリシャ神話に登場する同名の魔物との関連は明らかではない。地域により、ラミ、ラミン、ラミニャ、エイララミアなど、呼び名も様々である。多くの地域にラミアテギ、ラミニャポツ、ラミンシロなど、ラミアと結びついた地名があるだけでなく、ラミアが建造したとされるドルメン、橋、教会、家などが残っている。ラミアはたいてい女性とされるが、鳥あるいは山羊のような足を持っていたりする。沿岸部では下半身が魚のようであるともいう。洞窟、湖沼、川のよどみに住み、人間からもらうパン、ベーコン、りんご酒などを糧としている。ラミアはよく恩に報いる。たとえば、頼みごとをきいてくれた人間には、感謝の印として金の糸巻き棒、金の紡錘（つむ）、金のネックレス、金に変化する灰と炭などを贈るといわれる。あるいは、畑にラミアへの食べ物を置いておくと、夜中にラミアが畑仕事をしてくれる。ラミアがすすんで人間を助けることもある。たとえば、雨宿りのためにたまたまラミアの洞穴に入り込んだ男を快く受け入れ、帰りに金に変化する炭を贈ったという。しかしいつも寛大なわけではなく、人間のために橋や教会を建設した代価として人間の魂を求めることもある。次のような話もある。毎日、ラミアにカイク（チーズ作りなどに使う木製の容器）1杯のミルクを捧げていたら、カイク1杯の金が返ってきた。しかしある日、カイクに肥を入れておいたら、怒ったラミアに追われ、逃げおおせたものの「お前の家には身障者とろくでなしが絶えないだろう」と呪われた。また、ラミアのところに招かれた人がラミアの家のものを盗むと、椅子から立ち上がれなくなったり、ラミアに金の贈り物をもらった人間が「家に帰り着くまで振り返ってはいけない」という約束を守らないと、贈り物の半分が消えてなくなるという。ラミアが人をさらう話も多く残っている。さらわれた人を救出するには司祭が出向くのが普通である。ラミアにさらわれないためには、ラミアの住処の近くを通るときにおまじないのことばを唱えたり、ヘンルーダとセロリを含むものをお守りとすると有効である。また、ラミアに捕まったら、麻を植えてから布を作るまでの話をできるだけゆっくりと語ると、ラミアが話に聞き入り、その間に夜が明けてラミアが逃げ出してしまうという。

**【ガウエコ】**「夜のもの」の意。夜とは深夜から朝一番鶏が鳴くまでの間。ガウエコはこの時間に人間が活動するのを妨げる。夜に活動する人間は、暗闇や孤独や静寂に対する畏怖の念が欠けているとみなされ、ガウエコに罰せられる。ある地域に伝わる話では、ある少女が夜に遠くの泉から水を汲んで来られるかどうか仲間と賭けをしたところ、ガウエコの怒りを買い、泉へ向かったまままいなくなってしまったという。

**【セセンゴリ】**「赤い猛牛」の意。洞穴に住み、その守護者でもある。その洞穴に人が入ろうとすると鳴いて妨げる。しかし、人にとって悪いものではなく、うっかり危険な場所へ近づきつつある人に注意をしてくれたりもする。

**【アケルベルツ】**「黒い山羊」の意。嵐を呼ぶ力を持ち、家畜をあらゆる害から守ってくれる守護者とされる。そのため多くの農家では家畜の中に黒山羊を1頭混ぜるようにしている。

（吉田浩美）

# 34

# 歳時記・年中行事

## ★四季と人びとの営み★

バスクにも四季折々の行事があり、人びとはそれによって季節の到来を意識する。行事にはバスク全域に共通のものもあれば、市町村ごとに異なるものもある。

全域に共通のものとして、まずは1月、クリスマスから続く年末年始の祝祭のトリをとる6日の公現節は、キリスト教会の祝祭でありバスク全域で祝われる。子どもたちにとってはプレゼントがもらえる嬉しい日である。学校の冬休みもこの日まで続く。

次は「イナウテリアク（イニャウテリアク、イアウテリアクとも）」――カーニバル――である。春分の日の後の最初の満月の直後の日曜日が復活の主日（復活祭）とされ、その46日前の「灰の水曜日」の前の木曜日から火曜までがカーニバルの期間となるので、日にちは毎年移動する。地域によって濃淡はあるが、バスクの各地で祝われる。とくに有名なのは、ナファロアのイトゥレンとスビエタ、ギプスコアのトロサのものである。

3月から4月には、カトリックの祭日であるアステ・サントゥア（聖週間。復活の主日の前日までの1週間）が訪れる。多くの人びとにとっては宗教的な意味合いよりも、春の休暇としての意味のほうが大きいようだ。

6月には学校では学年の終わりを迎え、月末には長い夏休みに入る。24日は聖ヨハネの祭日で、夏至の祝いと結びついたこの祝日の宵宮には、バスクの各地で息災を祈り火が焚かれる。

8月はバカンスの季節であり、人びとは思い思いの場所へ出かけるので、バスクの多くの町はひっそりと静まり返る。逆に、バスクの海辺や内陸のリゾートへは観光客が押し寄せ、賑わいを見せる。

9月になると学校が始まり、バカンス気分からいつもの日常へ戻るときである。

イナウテリアク（カーニバル）で仮装する人びと

12月になると、街頭に施された様々な意匠の色とりどりの電飾がクリスマスの季節が近いことを告げる。クリスマスの直前に、聖トマスの日という楽しい日がある。農産物の品評会が主体だが、屋台や出店がたくさん並び、トウモロコシの粉で作る薄いパン「タロ」に腸詰めの一種であるチストラを挟んだものなど、様々な「地元の味」が楽しめる。トリキティシャ（小型のボタン式アコーディオン）など、民族楽器が奏でる音楽や、即興歌手の歌も彩りを添える。24日の夜はクリスマス・イヴで、家族とともに過ごすのが一般的である。皆でプレゼントを交換し、ディナーを楽しむ。

クリスマスにプレゼントを運んで来るのはオレンツェロと

呼ばれるキャラクターである。地域により、オネンツァロ、オノンツァロ、オレンツァロなどとも呼ばれる。ところにより姿形は異なるが、おおむね、太鼓腹の巨体の持ち主で、大食漢の酒好きとされる。ベレー帽をかぶり、アバルカ（コラム11参照）という編み上げ靴をはいた伝統的な服装をし、ステッキを持ちパイプをくわえていることが多い。炭焼きや牧羊を生業とし、沿岸部では漁師であるとも言う。伝承によるとオレンツェロは「キリスト教が普及する以前の異教徒」あるいは「キリスト教を受け入れなかった異教徒」の最後の生き残りで、その後、イエスの誕生をバスクの人びとに伝えたと語られている。そのことは歌にも「（オレンツェロは）イエスが生まれたと聞くや、すぐさま知らせにきたそうだ」などと歌われ、各地に残っている。地域によってはオレンツェロの人形がベランダや屋根の上の煙突のところに掲げられたりもする。が、最もよく見られるのは、椅子に座った張り子のオレンツェロを人びとが担いで家から家へと経巡る光景であろう。また、マリ・ドミンギという妻（恋人）がおり、オレンツェロとともに登場することがある。クリスマスの前後には、「今年はオレンツェロにどんな贈り物を頼んだの？」「オレンツェロがこんな贈り物をくれたよ」などというやり取りが聞かれる。

クリスマスが終わっても、人びとの多くは冬の休暇中なので、大晦日、新年、公現祭と、祝祭の気分はまだまだ続く。大晦日の夜もまた、家族で夕食の食卓を囲むのが大切な習慣となっている。夕食後は、若者たちが大勢で街へ繰り出し、家々を回って歌を歌ったり、広場に集ってダンスをするというところもある。人びとはこうしてまた新しい年を迎える。

市町村や県はそれぞれの守護聖人を持っていて、当該の守護聖人の日に祭りが開催される。7月

聖セバスティアヌス祭の名物、ダンボラダ。コック姿で行進する一団
(Uztarria 提供)

に「牛追い祭」として世界的に有名なイルニャの聖フェルミン祭がある。世界中から観光客が訪れるこの祭は、7月6日の正午に市役所前広場でその始まりが高らかに告げられ、14日まで続く。闘牛場まで続く800メートルほどの狭い通りを数頭の牛が走り抜ける「エンツィエロ」は毎朝8時に行われ、怖いもの知らずの人びとが牛とともに疾走する。ドノスティアでは、その守護聖人である聖セバスティアヌスの日である1月20日に祭りが開催される。腰に下げた太鼓を叩きながら行進をする「ダンボラダ」が名物である。大人も子どももいくつかのグループに分かれていて、グループごとに特徴的なユニフォーム――コックや漁師や農夫や鉱夫のいでたち、スコットランド風やチロル風、コサック風の衣装など――を着用に及んでいる。このような各市町村の祭は短くて2日間、長ければ1週間から8日くらい続くが、そのプログラムを見ると、宗教的行事のほか、いくつものコンサート、ダンス、プロの選手によるピロタの試合、闘牛、映画の上映、料理のコンテスト、エリ・バスカリという大規模な昼食会、子ども向けのたくさんのゲーム、花火、移動遊園地など、イベントが盛り沢山である。期間中、楽隊は景気のいい音楽を

聖イグナティウス祭で街を練り歩く巨大な人形（Uztarria 提供）

奏でながら通りを練り歩き、祭りの雰囲気を盛り上げる。祭は各市町村の守護聖人の日に従って年間を通じてどこかしらで催されているので、人びと、とくに若者は、地元だけでなくあちこちの市町村の祭へも出かけて楽しむ。

バカンスまっただ中の8月には、ドノスティアとビルボの両都市で聖母マリアの祝日に基づくアステ・ナグシアと呼ばれる祭りがある。ドノスティアの祭はとくに花火の国際コンテストが有名である。

（吉田浩美）

# 35

# 伝統的な習俗

★古きをたずねる★

この章ではJ・アルスティサ（Julian Alustiza）の『バスクの農家をめぐって』（1985年）、フアン・カルロス・エチェゴイエン〝シャマル〟（Juan Carlos Etxegoien "Xamar"）の『オリ山のふもとで』（1992年）、および筆者が得た私信からバスクの伝統的な習俗をいくつか紹介したい。なお、ここで紹介する習俗・習慣はバスクの隅々でくまなく見られたものではなく、場所により少しずつ異なっていることを念頭に置かれたい。

**【出産にまつわる習俗】** かつて出産した直後の母親は、しばらく家（母屋）から出ることを禁じられていた。産婦の健康を気遣うためだったと考えられるが、農家などで女性が貴重な労働力であった時代、何日もまったく家から出ないでいることは実際にはほぼ不可能であった。そこで産婦は、家の外へ出るとき屋根瓦を一つ頭にのせて行った。そして片手で頭の瓦を押さえつつ、もう一方の手で作業をした。瓦の下、すなわち屋根の下にいる、ということで「家の中にいる」とみなしたわけである。

**【死にまつわる習俗】** 家中に死者が出そうになると、まず、隣人――地域によっては教会へ行く道の右側にある最初の家の人――に知らせ、その隣人が司祭と医者を呼び、病人の部屋へ集

アルギサイオル

まる習慣であった。瀕死の床で病人の苦痛が長引いた場合は、苦痛が早く去ることを祈り屋根の瓦を一つ取り除いた。病人が亡くなると、隣人が病人の親族に知らせ、さらに親族らが家畜にも知らせた。遺体を教会へ運ぶ際には、家ごとに定められた特別なルートをたどった。死者が使っていた寝床のわらを教会への道の最初の十字路で焼くこともあった。埋葬やミサなどが終わると、会葬者は死者の家へ招かれ、そこで食事が振る舞われた。その席で親族の代表者が故人を賞賛するスピーチを行った。今日ではスペイン領バスクでは墓地は市街から離れたところにあるが、以前は教会の中にあった。さらに古くは、墓は家ごとにあったという。墓には、パンや肉などの食べ物のほか、松明、蠟燭などの「灯」を捧げた。とくに、アルギサイオルと呼ばれる、細工をほどこした木製の板にひも状の蠟燭を巻き付けたものが工芸品としても目をひく。「灯」が重要なのは、死者がいる世界は真っ暗闇であるとされたためである。

ちなみに、蠟燭はミツバチが作ってくれるものとされ、そのため家族の死はミツバチにも知らされたという。また、家の跡継ぎが結婚すると新婚夫婦は家の墓へおもむき捧げ物をする習慣があった。これは、新しい家族を先祖に紹介することを意味した。

**【動物にまつわる習俗】**家畜はつねに家族同様の特別な存在であった。彼らには人間と同様に祝福を与え、話しかけるときは丁寧なことば遣いで敬意を表していた。家畜が病気になると、司祭にミサをあげてもらったり、福水を家畜囲いにまいてもらうなどして回復を祈った。病の治癒を願うまじないとして、家畜につける鈴に鳥類の骨とローリエと蠟燭をつけて福水をかけたものの上を家畜に歩かせるなどしていたと言う。また、牛あるいは山羊などを葬儀に連れて行くこともあった。これは、亡くなった人に動物を生け贄として捧げるという古代の習慣の名残であろうとも言われる。犬については、よそからもらわれてきたり拾われてきたりした犬を家族の一員とするために、犬を抱いて暖炉の上にかざし3度回す、という儀式を行った。こうしておけば犬が家から逃走することはないとされた。

**【植物にまつわる習俗】**町や村の会議や集会は、キリスト教が普及してからは教会の入り口などで行われるようになったが、それ以前は、木の下、とくにバスク語でアリツと呼ばれる木（オークの一種でナラに近いようだが、日本語では樫と訳されることが多い）の下で行われる習慣であった。「ゲルニカの木」は最も有名なアリツであると言える。また、この木はヘルニアを治す力を持っていると信じられていた。聖ヨハネの日の前夜、ファンという名の2人の男がヘルニアを患っている子どもをアリツの下へ連れて行き、枝と枝の間から一方のファンがもう一方へ、その子どもを手渡す――これを時の鐘が打つ間に3回繰り返し、治癒を祈願したという。また、聖ヨハネの日の夜明け前に、エロリ（サンザシの類）の枝を

サンザシの木

集めて家の玄関の横に飾ると雷から家を守ってくれると信じられた。外出するときは、葉を懐や帽子の下に入れると雷の被害を避けられるとされた。ヒマワリは太陽の象徴で、魔除けとして玄関まわりに掲げられる。悪魔や悪い妖精など、魑魅魍魎は夜の闇にまぎれて活動するが、太陽が大敵であるので日の出とともに去ってしまう。玄関にヒマワリを掲げておくと、魔物はそれを太陽と勘違いし、家の中に忍び込むことができないというわけである。この魔除けのヒマワリは現代でもあちこちで見られる。

魔除けのヒマワリ

**【年末年始にまつわる習俗】** いくつかの村では、大晦日の夜、若い男の一団が水差しを手に泉のほとりに集まり、時の鐘が打つのを待つ。そして、鐘の音とともに泉の水を汲み、歌を歌いながら村の人びとに配り歩く。日本の「若水」を汲む習慣を思わせる。

**【太陽と火にまつわる習俗】** 古代、バスク人にとっては太陽が神であった。生きとし生けるものが命を育むことができるのは太陽のお陰であった。また太陽が出ている時間は「人の時間」であり、太陽が隠れる時間は「魔物の時間」であった。「火」は太陽に代わるものとされたので、屋内では暖炉に燃える火が太陽の象徴であった。太陽をめぐる祝祭は年に2回ある。それは夏至と冬至である。1年で最も日照時間の長い日である夏至の日を、人びとは太陽に捧げる日として祝った。一方、冬至は1

年で最も日照時間の短い日であるが、この日を境にだんだん日が長くなっていくわけで、「太陽が息を吹き返す日」とみなされた。長い冬のさなか、それが祝うに値することだったであろうことは想像にかたくない。キリスト教が普及した後は、夏至のお祝いは聖ヨハネの祝日と、また冬至のお祝いはイエスの生誕を祝う日と結びついて現在に至っている。これら太陽と結びついた祝日では、太陽の象徴である「火」が重要な役割を果たす。夏至のお祝いでは、聖ヨハネの日の前夜にあちこちで火が焚かれる（たいてい広い空き地などで行われる）。いくつかの町や村ではこの火の上をジャンプして飛び越える習慣がある。また、このとき燃え残った火を持ち帰って家の暖炉の火にしたり、豊作を祈って地面にまいたりもする。さらに、今は廃れてしまったが、前夜を火のまわりで過ごしたあと夜明け前には裸になって水浴びをする習慣があった。その名残として、日の出とともに裸足で朝露も新たな草地を歩く習慣は今もいくつかの場所に残っている。冬至のお祝いでは、冬に備えて薪を蓄えるとき、最も太い薪を特別なものとしてとっておき、冬至の頃にくべる習いであった。この薪は、元日まで、あるいは公現節まで燃え続けるよう大切に扱われたという。

聖ヨハネの祝日前夜に焚かれる火（Uztarria 提供）

（吉田浩美）

# 36

# 諺・格言

## ★古いことばは賢いことば★

諺のことをバスク語でエサエラ・サアル（エサエラは《言い回し、句》、サアルは《古い》）、アチョティツ（《おばあさんのことば》の意）などと言う。古くは1657年にスベロアの詩人オイヘナルト（Oihenart）が諺を収集しており、20世紀初めにはビスカイアのアスクエ（Resurreccion Maria Azkue）も2967の諺を集めている。バスクの諺もまた、その内容は多岐にわたる。形式としては、ことば遊び的な要素を含むものが多いのが特徴である。以下に三つの形式の特徴ごとに実例を挙げる。日本語訳はできるだけ直訳に近いものを掲げる。

**1** 前半の句と後半の句が脚韻を踏んでいるもの。韻を踏むことによりリズムがよくなり、覚えやすくなる。いくつかのパターンに分けて見てゆこう。押韻部分を斜体字で示す。

①前半部の終わりと後半部の終わりに同じ語を置くパターン。同じ語の繰り返しなので、当然押韻される。

Etxe *hutsa*, haserre *hutsa*.「空っぽの家、怒りのみ」。欠乏状態になると家族は円満に暮らせないものだ、ということ。hutsa は、前半では《空っぽ》、後半では《まさに〜だけ》と意味が異なる。同じ音で意味が異なる語をうまく利用したものと言える。

②前半部の終わりと後半部の終わりに比較級の語を用いて「〜すればするほどますます〜」を表すパターン。比較級は -ago という語尾に終わるので、自ずと韻が踏まれる。

Igaitea gor*ago*, eroria dorpe*ago*.「より高く登り、よりひどく落ちる」。高く登れば登るほど、落ちたときの衝撃が大きい、ということ。gorago は gora《上へ》の、dorpeago は dorpe《厳しい》の比較級の形。

③前半の終わりと後半の終わりに反義語を置くパターン。同じ格の語を使うので、自ずと韻が踏まれる。

Dirua, mutilik hobe*rena* eta nagusirik txa*rrena*.「金銭は最良の召使、そして最悪の主人」。hoberena が《最良の》、txarrena が《最悪の》。両方とも最上級形で、絶対格単数形。それぞれの直前の名詞 mutilik《召使い》、nagusirik《主人》も -ik という同じ語尾を持っている。

④右の①〜③以外のパターン。

Gorostian goro*sti*, eta Donostian Dono*sti*.「セイヨウヒイラギ」(gorosti) の中ではセイヨウヒイラギのように、ドノスティア (Donostia) ではドノスティアでのように」。eta は「そして」。gorosti と Donosti は、それぞれの語頭の g と d、2番目の子音の r と n 以外はまったく同じ音で構成されていて耳にも心地よく、また赤い木の実が目に浮かび、視覚的にも楽しい諺である。意味は一目瞭然で、日本語の「郷に入っては郷に従え」にあたる。

Lan las*terra*, lan al*ferra*.「すばやい仕事（は）、無駄な仕事」。急いで片付けた仕事は結局できが悪く役に立たないものである、ということ。前半部も後半部もlan《仕事》という語で始まり、これを修飾する語lasterra《すばやい》とalferra《無駄な》が韻を踏んでいる。

Hitz*ontzi*, huts*ontzi*.「おしゃべりな人、失敗だらけの人」。しゃべりすぎる人はそのために失敗も多い。「口は災いの元」というわけである。-ontziの部分が共通で、その前のtzとtsは、いくつかの音声的特徴を共有する類似の子音であり、また、冒頭もhi-とhu-であるなど、全体としてよく似た響きを持つ二つの語が並んでいる。

Etxean ikus*ia*, umeak ikas*ia*.「家で見たこと（は）、子どもが学んだこと」。子どもは家の中で見たこと、経験したことを身につけるものだ、ということ。ikusia《見たこと》とikasia《学んだこと》は、-siaと韻を踏んでいるだけでなく、真ん中の母音のaとuのわずか1音が違うだけの、音声的によく似た語を重ねたことば遊びでもある。

ところで、バスク語には格があり、格は語尾によって区別される（第3章参照）。右の①〜④の例では、韻を踏んでいる語は絶対格という格の形で、その語尾は単数ならば-a, 不定数ならば何も付かない。このように、前半部と後半部それぞれの終わりに同じ格の語を置けばその語尾によって自ずと韻が踏まれるわけである。絶対格以外の格の語が現れる例を見てみよう。

Ez egin oihan*ean*, eder ez denik kal*ean*.「森でするな、街で美しくないことを」。町中（＝人の目がある所）でするべきでないことは、森の中（＝人の目のない所）でもするな、すなわち、人が見ていようといなかろうとみっともないことはするな、ということ。oiheanはoihan《森》に、kaleanはkale《街》に「〜で」を表す語尾が付いた形（位置格形）。

Urrutiko eltzea *urrez*, hara orduko *lurrez*.「遠くの鍋は金で（できている）、近づいてみれば土で（できている）」。遠くからは良く見えるものでも、近くでよく調べると実はそれほどでもない。見た目に騙されてはいけない、ということ。urrez は urre《金》、lurrez は lur《土》に「～で（道具や材料を表す）」を表す語尾が付いた形（具格形）である。

　動詞で韻を踏むことももちろんありうる。

Gaur hitza *eman*, bihar haizeak *eraman*.「今日ことばを与え、明日風が持って行く」。「ことばを与える」は「約束する」の意。約束したことを忘れることは容易である、ということ。動詞 eman《与える》と eraman《持って行く》は韻を踏んでいるだけでなく語頭も同じ母音である。

Ohakoan dena *ikasten*, ez da jagoiti *ahazten*.「ゆりかごの中でなんでも学び、それは決して忘れない」、すなわち「赤ちゃんの時に学んだことはずっと身についていく」。日本語の「三つ子の魂百まで」を思わせる。前半も後半も -ten に終わっているが、その前の部分も s と z という類似の音であり、さらにその前の母音 a も共通であるので、-asten と -azten の部分が酷似している。

　以上は、韻を踏む語が同じ品詞の語である場合の例だが、韻さえ踏んでいれば必ずしも同じ品詞の語である必要はない。たとえば次の例がある。

Eskola mutilak sasiz *sasi*, asko jan eta gutxi *ikasi*.「学童たちは茂みから茂みへ、たくさん食べて少ししか学ばず」。子どもたちが学校へ行かずに山野へ遊びに行き、木の実などをつまんだりして勉強をしない、と言っている。sasi は《茂み》、ikasi は《学ぶ》で、名詞と動詞で韻を踏んでいる。

**❷** 韻は踏まないが、前半部と後半部に格の異なる同じ語、意味的に同じカテゴリーに属する語、音的に酷似した語を置くパターンがある。

Asto askok, lasto asko.「たくさんのロバは、たくさんの干し草を」。家族が多いと出費も多い、ということ。asto《ロバ》とlasto《干し草》は音的に酷似しており、askokとaskoはどちらも「たくさんの」であるが、前者は能格、後者は絶対格で、格が異なる。

Aita biltzaileari, seme hondatzailea.「収集屋の父親に、壊し屋の息子」。働き者の父親には放蕩者の息子がいる、ということ。biltzaileariは《収集する人》の与格形、hondatzaileaは《壊す人》の絶対格形だが、両方とも-tzaile《〜する人》という語尾を持つ語である。

**3** 前半部に疑問詞、後半部に指示詞を用いるパターン。

Nolako egurra, halako sua.「どのような薪、あのような火」。薪の質が火の質を決める、ということ。日本語の「あの親にしてこの子あり」を思わせる。前半部に疑問詞nolako「どのような」、後半部に指示語halako「あのような」が見られる。それぞれの最初の語と終わりの語が韻を踏んでいる。

Eguzkia nora, zapiak hara.「太陽はどこへ、衣類はあそこへ」。洗濯物は日のあたるところへ持って行く、すなわち、状況に合わせて行動せよ、と言っている。nora《どこへ》とhara《あそこへ》が呼応している。疑問詞と指示語の組み合わせは、nola《どのように》とhala《あのように》、non《どこで》とhan《あそこで》、zer《何》とhura《あれ》、zenbat《いくつ》とhainbat《あれほど》など、様々である。バスク語の指示語は「これ・それ・あれ」などのように3系列であるが、諺のこのパターンでは、「あれ」の系列が用いられる。ただしバスク語の「こ・そ・あ」と日本語の「こ・そ・あ」は完全に対応するわけではないので、ここでの日本語訳も便宜的なものである。

（吉田浩美）

# 37

# 口承文芸

★時空を越えて、ひとからひとへ★

口承文芸の歴史は、通常「文字による文芸」よりも歴史が長いわけだが、バスクの場合もその例に漏れない。口承文芸のつねとして、人の口から口へと何世代にもわたって伝わるうちに失われたり変形したりしてゆくが、やがて、記憶を確かなものにしたり、完全に喪失するのを防ぐために文字で書き留められるようになる。バスクではそのような「口承文芸の文字による記録」は19世紀に本格的に始まったと言える。記録者としては、20世紀の人ではレケイティオ出身のアスクエ、アタウン出身のバランディアランの業績が有名だが、フランス人のセルカン（Jean François Cerquand）、ヴァンソン（Julian Vinson）、イギリス人のウェブスター（Wentworth Webster）など、バスクの民俗や習俗に関心を寄せて業績を残している外国人も少なくない。

バスク語の口承文芸のジャンルとしては、詩、物語、諺や格言、なぞなぞなどが挙げられる（諺や格言については第36章を参照）。詩には、遊び歌、古い俗謡、エロマンツェ、ベルチョなどがあるが、これらはつねにメロディにのせて「歌われる」ものであった。歌にすることによって記憶が容易になるというメリットがあり、読み書きに通じていないおばあさんが数百ものお話や歌を記憶していていつでも記憶の引き出しから取り出して歌える、というケースも見られたという。

この章では、遊び歌、古い俗謡、エロマンツェを取り上げる。ベルチョについては38章で詳述する。

**【遊び歌】**おもに子ども向けのもので、子守唄や、鬼ごっこでの鬼を決めるときに歌うものなどがある。これといったメッセージはなく、音声やリズムそのものを楽しむものから、他愛のない問答が繰り返されるもの、ストーリー性のあるやや長めのものなどもある。擬音や子ども特有のことばの使用、語や句の繰り返し、動詞・助動詞の省略などがおもな特徴である。また、ジェスチャーやダンスをともなうのが普通である。次は子守唄の例。

Ttun-kurrun-kuttun-kuttun-ku,　テュン、クルン、クテュン、クテュン、ク、
ttun-kurrun-kuttuna!　テュン、クルン、クテュナ！
Run-kuttun-kuttun-kuttun-ku,　ルン、クテュン、クテュン、クテュン、ク、
run-kuttun-kuttuna! Lo!　ルン、クテュン、クテュナ！　ロ！
Run-kuttun-kuttuna!　ルン、クテュン、クテュナ！

kuttun（クテュン）/kuttuna（クテュナ）は《可愛い子》を、lo（ロ）は《眠り》を表し、kurrun（クルン）はkurrunka「心地よい音（声）、鳩のさえずり」と関係があると見てとれる。明確な意味があるのはこれらだけで、あとはttun, ku, runというこれといった意味を持たない要素を組み合わせて「可愛い子よ、眠れ、眠れ」とゆりかごを揺らしながら歌うのである。この詩では母音ではuが多用

され、子音はtとkが目立って多いが、このように、少数のいくつかの音声を多用することが多い。

**【古い俗謡】** 起源ははっきりしないものの、中世にはすでに成立していたらしい。謝肉祭、大晦日、新年、聖ヨハネの日などの祭日に、子どもたちが家々を回りながら歌うものである。その内容は、①その祭事についてのもの、②その家の人たちへの讃歌、③その家の人たちへのおねだり、④感謝または不機嫌を表すもの、に大別される。④は、訪問した家でおねだりがかなえられた場合は感謝の歌を歌い、かなえられなかった場合は不快感を表す歌を歌うのである。形式として最も多く見られるのは、8音節・8音節・10音節・8音節の4行から成り、8音節の行（すなわち1・2・4行目）で脚韻を踏むものである。始めの2行で植物、動物、天体など自然のもののイメージを描写し、後の2行でメッセージを発する、という構成が普通である。意味の上では前半部と後半部をつなぐ論理はなんら見当たらない。形式上は、1・2・4行目できれいに脚韻を踏むことにより、詩全体に統一性が与えられる。訪問先の家の娘を称揚する歌を見てみよう（脚韻部分を斜体で示す）。

Askan eder da *garia*,
haren gainean *txoria*;
eraztun batek hartu lezake,
neskatxa, zure *gerria*

飼い葉桶の中で美しいのは麦
その上には小鳥
指輪がつかまえるかも
お嬢さん、あなたのその腰を

前半部では、麦・小鳥という自然のものが歌われている。後半部はその家の娘を称えるメッセージであるが、2行18音節という短い構成の中で言いたいことを伝えなければならないので、シンボリズムが多用される。ここでは「指輪」が「婚約、結婚」を連想させ、「指輪が(女性の)腰をつかまえる」とは、女性がすらりとした(ウェストが細い)美女であることを示唆しているという。すなわち、その娘が結婚の申し込みがひきも切らない美女である、と褒め称えていると解釈される。

【エロマンツェ】エロマンツェは、実際の新旧の出来事(ノンフィクション)や創作(フィクション)が、町から町へ、世代から世代へと伝えられたものである。実際の出来事を伝えるという意味では「報道機関」のような役割を持っていたとも言える。現在知られているものは15〜19世紀に成立したものが大部分であると言われる。

エロマンツェもまた「語る」というより「歌う」ものであった。内容的には、①出来事そのものに重点を置いた「叙事詩」的なもの、②出来事そのものよりもそこに関わる人びとの感情を表現することを主体とした「抒情詩」的なもの、③両者の中間的なもの、が見られる。エロマンツェの「プロの歌い手」であるコブラカリと呼ばれる人たちが町々を渡り歩いて伝えたが、聴衆もまたそれを聞いて覚え、日々の生活の中で歌い伝えたと言われる。とりわけ、単調な仕事に従事している人たちによって職場で歌われ、労働者の気晴らしや気分転換の役に立っていたという。口伝えを繰り返すうち、細部が変わったり、失われてしまったものもあるが、やがて書き留められたおかげで今日まで残っているものも少なくない。エロマンツェはバスクの広い範囲に伝わったので、バスク語の共通語がなかった時代のことであるから、同じ出来事が複数の方言、異なるスタイルで残っていことがある。

実例を見てみよう。これはラプルディ方言によるものである。7音節×6行から成る詩がいくつかつながり、一つの物語となっている。その最初の一詩を掲げる。

Brodatzen ari nintzen
ene salan jarririk
aire bat entzun nuen
itsasoko aldetik
itsasoko aldetik
untzian kantaturik.

私は刺繍をしていた
私の部屋で、座って
メロディが聞こえた
海のほうから
海のほうから
船で歌っているのが

この後もこの同じ形式の詩が続く。若い娘が部屋で刺繍をしていると、海に停泊中の船の中から歌が聞こえてきた。母親に船長を夕食に招待するよう言われた娘は船へと赴くが、逆に船に招き入れられ、眠り薬を飲まされそのまま遠くへ連れ去られてしまう。絶望した娘はついに胸を刺して死んでしまう、という出来事が歌われている（実際に起こったことかどうかは不明である）。また、この長い詩にはさらわれた娘の、親元へ戻りたいという切ない気持ちも歌い込まれており、叙事詩と抒情詩の中間的なものであると言える。

（吉田浩美）

# 38

# ベルチョラリツァ

## ★ことばとメロディの職人芸★

【ベルチョラリツァ】バスクには、ベルチョと呼ばれる詩歌がある。一定の音節ごとに脚韻を踏むもので、漢詩において「五言絶句」「七言律詩」などの区別があるように、ベルチョにも長さと音節数によりいくつかの形式がある。また、「書かれたベルチョ」と「歌われるベルチョ」に大別される。前者は文字どおり詩人が詩を書くごとく、散文家が散文を綴るごとく、ベルチョの作り手が「書いた」ものである。後者は、伝統的な旋律にのせて歌詞をその場で考えて歌う「即興歌」で、バスク語口承文芸の花形と言えるものである。本章ではこの「歌われるベルチョ」について見てゆく。ベルチョは、競技会や催しが開かれたり、パーティや居酒屋で誰ともなく歌い出したりなど、バスク人の生活に深く根付いたものとなっている。「まとも」なベルチョは、幼少時からそのような環境に親しんでいたり、あるいは特別な訓練を受けるなど、意識的にせよ無意識的にせよ勉強を積まなければ作れないものである。ベルチョを作り歌う即興歌人をベルチョラリと呼び、ベルチョを作り歌うことをベルチョラリツァと言う。

【ベルチョの形式と規則】ベルチョには様々な型式があるが、

基本的な構造は〈表1〉のようなものである。〈表1〉には全体が10行から成るものを例として挙げた。奇数行と偶数行の2行を1連とし、偶数行で脚韻を踏むのが基本である。〈表2〉に代表的な四つの形式を掲げた。「ソルツィコ」とは8行から成ること、「アマレコ」とは10行から成ることを表し、「チキア」とは1連の音節数が奇数行7、偶数行6であること、「アンディア」は1連の音節数が奇数

〈表1〉ベルチョの構造

|  | |  |
|---|---|---|
| 1行目 | …………… | 1連目 |
| 2行目 | ………脚韻 | |
| 3行目 | …………… | 2連目 |
| 4行目 | ………脚韻 | |
| 5行目 | …………… | 3連目 |
| 6行目 | ………脚韻 | |
| 7行目 | …………… | 4連目 |
| 8行目 | ………脚韻 | |
| 9行目 | …………… | 5連目 |
| 10行目 | ………脚韻 | |

〈表2〉ベルチョの代表的な四つの形式

| 名称 | 行数 | 音節数 |
|---|---|---|
| ソルツィコ・チキア | 8 | 奇数行7、偶数行6 |
| ソルツィコ・アンディア | 8 | 奇数行10、偶数行8 |
| アマレコ・チキア | 10 | 奇数行7、偶数行6 |
| アマレコ・アンディア | 10 | 奇数行10、偶数行8 |

〈表3〉ソルツィコ・アンディアの例

|  |  |
|---|---|
| Disimuloan hor irten zera | こっそりとそこに出てきたな |
| gaurkoan klase ostera, | 今日、授業が終わった後で |
| ta komunean topatu zaitut | トイレでお前と出くわした |
| alde batetik bestera; | 出て行くところを； |
| bota ezazu zigarrilloa | たばこを捨てなさい |
| horko lababu ertzera, | その洗面台へ、 |
| hori ahotan daukazulako | そんなのをくわえているからって |
| haundiagoa ez zera. | 大人だとは言えないんだぞ。 |

(1997年11月6日、ベルチョラリ・コンクール全バスク大会の準決勝でアンドニ・エガニャ Andoni Egaña によって歌われたもの)

行10、偶数行8であることを表している。ほかにも奇数行10音節、偶数行8音節で4行からなるラウコ・アンディア、8音節×16行から成るソルツィ・プントゥコア、奇数行10音節、偶数行8音節で12行から成るセイ・プントゥコアなど、様々な形式がある。また、奇数行10音節+偶数行8音節の韻律ソルツィコ・アンディアを例に取ると、10音節の行では意味の切れ目は5音節ごとに置かれなければならない。〈表3〉に例を示す。1行目のDisimuloanはこれ1語で5音節で「こっそりと」という副詞的な語、次の5音節のhor irten zeraは「君はそこに出てきた」という文で意味的にまとまっている。なお、メロディはその場で作曲するのではなく、伝統的に歌い継がれてきたものの中から、各形式に合致したものを瞬時に選んで歌うことになる。メロディは古いものから最近のものまで、よく知られているものだけでも300ほどあるようである。このように、音節数や押韻など様々な規則に従いつつ、意味的に一貫して筋が通り、ときにはオチまでついた詩をその場で考えて歌うということは、まさに「名人芸」「職人技」と言うべきものである。

**【競技会】**ベルチョの腕前を競う競技会は、規模の大きいものから小さいものまで随時開催されている。最も大きい競技会はバスク全体の大会で、地方予選を経て決勝が行われる。レベルの高い競技会の入場券は短時間で完売する。1回の競技会は一般に4～8人くらいで行われる。競技会では「出題者」(普通は司会を兼任)がテーマを出題し、さらに形式や何番まで歌うかも指定する。代表的なやり方には次の四つがある。

**1** 指定された形式で、出されたテーマに沿って一人で歌う。たとえば、「『あなたは70歳です。ある日、靴ひもを結ぶのさえ苦痛であることに気付きました』というテーマで、ソルツィコ・アンディ

全バスク・ベルチョ競技会の決勝戦の様子
（Gari Garaialde 撮影、Euskal Herriko Bertsozale Elkartea 提供）

アで3番まで歌ってください」という具合に出題される。競技者はテーマと規則を満たした詩を即興で歌う。一つのテーマが競技者全員に適用される場合は、一人が歌っている間、他の競技者には聞こえないような配慮がなされる。

❷ 出題者がテーマと形式とともに2人の競技者にそれぞれの役割を振る。2人は交互に歌う。メロディは、指定された形式に合うものを最初に始める人が選んで歌い始めることになる。たとえば、1997年、2人のベルチョラリ、ロパテギ（Aritz Lopategi）とリサソ（Sebastian Lizaso）に対し「急激に便意をもよおしたロパテギは、通りに設置してあった簡易トイレへ駆け込みます。そこへ係員のリサソがやってきて、くだんのトイレをクレーンで吊り上げました。ロパテギは、気づいた時にはもう宙に浮いています」という、コミカルなテーマが課された。

❸ 出題者が始めの1連と終わりの1連（ま

たはそのどちらかだけ）を歌い、競技者は残りの部分を出題者が歌った部分と内容的につじつまが合うように歌う。この場合、出題者がメロディや脚韻まで指定することになるわけである。

**4** 出題者が、たとえば、zor《負っている》、gogor《つらい》、inor《誰か》、hor《そこで》というように脚韻を踏んでいる四つの語を指定する。競技者は、それらの語を脚韻を踏むべき場所へ配置しつつ、筋の通った内容の歌詞を考えて歌う。

採点は、複数の審査員（大きな大会では7人くらい）が、各自ベルチョ1番につき、10点満点として採点する。審査員が7人とすると、1番しかないベルチョは70点が最高点、3番まであるベルチョは210点が最高点となる。「可もなく不可もなく」というベルチョ、あるいは「非常に優れた面と、水準以下の面が混在している」というベルチョが「中間的な出来のベルチョ」とされ、5〜6点が付くようである。また、考えながら歌うものであるため、あからさまに間延びしたテンポで歌ったり不必要にポーズを置いたりすることは、考える時間を少しでも延ばそうとしているようで「拙い」こととされ、減点の対象になる。また、同じ格語尾に終わる語で脚韻を踏むことは比較的容易であるため、これも評価は低くなる。いずれにしても、審査員は粗探しをするのではなく長所を見つけて評価をすることが大切、という指針があるようだ。

（吉田浩美）

# 39

# 力比べ・技競い

## ★労働からスポーツへ★

司馬遼太郎によれば、バスクでは草を多く刈り、力持ちでなおかつ走るのが速い人が尊敬されたという。そして、これらの動作に対応する伝統スポーツが立派な種目としてバスクに存在する。すなわち、草刈り、石かつぎ、競走である。最初の草刈りの競技場は牧草地で、25メートル四方の数区画に繁茂している草を規定時間内に刈り取った量を競う。次の石かつぎは、100キログラム以上もある石（円形、直方体、立方体、円筒形）を規定時間内で地面から肩まで担ぎ上げる回数を競う。最後は長距離走である。バセリという農家の仕事や、切り出した石を移動させたり荷車に乗せたりする労働、さらに伝令など通信手段がない時代の役割、といったらよいだろうか、すべて実用としての機能を持ち合わせていた。

このように労働や実用術がスポーツ化（ルール化）された例を数え上げればきりがないが、ここにバスクの伝統スポーツの特異性がある。「エリ・キロラク連盟《バスク伝統スポーツ連盟》」ができた現在、バスクの伝統スポーツは大半がそこに登録されるようになった。バスケットボールやサッカーなどと同じ土俵で取り扱われることで、その儀礼性などは消滅するが、

石かつぎ

純粋なスポーツとして勝敗原理に組み込まれる道を選択したことになる。

右記以外のバスク伝統スポーツとして、丸太切り（斧、ノコギリ）、石引き（牛、ロバ、馬、人）、重り運び、綱引き、トウモロコシ袋担ぎ競走（60〜80キログラム）、金敷（かなしき）上げ（18キログラム）など、また農林水産関係の競技として、牧羊犬の競技（羊の移動を犬だけで行う）があり、多くの観客が詰めかける。また、最近少なくなってきたが、連盟には参加せずに闘羊（角を突き合わせて敗走させる）も行われている。

さらに、エリ・キロラク連盟とは別個に連盟を結成している伝統競技として、エウスカル・ピロタ連盟（ボールゲーム）、ボラホコ（スペイン語でボロス）連盟（ボウリングに近似した球戯）、エストロパダク連盟（ボートレース）などがある。エウスカル・ピロタは、もとは労働ではなく、どちらかといえば地域信仰に原初形態があるのではないかとされている。この球戯はかなり近代化（3種類のコート、20数種類のボール、11種類の用具などの規定）されており、世界選手権も行われるほどでバスクの地を離れた世界29の国々に連盟を持つまでに普及している。素手で硬球（直径6センチメートル）を打つ種目のチャンピオンは他の種目を押しのけて英雄となる。これはスペインが世界帝国を築いた時代に、バスク人が移民として「新大陸」へ入植し定着させた経緯がある。当初はエウスカル・エチェア《バスクの家》を建設し、人びととの交流の場とされていた。そこから出身地の文化を発揮できる場所と機会が模索されていった。そして1929年に国際ピロタ連盟がアルゼンチンのブエノスアイレスに誕生したのである。またアラバ県のみでプレイされるアラバル・ボラホコは木球をピンに当てる競技であるが、その類似形態はバスクで3種類、スペイン全土であれば数え切れないほどの種類が現存している。このボラホコは地域的色彩が濃く、統一ルールで他県の人びととの競技会はあまり開催されない。最後のエストロパダクは、漁を終えて魚を早く港に持ち帰れば高値がつくということで始められたといわれている。毎年9月にドノスティアで行われるエストロパダクは、地方予選を勝ち抜いてきた強者たちが最高位を競う有名な大会である。

アラバル・ボラホコ

　このようにバスク伝統スポーツは労働や信仰から派生してきたものであり、その原初の労働のほとんどは姿を消している。そして競技化したときには、二者間の賭けとして始まった。たとえば、石引きはイディ・デマ《牛の賭け》と言われ、草刈りはセガ・アプストゥ《鎌の賭け》と呼ばれる。この賭けは近代化されるときに競技との縁を絶ち切られたわけではなく、エリ・キロラク連盟は賭けを認めている。エウスカル・ピロタ連盟も、プロ試合にだけコレドールという仲介者が賭けを請け負うことを認めている。

（竹谷和之）

# 40

# 食文化

## ★バスクの日常の食卓★

バスクではこのところいわゆる「ヌーベル・キュイジーヌ」の発展が著しく、ミシュランの星を獲得しているレストランも多い。バスク料理の名声が高まるにつれ、バスクのレストランへ勉強に出かける日本人も増えている。この章では、高級グルメはさておいて、バスクの人びとが普段、家や街でどのような食生活を営んでいるかを概観したい。ただし、食生活は当然家庭や個人により異なるので、ここではスペイン領バスクのごく普通の一家庭――大金持ちでもなく、貧しくもない「中流」的な庶民――の食生活をちょっと覗いてみることにしよう。

**【食材の調達】** 買い物は、町のスーパーマーケットや個人商店を利用するのが普通だが、毎日の買い物が難しい場合は、週末などに郊外の大規模なスーパーマーケットやショッピングモールへ車で出かけ、まとめ買いをする。また、ほとんどの市町村では週に1度町の広場に市の立つ日が決まっていて、人びとで賑わう。こうした市場を専門に渡り歩く業者たちが店を広げるだけでなく、地元の精肉店や鮮魚店も出店したり、近隣の農家から生産者がとれたての野菜や果物や卵、自家製のチーズなど様々なものを直接売りにやってくる。当然季節により内容が異

なり、たとえば秋だと、あらゆる種類のキノコがそこここにてんこ盛りとなる。また、食料品だけでなく衣類や革製品なども安い値段で売られている。市場はたくさんの商品が目に楽しいだけでなく、人びとの活気溢れる買い物風景が醸し出す溌溂とした雰囲気も魅力である。

**【朝食】** 朝はトーストや菓子パン、焼き菓子などとコーヒーやカフェオレなどでごく簡単に済ませるのが一般的である。シリアルやフルーツ、あるいはジュースのみということもある。

週に１度開かれる市場の様子。様々な野菜が並んでいる

**【昼食と夕食】** 昼食と夕食は、第一の料理（スターター）と第二の料理（メインディッシュ）とデザートから成り、これにパンが付く。特別な場合（人を招いていたり、お祝いごとだったりなど）は、第一の料理の前に皆でつまめるようなもの——オリーブの実、生ハムや腸詰めの類、パテ、小型のクリームコロッケ、イカのフライ、アンチョビのマリネ、マグロのオイル漬けなど——が並ぶこともある。昼食の第一の料理としては、野菜サラダ（レタス、玉葱、トマトなど）、缶詰め・瓶詰めのホワイトアスパラガス、豆（ひよこ豆、レンズ豆、インゲン豆など）の煮物、さやインゲンとジャガイモの煮物、グリーンピースとベーコンの煮物、パスタ類、パエリャ風の米料理（よく知られているばレンシア風のものよりも、具を2、3種類に限ったものが多い）などがポピュラーである。昼食の第二の料理は魚か肉である。メルルーサ、タラ（干したものが一般的）な

白身魚にニンニクとパセリをのせ、オリーブ油をかけてオーブンで焼いたもの（左）
ホワイトアスパラガスをのせた具だくさんのサラダ（右）

どの白身魚をフライパンで焼いて刻みパセリのソースをからめたもの、イカの墨煮、ミートボール（牛ひき肉または牛と豚の合い挽き肉を使う）のトマトソース煮、牛肉とジャガイモのシチュー、イルギアルというベーコンの一種のトマト煮などの「煮込み系」のほか、パン粉（日本のそれに比べはるかに微細である）をまぶして、あるいはまぶさずに焼いた魚や豚肉や牛肉、ローストチキンなどが日常的なものである。付け合わせは瓶詰めの赤ピーマンや生の青ピーマン（シシトウに近い）をさっと炒めたものやフライドポテトが一般的である。夕食の第一の料理は、野菜サラダが一般的で、寒い時期にはコンソメスープなどもよく出る。第二の料理で最も人気があるのはジャガイモのオムレツだろう。ほかに、白身魚のフライ、豚ヒレ肉や牛肉の薄切りステーキ、ローストチキンなどがよく食卓にのぼる。肉には目玉焼き（かなり多めの油を使うので「焼く」というより「揚げる」に近い）が付くこともよくある。食事の際の飲み物は、赤ワイン、ロゼワイン、水が一般的である。デザートは、特別な場合には専門店でケーキを買ってきたり、腕に覚えがある人は自分で作ったりするが、普段は、プリン、ヨーグルト、フルーツ、スーパーなどで売っている菓子類が一般的である。プリンは自家製であることも多い。デザートとともにコーヒーを飲むが、カ

様々なピンチョ（左）
「おじいちゃん、87 歳おめでとう」と書かれたバースデーケーキ（右）

モミールやミントのお茶も好まれる。デザートのあと、ブランデーやウィスキーなどの強い酒をたしなむ習慣もある。

このように、どちらかというと昼食のメニューのほうがよりバラエティに富んでおり、また「重め」のものが多く、その意味では昼食が「中心的な食事」であると言える。しかし、昼食時に家族全員が揃うことは昨今では難しく、調理担当者が家族全員のために腕をふるって家族みんなでとる食事はやはり夕食ということになる。休日の昼食は、家族だけでなく近所に住む親族が一堂に会してゆっくりと楽しむこともよくある。なお、昼食は早ければ午後1時、遅ければ4時過ぎということもある。夕食は早くて8時、遅ければ10時頃ということもある。フランス領では昼食、夕食ともにスペイン領よりも早い傾向にある。

**【おやつ】**学校や、午前中に休憩時間がある職場などでは、アマイケタコ（直訳すると「11時のもの」の意）という軽食をとることがある。たいていはタベルナ（コーヒー、ジュースの類からアルコール、菓子類からおつまみまでを取り扱う飲食店で、至るところにある）のカウンターにずらりと並ぶピンチョ（一口か二口で食べられるつまみ類）の中から何かしら選ぶが、11時のおやつとしてはフランスパンの輪切りの上に具がのったものが人気のようである。子どもたちは午後帰宅するとまずおやつをも

タベルナの店内

らうが、フランスパンや食パンにハムやチーズ、あるいはチョコレートなどを挟んだものであることが多いようだ。

**【調味料】** 味付けは基本的に塩による。スパイスはほとんど使わず、せいぜいニンニクで風味づけをする程度である。香草もパセリくらいである。サラダには食べる直前に各自が塩と油と酢をかけて混ぜる。また、マヨネーズは電動の攪拌器を使って手作りすることが多かったが、このところは生卵を敬遠して自家製は行わなくなっているようだ。油脂類は、オリーブ油、ヒマワリ油などが使われるが、フランス領ではバターが普通である。（吉田浩美）

# 41

# バスク女性

## ★伝統社会の神話を乗り越えて★

バスク女性の社会的役割に対する積極的な価値づけは、フランコ独裁が崩壊した後の1980年代に入るや、フェミニズムの潮流とあいまって、急展開を見せた。それまで、バスク女性に対する評価は、19世紀以来蓄積されてきたバスク内外の旅行者の記録や、民族誌家の採集した伝承・神話などに基づいていた。それらを通して描かれた伝統的バスク社会は、男女平等もしくは母権制という二つの社会的特徴を呈していた。

男女平等の一大根拠とされたのは、バスク地方の慣習である一子相続制であった。この制度のもとでは、男性のみならず女性も家督を相続し、新たな家長となることができた。家長は地域社会の代議政治における投票権を有していたから、地域政治に男女の声が反映されていたと言える。また、山バスクでは男性が羊の移牧に従事して山中に籠もる数カ月の間、海バスクでは男性の漁師が遠洋漁業に出ている数カ月の間、家計を預かり、家政を切り回すのは女性たちであった。このように、女性も男性と同等の権限を有していたというのである。

一方、バスク語の親族名称は、母系社会の証左として参照された。バスク語においては、alaba《娘》、arreba《男性から見た姉／妹》、ahizpa《女性から見た姉／妹》、neba《女性から見た兄／弟》、osaba《伯父／叔父》、izeba《伯母／叔母》といったように、語末の要素 -ba（子音の直後では -pa）が親族関係を表象する。ところが、seme《息子》と anai《男性から見た兄／弟》には、この語末の要素 -ba が見当たらない。この事実は、バスク社会が母系社会だったことを示唆するであろう。

そして、母系社会の主張は、バスクの民間伝承を下敷きにして、ときに母権制社会の認知へと進んだ。というのも、神性を帯びた唯一の存在が、マリ Mari という女性名によって表象されているからである。マリは、ダマ Dama《貴婦人》やアンデレア Anderea《婦人》などとも呼ばれ、一種の地母神であるルル Lur《大地》との結びつきが深い。このルルには、エグスキ Eguzki《太陽》とイラルギ Ilargi《月》と呼ばれる2人の娘（現在エグスキは男性の名前に用いられる）がいる。男性によって神性がほとんど表象されないことは、はるか昔の女性優位社会を想起させるというのである。

さらに、ストラボンなどが記録した、妻の出産時に、夫が一定期間、母親となった妻あるいは新生児になりきって添い寝する「擬娩」という風習の存在が、（それが実在したかどうかはさておき）母権制社会から父権制社会への移行期に発現する、父子関係を確認する手段と解され、バスク母権制社会の傍証とされたのである。

これらの諸説を背景として、民衆レベルにおいては、バスク女性に関して、母としての役割の重要性、家計の管理能力の高さ、相続における男女平等、生業における責任分担、といった言説がつねに付随した。事実、バスク女性は、良き母、賢い妻、従順な（義理の）娘、の3役をこなすことが理想とされた。婚期を過ぎても未婚の女性には、神に仕える役割が求められた。そして、いずれの場合も、働き者であることが女性の美徳の一つとされてきたのである。

しかし、１９８０年代以降のバスク・フェミニズムは、以上のように描かれてきたバスク女性像を否定する。まず、相続制度上の男女平等といっても、制度の運用においては、遺産相続人の圧倒的多数が男性であった。時代が下ってフランコ独裁下では、夫による妻の庇護という理由で、妻は夫の許可なしに就職したり、起業したり、銀行口座を開設したり、はたまた長期外出したりすることも、禁じられていた。

そして、男女平等は、往々にしてジェンダー別の役割分担（分業）と混同されてきた。女性に期待される役割は、良妻賢母としての家政であり、家庭の外においても、家事や子どもの養育と結びついた二次的な役割しか期待されないのである。伝統的な祭事、舞踏、スポーツなどの主役もまた、つねに男性であった。またたとえば、バスク地方各地で営まれる「ソシエダデ（美食クラブ）」（コラム13参照）において男性が調理の腕をふるう姿は、ともすれば男女平等の象徴として、バスク人男性によって自慢されてきたが、最近までこれらのソシエダは女性に門戸を閉ざす一方、その大半が、後片付けのための清掃婦を雇用していたのである。

バスク州政府女性支援局「エマクンデ」による、2019年国際女性デーに向けてのキャンペーン・ポスター。メッセージは《どんな人になりたいのかを決めるのは彼らじゃなく私》。バスク語版に加えて、スペイン語版、英語版も作成された

さらに母権制については、史実として実証されない象徴的虚構であり、そこには、家政を任せるために女性を理想化ないし神聖化ようとする男性の視点が投影されているにすぎない、と糾弾する。実際、民間伝承レベルにあって、男性の理想像から外れる女性は、「悪しき女＝魔女」として貶められ、「良き母」に対置して描かれてきた。さらにまた、女性の優位性という神話が、スペインやフランスの「ラテン」文化との差異を意識化させ、文化的優越感を醸し出すバスク・ナショナリズムのイデオロギーに援用されてきた点も、同様に批判されたのであった。

このように、1980年代以降のバスク・フェミニズムは、カトリックと結託したフランコ独裁体制の遺制だけでなく、バスク・ナショナリズムとも対峙しなければならなかった。バスク女性学の先駆者テレサ・デル・バリエ（Teresa del Valle）によれば、今日のバスク・フェミニズムにとって画期的だったのは、次の三つだという。まずは、バスク女性の置かれた現実をめぐって、1977年、1984年、1997年にバスク大学で開催されたバスク・フェミニスト会議。次に、堕胎の自由を求めて1979年から1984年まで続いたバサウリ裁判。そして最後が、男子禁制だったイルン市とオンダリビア市の「アラルデ祭」へ女性の集団参加（第54章参照）を求めた1990年代半ばの抗争である。これらは、バスク女性が、自らの置かれた現実を改善するために、法制度の改革、伝統の再構築、自分の身体に対する自己決定権を、粘り強く追求し、かつまた獲得していった、意義ある歴史の一断面であろう。

なお、21世紀への転換期には、一方で女性解放とバスク民族解放とが共闘する動きが、他方でジェンダー役割から人間を解放することを目指す男性研究が、ともに産声を上げている。

（萩尾　生）

コラム11

# 民族衣装

吉田浩美

伝統的な装身具でまず言及すべきはなんと言ってもベレー帽だろう。ベレー帽の起源は諸説あるが、ベレー帽が普及した頃にはバスクでは作業用に男子がよくかぶっていたようである。農家では黒、海の仕事では紺色のベレーが主に使用され、正装の際にも着用されたと言う。現在、日常的に使用しているのはおもに年配の男性である。また昨今は黒や紺に限らず、赤を筆頭に様々な色のものや、刺繍を施したものなども見られるようになった。お祭りなどでは男女に限らず着用される。たとえば、オンダリビアの祭では、数十人で結成されたグループが何組も参加してアラルデという行進を行うが、その際には赤いベレー帽を着用するのが伝統である（第54章写真参照）。また、写真1では、ピロタ競技（第49章参照）の優勝者が、チャンピオンの印としてのベレー帽を授けられている。チャンピオンはバスク語ではチャペルドゥンと言うが、チャペルは《ベレー帽》、ドゥンは《〜を持つ人》の意で、まさにチャンピオン＝ベレーをかぶる人、なのである。

さて、伝統的な民族衣装は、現代では日常生活で着用されることはなく、祭やダンス・パフォーマンスの際に着用される。結婚式や様々なセレモニーで民族衣装が着用されることもほとんどないようだ。代表的な衣装は、昔の農家の男女の普段着の服装とされるものである。女性は頭に布をまき、柄物のブラウスとスカート

写真1　ピロタ競技のチャンピオンがかぶるベレー
（Uztarria 提供）

写真２　昔の農家の人を模した衣装（Uztarria 提供）

写真３　ドロワーズ（Luis Alberdi 氏提供）

にエプロンを着ける（写真2）。女子は、スカートの下にはペチコートまたはドロワーズ（写真3）を着用する。足元は、白いハイソックスに、編み上げ式のアバルカと呼ばれる靴を履く（写真4）。アバルカは以前は牛革製のものが主流であったが、現代ではゴム製のものもある。男性は頭には黒いベレー帽、首元には青いチェックのバンダナ様の布、黒いスモック風のブラウスに厚地の木綿の黒いズボン、そして女性同様に白い靴下にアバルカ、といういでたちである（写真2と5）。聖トマスの祝日（第34章参照）には農産物や畜産物の市が立つが、このような農業関係の祝祭の際には、このいでたちで参加する人びとが多く見られる。写真6は、昔の農家の人たちの正装とされるもので、女性は白いブラウスに黒いベスト、赤いスカートが特徴である。これらの

写真４　ハイソックスとアバルカ（Luis Alberdi 氏提供）

写真５　昔の農家の人のいでたちでタロを焼く男性（Uztarria 提供）

装いは、バスクの伝統的なダンス・パフォーマンスの際によく見られる。

男女ともに、ブラウス、ベスト、エプロン、スカート、ズボンを基本とした様々なバリーションが見られ（写真7）、色とりどりのプリント生地などを使い、衣装を手作りして楽しんでいる人も多いようだ。

写真６　昔の農家の人の正装
（Luis Alberdi 氏提供）

写真７　様々な伝統的衣装
（Luis Alberdi 氏提供）

写真8はアウレスクと呼ばれる、歓迎や祝福の意を表するダンスを踊る際の正装。白いブラウスに白いズボン、腰には赤い帯、登場の際には赤ベレーをかぶっているが、踊る前には脱帽し、右手に握って踊るのが正式である。このほかにも衣装のバリエーションが見られ、たとえば黒いベストをプラスしたり、黒いベレーや黒いズボンが使用されることもある。また、ベレーを被ったまま踊ることもあるようだ。

写真８　アウレスクの衣装
（Luis Alberdi 氏提供）

コラム12

# バスク地方の被差別民

友常　勉

シャビエル・サンチョテナ・アルスア（Xabier Santxotena Alsua, 1946年～）はバスク地方に居住する被差別民の系譜を引く彫刻家である。この被差別民はバスク語で「アゴト agot」、スペイン語で「アゴテ agote」、フランス語で「カゴ cagot」と呼ばれる。サンチョテナはバスク地方のナファロア州の州都イルニャから北へ60キロほどのところに位置するボサテ村で生まれ、自らアゴトの出自を明かしながら、1998年に最初の美術館・博物館を生地であるボサテの村に開設し、以来、合計三つの私設美術館・工房を運営し、自身の作品を発表している。その主題はアゴトの歴史やバスクの神話であり、同時に、ピカソの「ゲルニカ」に触発された作品群や、2011年に日本で起きた福島第一原発事故など、現代文明への警鐘である。また、近隣の子どもたちに彫刻を教える教育活動も続けている。

サンチョテナ作「命の花」（2011年の福島第一原発事故に触発された作品）

被差別民アゴトは中世賤民の末裔として、教会ではほかの村民とは異なる入口を指定され、祭礼では差別されていた。1599年にナファロアの王室顧問会議が宣告した「アゴトの伝統的な仕事」としての「恥ずべき仕事」に従えば、「井戸堀人、靴職人、肉屋、牧童、居酒屋、錠前職人、皮なめし工、産着織り工、手伝い、屠殺人（豚の去勢人）」が挙げられる。これに加えて、指物師、家具職人、大工、樵、粉ひき屋、石工、織工、太鼓たたき、さらにバイオリン、フルート、演奏などがその生業として挙げられてきた。なお、フランス領バスクにはアゴトとは別に、ロマ民族との交わりを指摘されてきたブアメ（buhame）や、漁業民・芸能民のカスカロト（kaskarot）と呼ばれる被差別民がいる。

スペイン民俗学の泰斗フリオ・カロ・バロハによれば、アゴトは「彼らは顔が大きく頬骨が出て、骨格が隆々としており、背が高い。目は青いか碧色、髪はブロンドだ。近隣のバスクの人びととはまったく似ておらず、中央か北のヨーロッパ人のようである」。

19世紀フランスの歴史家フランシスク・ミシェル（Francisque Michel, １８０９〜１８８７年）や、16世紀フランスの人文学者フロリモン・レモン（Florimond Raemond, １５４０〜１６０２年）の言葉は露骨な差別の実態を伝える。レモンによれば、「（彼らは）フランスとスペインのカゴ同士で結婚するのだ。もしも彼らと結婚しようものならそれは死罪を宣告される。短い間でもカゴの村で過ごせば村八分にされる」。

アゴトの起源には諸説あるが、差別と隔離の歴史はつぎのようにまとめられる。①16世紀後半から教会による差別・隔離が定着。②17世紀における地域社会における排除の反復。なおその際「レプラ」（ハンセン病）患者とアゴトとを同一視しようとする医学的言説が現れ、調査が行われている。③17世紀おわりに「血の純潔と高貴」を明証しようとする審問が普及、アゴトを不純なものとみなし、異民族視する。④18世紀初頭から埋葬をめぐる争論が頻発。⑤18世紀末から19世紀初頭にかけて、啓蒙主義の影響のもとで、アゴトの差別の禁止を求める執政官たちの言説が現れる。１８１７年にナファロア王国によるアゴト差別の禁止令が出ているが、差別と隔離は20世紀初頭まで露骨に存在した。サ

サンチョテナ作「マスカラ」シリーズの一つ

ンチョテナも差別的な言辞を投げかけられた経験がある。

ギプスコアのスマラガ市には、アゴトの職人集団が建設したと伝承される聖マリア教会もある。被差別民のそうした建築にアゴトの名前が刻まれているわけではない。こうした歴史の忘却に対して、サンチョテナは、自身の祖先の復権も含めて、博物館運営や彫刻活動を通して、アゴトを歴史の中に正当に位置づけようとしている。そのために、歴史史料を紹介し、アゴトの起源に関する様々な仮説を検証する歴史書も出版している（『アゴトであることの誇り』、2018年）。彼は歴史の忘却に抗い、アゴトの存在とその記憶を後世に伝え、未来の世代に委ねようとしている。

コラム13

# エルカルテ・ガストロノミコとはしご酒

吉田浩美

**【エルカルテ・ガストロノミコ】** バスク、特にギプスコアとビスカイアには「エルカルテ・ガストロノミコ」と呼ばれる施設が随所にある。「エルカルテ」は協会、クラブなどの意、ガストロノミコは「食に関する」という意味の形容詞である。すなわち「食に関することに特化したクラブ」とでもいったところである。ギプスコアでは「ソシエダデ」、ビスカイアでは「チョコ」と呼ばれている。この施設はここ数年日本でも「美食クラブ」との日本語訳のもとに紹介されているが、「美食」と言っても、決して高価で贅沢な食事をすることを主目的とした施設ではないことに注意されたい（そのような目的を持つ場合もあるが）。

さてこの施設はどのようなものか。あるエルカルテ・ガストロノミコをちょっと覗いてみよう。5階建ての建物の1階、通りに面した厚い扉を開けると、そこはレストランのような空間である。テーブルと椅子が数セット並び、大型テレビもある。右側にはバーカウンター、その後ろには厨房設備―オーブンやコンロのほか、炭火焼き用のグリルもある―が見える。その横には食料貯蔵室らしい小部屋がある。厨房では数人の男女が調理に勤しんでいるが、プロの料理人という風情ではない。テーブルではいくつかのグループが食事をしている。しかしフロアには従業員らしい人は見当たらない。そして、食材でいっぱいの袋を手にしたグループが次々とやって来る……。ここは飲食をするところではあるが、レストランではない。気の合う仲間同士で資金を出し合って設えたレストラン仕様の施設で、好きなときに食材を持ち込んで自ら調理をして飲食を楽しむところなのである。必ずしも「美食の追求」が主目的ではなく、ど

エルカルテ・ガストロノミコで食事を楽しみ、テレビでサッカー観戦に興ずる仲間たち

エルカルテ・ガストロノミコの厨房で調理に勤しむ親子

ちらかというと仲間や家族と楽しく過ごすことを最大の目的としていると言える。美味しいものを食べることは楽しく過ごすことの一部であると同時に、ときには皆が集まるための単なる「口実」に過ぎなかったりする。とはいえ、どうせ食べるなら美味しいものを、と思うのは自然なことであり、またバスク人には皆のために腕を振るいたがる料理好きな人が多いのも事実である。ギプスコアでのこのシステムは100年ほど前に始まったと言われる。その起源は一説によると、労働者が週末をともに楽しむために食堂や居酒屋に集まっていたのだが、そのうち、心おきなくいつでも飲食に使えるような場所を仲間うちで作ろうという機運が出てきたことにあるらしい。いずれにせよ、起源的には「男性の社交の場」として始まったので、未だに女人禁制のところもあり、マスコミで紹介されるときはその点が強調されがちだが、そのようなところは現在では少数派であろうと思われる。正会員（通常、開設するために資金を出したメンバー）は家族や友人とともに施設を自由に使うことができる。かくして、家族の誰かの誕生日に、何かの記念日に、サッカーの試合を皆でテレビ観戦するために、あるいはとくに何もなくても単に気分転換に、家でなくエルカルテ・ガストロノミコで昼食や夕食をとる、ということになり、とりわけ週末ともなると利用者はひきもきらない。珍しい食材を使った料理があるとグループ同士でおすそわけが始まることもよ

くあるし、食後には誰からともなく歌を歌い出し、他のテーブルの人たちも巻き込んでいつのまにか大合唱になったりもする。さて、食事が終わると、使用した食器類は洗わずに所定の場所に置きっぱなしでよい。というのは、翌朝に片付けと掃除に来てくれる人を雇っているからである。このような施設はあちこちにあり、バスクの人びとが「同じ釜の飯を食べながら楽しいときを共有する」ことをいかに重視しているかが伺える。

**【はしご酒】** バスクの酒というと、まずはワインである。食前酒として、そして食事のおともとして日々の生活に欠かせない。主な産地は3カ所ある。まずは、エリオシャである。スペイン有数のワインの産地としてのリオハ地方は、リオハ州だけでなく、バスク州のアラバ県にも一部広がっており、その部分をバスク語でアラバコ・エリオシャと言う。赤ワインがとくに名高い。ワイナリーにはレストランや宿泊施設を備えているところも多い。もう一つの産地はナファロアである。ここではとくにロゼワインが好評である。三つめは、低ナファロアにあるイルレギという地域で、フランス領バスク唯一のワインの産地である。ちなみに、バスクでは白ワインは基本的に食前酒であり、食事中に飲むことはめったにない。赤ワインとロゼワインは食前にも食事中にも飲まれる。

同じ葡萄酒でも、ギプスコアとビスカイアの沿岸部で作られる微発泡のワインはチャコリンの名で区別される。アルコール度数は10.5〜12度くらいで、ほとんどが白である。前述のように白ワインはふつう食前酒とされるが、チャコリンは食事とともにも飲まれる。最も大きな産地はギプスコアのゲタリアとその周辺であり、もともとは農家で自家用に作られていたものであるが、現在では産地呼称としての認定を受け(第58章参照)、バスクの「名物・特産品」として認知されるようになった。チャコリンの酒蔵

チャコリンの酒蔵で様々なおつまみとともにチャコリンを楽しむ

りんご酒の酒蔵。樽から直接飲んでいる様子

には、料理とともに貯蔵容器からチャコリンを直接飲ませてくれるところもある。りんご酒も忘れてはならない。りんごを発酵させて作る微発泡の酒で、アルコール度数は3〜8％くらい。秋、りんごの収穫とともにりんご酒の仕込みが始まる。1月に樽の中で飲み頃となるが、りんご酒の酒蔵では5月の初めくらいまで樽から直接飲ませてくれるサービスを行っている。このような酒蔵はたいていレストランを備えている。

さて、平日は仕事が終わる頃（午後5〜7時）から夕食までの間が「一杯やる」時間である。休日は、正午から昼食までの時間も食前酒を楽しむ時間となる。タベルナを仲間とはしごする（これをポテオ、あるいはチキテオなどと呼ぶ）のが普通であるが、食前酒としては、ワイン、ビールのほか、チャコリン、マルティーニなどが一般的である。タベルナではピンチョと呼ばれる多種多様な小さなおつまみがカウンターにずらりと並び、見た目にも楽しいことこのうえない。揚げ物や、小さな土鍋で煮込むタイプのものなど、カウンター上に出ていないつまみも豊富である。タベルナ巡りは楽しいものであるが、最近はあらゆる「在宅での楽しみ」が普及したせいか、飲み歩きの習慣は廃れつつあるという。

コラム14

## 牧羊とチーズ製造

上田寿美

バスク州の牧羊は、アラバ県のペーニャ・ラルガ岩陰遺跡で発掘された羊骨の放射性炭素年代測定から、約7700年前にはすでに始まっていたとみなされている。この牧羊における チーズの起源は不明だが、州内の三つの集落遺跡（エル・カスティーリョ・デ・エナジョ遺跡、ラ・オジャ遺跡、ロス・カストロス・デ・ラストラ遺跡）で出土したチーズ製造に使われる「型」もしくは「濾し器」の土器片により、青銅器時代や鉄器時代に日常的にチーズが製造されていたことが推定されている。復元された土器は、口縁部や胴部が簡素な円筒状を呈し、底部に多数の穿孔がある。これらの特徴は、1900年代までに使われていた木製のチーズ型と非常に類似している。

バスク州では、夏（5月頃）に低地に住む羊飼いがヒツジを高地へ移して放牧し、冬（11月頃）に彼らの住居のそばにある牧場や牧舎へヒツジを戻し飼養する正移牧が維持されている。こうした移牧の盛んな地域では、主にスペイン語でパルソネリア（Parzonería, バスク語ではパルツエルゴ Partzuergo）と呼ばれる牧草地の共有協定が結ばれてきた（コラム18参照）。中でも、600年以上の歴史をもつ「パルソネリア・ヘネラル・デ・ギプスコア・イ・アラバ Parzonería General de Guipúzcoa y Álava」は、ギプスコア県の4村（イディアサバル、セグラ、セガマ、セライン）とアラバ県の2村（ドネミリアガ、アスパレナ）の間で互いの行政区を越えた放牧を認めている。また、羊飼いによる牧草、水、薪の自由な使用を許可しているが、牧草地と森林の環境保護のために、山小屋の設置や改築に規制を設け、さらに上述の六つの村には各自割り当てられた区域の維持管理を義務づけている。

チーズ品評会で複数回の優勝経験を持つフェリクス・ゴイブル・エラスキン氏

バスク州の羊飼いは、ピレニアン乳用種に属すラチャ（Latxa）種の羊乳でチーズを作る。「ラチャ」は、バスク語に由来し、羊毛の粗野な質感を意味する。顔が黒いタイプと（薄い茶色を帯びた）金色のタイプの二つがあり、どちらも中型で長く粗い毛を持つ。原始的な品種の一つとされ、その純粋性が保たれてきた。このラチャ種の上質なチーズは、欧州連合の原産地呼称保護（PDO、第58章参照）に「イディアサバルチーズ（バスク州とナファロア州北西部で生産）」として登録されている。

チーズは、ヒツジの授乳期（1月〜5月）に作られる。一部の子ヒツジは、誕生から1カ月前後に屠畜され、凝乳酵素のキモシンを分泌する第4胃袋を取り出される。イディアサバルチーズは、この天然の酵素の使用によって得られるピリッとした風味や半硬質の食感を特徴とする。また、煙突のない山小屋で作られていた頃は調理の炉の煙で自然に燻されていたことから、燻製したものも製造されている。

オルディシアのチーズ品評会（第58章参照）の正式名称は、「羊飼いが手作りしたラチャ種の羊乳チーズ品評会」である。120年以上続くこの品評会は、ラチャ種のチーズの評価を高め、イディアサバルチーズのPDOの登録に寄与した。しかし、イディアサバルチーズには、羊飼いから購入した乳で大量に生産された製品も含まれている。そのため、イディアサバルチーズPDO統制委員会は、羊飼いが自ら育てて作ったラチャ種のチーズであることを保証する「バセリコア baserrikoa」の表示の追加を欧州連合に申請し、2017年に承認を得た。

# VI

# 古くて新しいもの
## グローバル社会の中のバスク

Iturri zaharretik edaten dut, ur berria edaten,
beti berri den ura, betiko iturri zaharretik

古い井戸から飲んでいる、新しい水を飲んでいる
つねに新しい水を、いつもの古い井戸から

—Joxean Artze
ホシェアン・アルツェ

# 42

# 「グッゲンハイム効果」

## ★美術館誘致による都市再生という投機★

トロント出身の米国人建築家フランク・O・ゲーリー（Frank O. Gehry）の設計によるビルバオ＝グッゲンハイム美術館（以下ＢＧ美術館）は、１９９７年10月に開館した。曲線を多用した斬新奇抜なデザインと、全面チタンで覆われる高度な技巧により、20世紀現代建築における最高傑作の一つとの評価を得た同美術館は、ビルボ市ならびにバスク地方の新たなランドマークとなっている。

ＢＧ美術館がその後毎年平均１００万人弱の来館者を維持すると、ビルボの風景は一変した。空路や陸路の拡充整備によるアクセシビリティ向上が求められ、宿泊・会議・展示施設等の観光ビジネス産業の振興が促されたのである。また、来館者の６割が英独仏米等の外国人ということもあり、外国語に対応可能なインフラ整備（通信網、各種案内標識、多言語能力人材養成等）が急速に進んだ。さらに、ＢＧ美術館が呼び水となって、著名建築家の手による、アートとしての付加価値を有すポストモダンな建造物が市内に相次いで建設され、不動産産業と建設・製造分野における雇用創出を生んだ。こうして、ＢＧ美術館の誘致と運営により、１９９７年から10年の間に18億ユーロのＧＤ

Pが産出されたと見積もられている。並行して、バスク州で1997年に20％近かった失業率は、2007年には5％前後まで低下した。1980年代にテロと失業と環境汚染に倦んでいたビルボ市は、「世界に開かれた文化都市」として蘇生し、住民も精神的自信を取り戻した。これら一連の現象は「グッゲンハイム効果」（「ビルバオ効果」とも）と呼ばれ、都市や地域のイメージを好転させるとともに、産業構造の変革による経済波及効果を生み出し、都市や地域を、またその住民の自負をも、再生・復活させた模範的成功例とされる。

では、なぜビルボにBG美術館が誘致されたのか。グッゲンハイム美術館は、優れた現代アートを中心に収集・展示を行う美術館として世界に名を馳せる。運営母体は、1937年に設立されたソロモン・グッゲンハイム財団（以下G財団）で、ニューヨークに本拠を置く。G財団の運営方針は、1988年にトーマス・クレンズ(Thomas Krens)が事務局長に就任すると、劇的に変化した。

ビルバオ＝グッゲンハイム美術館。後方に見えるのは、イベルドローラ・タワー

クレンズは、所蔵美術品の7割近くが倉庫に眠っている状況を見直し、展示場所を増やすほど美術館の利益率が高まると試算して、フランチャイズ方式による美術館運営に着手した。重要なのは、常設展示コレクションという「内容 contents」よりも、多種多様な美術品の展示機会を与える「箱物 container」としての美術館の魅力なのである。著名な所蔵コレクションを必ずしも持たないが、現代アートの傑作に相応しい美術館分館を建てて話題性と集客力を高

ネルビオイ川に架かる歩道橋「スビスリ」。背後に見えるツインタワーは「イソザキ・アテア」

め、グッゲンハイム美術館本館所蔵というブランド力のある美術品を巡回展示させることで、収益率を高めようというのである。

当初、クレンズはビルボ誘致案を一蹴したが、いくつかの偶然が重なり、「失業とテロ」で荒廃したビルボにおける現代アート美術館、というミスマッチがもたらす意外性と話題性に賭けることにした。しかし決定的だったのは、バスク州が徴税権を含む財政上の自治権を有していた点である。当時のG財団は多額の負債を抱えていたから、財政上の裁量権を持つ地方公共団体は、一国家の国庫と同等以上の担保と映ったのである。

一方のバスク州は、当時の疲弊した社会経済状況を早急に打開する必要に迫られていた。現代アート美術館誘致による雇用創出と産業構造転換による対外イメージ好転という構想は、願ってもない企画であった。しかも、バスク社会が、G財団との協力により、スペイン政府を介さずにグローバル社会へ参入するという構図は、バスク・アイデンティティの自負という点から、何にもまして重要であった。スペイン政府が、「新生スペイン」を誇示する1992年の3大イベント（バルセローナ・オリンピック、セビーリャ万博、マドリード欧州文化都市）を国際的に広報・支援する中で、バスク州は取り残されていただけに、なおさらそうであった。

こうして、G財団、バスク州政府、ビスカイア県政府の三者間で、1991年から1992年にかけて合意文書が数回取り交わされ、BG美術館が誘致される運びとなったのである。契約期間は開館から20年で、美術館の企画・運営・管理の権限は、すべてG財団にある。また、美術館の建造に係る経費をバスク側が支払うが、約1330万ユーロのフランチャイズ料は前払いとされた。こうして、BG美術館開館までに、1億6600万ユーロが、公庫から支払われたのである。

「グッゲンハイム効果」は、バスク地方内外で概ね肯定的に評価されている。だが、いくつかの論点があることも事実である。

変貌しつつあるビルボ市の景観。バスク保健省本部のビル

まずは、BG美術館誘致とビルボ都市再生計画との関係である。ビルボ市は、1980年代半ばから、県、州、国等の行政府と地域住民との官民協力により、独自の都市再開発計画を推進してきた。ところが、BG美術館誘致の意思決定は、この都市計画とは別に、PNV《バスク・ナショナリスト党》のごく一部とG財団との極秘交渉を経て、一方的に決定された。そこに民意はまったく反映されていない。ビルボの都市再生が成功した原因を、BG美術館誘致だけに求めることは、不当であろう。

次に、民意の不在と関連して、フランチャイズ方式ゆえに、BG美術館の管理・運営に対するバスク側の発言権が限定的である点の是非である。これは、BG美術館の誘致が、バスクのアーティストがグローバルな世界へデビューする好機となったのか、逆にグローバル世界から排除される契機となったのか、という問いにもつながる。この点は、第48章で再び触れる。

さらに、BG美術館誘致は、ビルボ周辺域の産業構造の変革にさほど影響しなかったという指摘がある。事実、バスク州の第二次産業人口比は依然3割近くを保っており、劇的にサービス産業社会に変わったとは言いがたい。30年前と異なり、ビルボを掲載しないスペイン観光ガイドブックが今や皆無なように、明らかに変わったのは、地域の対外イメージである。

最後は、公金投入に対する投資利益率の問題である。Ｇ財団や第三者の試算によれば、初期契約終期の２０１７年までに十分な利益が得られると言われてきた。ＢＧ美術館の不正経理が暴露されたりもしたが、賛否両論あるなか、２０１７年からさらに20年間の契約更新となった。この契約更新によって、「グッゲンハイム効果」に対する肯定的な評価は、少なくとも公式には確定したということになろう。

Ｇ財団は、ＢＧ美術館と前後して、フランチャイズ方式による分館設置を進めてきたが、ニューヨーク以外の分館として２０２２年現在存在しているのは、ＢＧ美術館とヴェネチア分館のみである。アブダビ分館は、当初予定より10年以上遅れて、２０２５年に開館予定である。さすれば、ＢＧ美術館誘致による都市再生が、ビルボ以外の都市にも適用できる新たな「地域再生モデル」たりうるかどうか、という点では、「グッゲンハイム」効果はビルボ特有の現象とみなすのが、現時点では適切であろう。

ちなみに当のＢＧ美術館では、欧州基金の支援を受けて、２０２６年頃を目処に「第2ＢＧ美術館」を「ウルダイバイ河口生物圏保存地域（ユネスコエコパーク）」に開設する計画が進行中である。その発意は、Ｇ財団というよりも、ＰＮＶが主導するビスカイア県政府にある。どのような意思決定過程が踏まれるのか、そこに民意は反映されるのか、再び論議を蒸し返すことは間違いない。（萩尾　生）

# 43

# 対外活動

## ★国家を介さないディプロマシー★

人、モノ、資金、情報の国境を越えた移動が加速化するグローバル化の時代において、国境を越えた人の営為を律する主体が、超国家的な国際機関であったり、国家内の地方政府であったり、一国家の中央政府に限られない状況が生まれている。この点バスク地方では、バスク州政府の先導力が際立っている。

バスク州政府が国際的な活動を各種施策に本格的に導入する契機となったのは、1986年のスペインEC加盟を踏まえて、ベルギーのブリュッセルに州政府代表部を設置表明した時にさかのぼる。内戦後の亡命バスク政府の経験は、こうした在外公館の開設を円滑に実現させたと思われる。

ところが、この措置に異議申し立てを行ったのがスペイン政府であった。というのは、憲法第149条において、「国際関係」は中央政府の排他的専管事項と規定されているからである。しかし、その後憲法裁判所での係争を経て、相手側との約束に必ずしも縛られず一方的に働きかけることのできる「対外活動」は、国家間の条約などによって規定される拘束的な活動である「国際関係」と異なり、州政府の所轄事項に含めることが容認されたのであった。

こうして、1993年のこの判決以降、スペイン各地の州政府代表部が、海外に相次いで設置されていった。この対外活動は、今日の「ソフト・パワー」や「パブリック・ディプロマシー」に通じる考え方で、実際、スペイン各州政府の対外活動が経済や文化の領域を中心に展開している。

その後2014年3月の「国家の対外活動事業に関する法律」により、スペイン政府は、とくに州政府のEU域外での活動に関し、中央政府への事前届出や許可を求めるようになった。とはいえ、サブナショナルな政治行政単位の国境を越えた活動をもはや後戻りさせることはできず、現実には国際関係と対外活動の区分は曖昧になってきている。なお、この法律発布に関連して、バスクとナファロアの二つの州政府は、「歴史的権利」（第20章参照）の範囲内で、スペイン政府代表団とともに「国際関係」活動に参画できる権利を得ている。

そしてこの2014年に、バスク州政府は「バスク地方の国際化戦略枠組2020」を策定し、「Basque Country」という呼称の国際ブランディングに着手した。以来、州の対外活動は4年ごとにアップデートを重ね、戦略的に進展しているが、その司令塔は、州政府内閣府に設けられた組織横断的な「対外活動事務総局」である。現在の戦略枠組は、2021年に発表された「対外活動プラン2025」であり、①バスク地方の国際的プレゼンスの向上、②社会経済基盤の国際化、③EUの諸事業への参加、④地球規模の課題解決への貢献、⑤グローバルなバスク・コミュニティの構築、の五つの戦略軸が建てられている。

バスク州政府は、国外に七つの代表部を構える〈表1〉。国連本部のあるニューヨーク、EU諸機関が在するブリュッセル、そしてOECDやユネスコ等の国際機関が集まるパリでは、各種ロビー活

〈表1〉 バスク州政府の対外活動の優先国／地域

| 領域 | 優先国 | 優先地域 | 州政府代表部設置都市 |
|---|---|---|---|
| ヨーロッパ | ドイツ<br>デンマーク<br>フィンランド<br>フランス<br>英国<br>スウェーデン | フランス領バスク地方<br>バイエルン州（ドイツ）<br>スコットランド（英国）<br>フランデレン地域（ベルギー）<br>ウェールズ（英国） | ブリュッセル（ベルギー）<br>パリ（フランス） |
| 南北アメリカ | アルゼンチン<br>カナダ<br>チリ<br>コロンビア<br>米国<br>グアテマラ<br>メキシコ<br>ペルー | クンディナマルカ県<br>(コロンビア)<br>ケベック州（カナダ）<br>ケレタロ州（メキシコ）<br>ミネソタ州（米国）<br>ニューファンドランド・<br>ラブラドル州（カナダ） | ニューヨーク（米国）<br>メキシコシティ（メキシコ）<br>ボゴタ（コロンビア）<br>ブエノスアイレス<br>(アルゼンチン)<br>サンティアゴ（チリ） |
| アジア | 中国<br>日本<br>インド | 江蘇省（中国） | |
| アフリカ | 南アフリカ | クワズール・ナタール州<br>(南アフリカ) | |

(筆者作成)

動が展開されている。中でも2021年にパリで開催されたCOP21気候変動サミットへの積極的参加は、バスク州政府の国際的存在感を高めるきっかけとなった。一方、ラテンアメリカ諸国のメキシコシティ、ボゴタ、ブエノスアイレス、サンティアゴの代表部では、バスク系同胞コミュニティを関与させた社会経済活動が重視され、「バスク・ディアスポラの日」（コラム9参照）の制定などが実現している。

また、バスク州政府は、対外活動における18の優先国と12の優先地域を設定し（〈表1〉。2021年現在）、国・地域ごとに梃入れする分野を差異化している。たとえば、日本との関係ではガストロノミーと文化活動が重視され、中国の江蘇州の場合はバスク系企業の現地進出と市場開拓、米国ミネソタ州の場合は職業訓練、メキシコとの関係では医療保健、チリの場合は農業が、それぞれ重視されている。さらにまた、多文化主義を実践するカナダのケベック州や、政治的独立志向の高まるスコットランドなど、バスク州と似たような立場にあって地域的・民族的アイデンティティを高唱している連邦制国家の州政府との間では、二者間協定がしばしば締結され、より緊密で実効性の高い互恵関係が期待されている。

こうして、２０１０年代半ばから今日までの間に、バスク州内には、50を超える国の（総）領事館が設置されるに至っている。

バスク州政府が担うのは、対外活動の政策大枠を立案するところにあり、原案が州議会での議論を経て立法化された後は、様々なアクターが政策を実施することになる。そうした実施機関として重要なのが、州政府の財政補助の下、公共的な性格を帯びた以下の四つの民間組織であろう。

まずは、１９８１年に設立された「バスク州経済開発公団（ＳＰＲＩ）」である。バスク系企業の海外進出と貿易振興による国際競争力の強化を目指し、アフリカとオーストラリア以外の3大陸に計16の海外拠点を設置し、80以上の国に関するマーケティング専門家を抱える。今世紀に入ってからは、イノベーションの創出を目指して、海外のベンチャー企業のバスク州への誘致にも力を入れている。州内に3カ所設置されたテクノパークやサイバーセキュリティー・センターも、ＳＰＲＩグループに属する。なお、２０１７年には、同グループ傘下に貿易投資事務所（ＢＴＩ）を新たに設置してバスク企業の海外進出を支援し、２０２２年には東京にもそのオフィスが開設された。

二つめは、バスク語とバスク文化の対外普及を使命とする「エチェパレ・バスク・インスティテュート」である。2007年に設立されたこの組織は、海外に事務所を置かない。同組織の助成金が支援するのは、18国36の高等教育機関（2022年度）におけるバスク語・バスク文化の寄付講座開設と講師派遣、在外バスク系同胞コミュニティにおけるバスク語教育、バスク語文学の翻訳出版助成、伝統的というよりも現代的なバスク文化活動（絵画、彫刻、映画、音楽、舞台芸術等）の海外興行である。

このほか、比較的新しい組織として、観光業振興のための「バスク・ツアー」と、バスク人スポーツ選手の国際競技大会におけるロジスティクスを支援する「バスク・チーム財団」の2組織を挙げておく。

バスク州政府は、2021年度から2025年度までの5年間に、計6348万ユーロの対外活動予算を計上している。州政府の対外活動については、国際発信力の高い外国人を「親バスク派」として囲い込み、いざバスク独立国家樹立という段に国際世論の支持を得ようとしている、という見解がある。しかしその一方で、一国家に準じた対外活動を実践していることが、バスク州政府の政治的独立志向を相対的に緩和させている、という見立ても不可能ではなかろう。

（萩尾　生）

# 44

# バスク語環境の近代化

## ★古くて新しい言語へ★

**【標準語の整備】** バスク語は話者が少なく話される領域も狭いにもかかわらず、方言が多く、また方言間の差異も小さくない。一方、言語政策をとれるような民族的統一国家を持ったことがないため、どの方言の話者にも共通に通じる、標準語的なバスク語は長いこと確立されなかった。したがって、歴史を通じて行われてきたバスク語による著述も各筆者が自分の方言で、スペイン語やフランス語の綴り方を手本にして行ってきた。そのような状態が続くなか、1960年代に、バスク語アカデミーが共通語としてのスタンダードとなるバスク語、エウスカラ・バトゥア（一つになったバスク語の意。以下、「共通バスク語」とする）の制定に着手する。共通バスク語は方言差の激しい動詞や名詞などの活用形・曲用形を統一し、正書法を定め、読み書きに不足なく使えるバスク語を目指したものである。語彙については各方言のものが取り入れられた（そのため類義語が多くなっている）。現在、公の文書や出版物は原則として共通バスク語で書かれており、ラジオやテレビのバスク語も原則共通バスク語である。教育の場でも、共通バスク語で書かれた教科書を使用し、「国語」の授業で習うバスク語も共通バスク語である。しかし、バスク語による教育を受ける機会がなかった年配者の中には共通バスク語を習得していない人が多く、日常の話しことばは世代を超えて依然として地域ごとの方言が主流である。また、各自の方言に対する誇りもおおむね高いと言える。いずれにせよ、共通バスク語の創造により書きことばのスタンダードが確立されたことは、バスク語の近代化にとって大きな進歩であったと言える。

**【ITとバスク語】** あらゆる分野でバスク語を使って活動ができるように、専門用語の整備も行われてきた。その仕事を中心的に担ってきたのがウセイ（UZEI）という非営利団体である（1977年設立、1987年よりバスク州政府の外郭団体となる）。ウセイは、医学、物理学、哲学、心理学などの学術分野だけでなく、法律、行政、経済、スポーツ、さらには飲食業、観光業、製紙業、アパレル業など、あらゆる分野・業種におけるバスク語の語彙を整備し辞書を編纂してきた。しかも刻々と変化する時代に合うようにつねにアップデートが行われている。その語彙の蓄積はエウスカル・テルム（EUSKALTERM）という名でネット上に公開されており、あらゆる語を検索することができる。近年注目すべきはIT関連の語彙の整備であろう。新しい分野であると同時に、限られた専門家だけでなく広く一般の人びとも日常的に触れる分野であるだけに、その意味は大きい。〈表1〉に例を掲げる。このような時代の最先端を行く語は他言語のものをそのまま取り入れるのが最も容易な道であり、実際に話しことばではそうした語も多用されるが、書きことばを含め正式な場での使用にも耐えるように、可能なかぎりバスク語としての語を整備しておくことが重要であるとの考えが根底にある。また、エウスカルバル（Euskalbar）という便利なPC用ツールもある。これをダウンロードすると、つねにツールバーにバスク語の複数の辞書がメニューとして現れ、手軽に多くの辞書にアクセスすることができ

〈表1〉 インターネット関連の語彙

[　] 内におおよその読み方をカタカナで示す。以下で言う「バスク語的要素」とは、元来バスク語であるもの、または古くからの借用語（外来語）で現代では借用語（外来語）であるとの意識が薄れているものを指す。

| ①他言語から借用した語をそのまま用いるか、他言語からの借用要素を用いているもの |
|---|
| 名詞：aplikazio［アプリカシオ］アプリケーション。Internet［インテルネト］インターネット。blog［ブログ］ブログ。software［ソフウェル］ソフトウェア。posta elektroniko［ポスタ　エレクトロニコ］電子メール。e-posta と略すことも。<br>動詞：instalatu［インスタラトゥ］インストールする。nabigatu［ナビガトゥ］あちこち検索する。tuiteatu［トゥイテアトゥ］ツイートする。txateatu［チャテアトゥ］チャットする。klikatu［クリカトゥ］クリックする。※これらは、いずれも他言語から借用した動詞語幹に動詞を形成する語尾 -tu を付した構成。 |
| ②他言語の要素とバスク語的要素を組み合わせたもの |
| ordenagailu［オルデナガ（イ）リュ］コンピュータ。ordena- はロマンス語から、gailu は《機器》を表すバスク語的要素。web-gune［ウェブ・グネ］ウェブサイト。英語の web とバスク語の gune《場所、地点》を組み合わせたもの。e メールアドレス：helbide elektroniko［エルビデ エレクトロニコ］elektroniko《電子の》はスペイン語からの借用語、helbide は《宛先、アドレス》。telefono mugikor［テレフォノ　ムギコル］／sakeleko telefono 携帯電話。telefono はスペイン語から。migikor は形容詞《移動できる》、sakeleko は《ポケットの》。ただしスペイン語の mobil［モビル］も通用している。telefono adimendun［テレフォノ　アディメンドゥン］スマートフォン。adimendun は形容詞《情報処理能力を持つ》。ただし smart phone［スマルフォン］も通用。 |
| ③バスク語の要素によるもの |
| sare［サレ］ネットワーク。「網」を意味する名詞。etxeko orrialde［エチェコ オリアルデ］ホームページ。etxeko《家の》、orrialde《ページ》。bilaketa tresna［ビリャケタ トレスナ］検索エンジン。bilaketa《探索》、tresna《道具》。eguneratu［エグネラトゥ］アップデートする。egun《日》に《〜へ》を表す語尾 -era と動詞を作る語尾 -tu が付いた形で、直訳すると「こんにちへ向かう／向ける」。igo［イゴ］アップロードする。jaitsi［ハイチ］ダウンロードする。saioa hasi［サイオア アシ］ログオンする。saioa amaitu［サイオア アマイトゥ］ログオフする。saioa は saio《セッション》に絶対格単数語尾 -a が付いた形、hasi は《始める》、amaitu は《終える》を表す。 |

る。

また、電子メールの普及とともに、バスク語でもメール特有の「省略形」（短縮表記）が出現している。〈表2〉に一例を掲げる。これらの短縮表記は、2003年にサスピアク・バットマンというグループにより冊子にまとめられて刊行されている。よく使われるのは、挨拶など使用頻度の高い語や句、文に限られているようである。省略の仕方は、英語などにも見られるように、文や句であれば、それを構成する単語の頭文字を取って並べたり、語であれば、おおむね母音の省略によっている。

（吉田浩美）

〈表2〉メールで用いられる短縮表記の一例

| 短縮表記 | 元になる語・文 |
|---|---|
| ① zmz? | Zer moduz zaude?［セル　モドゥス　サウデ］《元気ですか？》口頭でもメールでも、欠かせない挨拶である。 |
| ② nd | ondo［オンド］《元気で、良く》。上の質問に対する答えとなる。 |
| ③ mx | muxu［ムシュ］《キス》。結びの挨拶として“muxu bat”（bat［バット］は《一つ》）などの形でよく使われる語である。 |
| ④ bn | baina［バイニャ／バイナ］《しかし》。 |
| ⑤ 2ar | bihar［ビアル］《明日》。数字の2がbi［ビ］なので、これを利用して綴りのbiを2で代用する。 |
| ⑥ i2li | ibili［イビリ］《歩く、暮らす》。この2も⑤と同じである。 |
| ⑦ rdtn | ordutan［オルドゥタン］《〜時に》。直前にzer［セル］《何》をともない、zer ordutanの形で《何時に？》を表す。 |
| ⑧ zrtn | zertan［セルタン］《何において」 |
| ⑨ gtx | gutxi［グチ］「わずかな」 |

# 45

# バスク語文学の新たな地平

★話しことばから書きことばの芸術へ★

書きことばによるバスク語の文芸に目を向けてみよう。

口承文芸は古くからあったが、最初に印刷・出版されたバスク語による作品は、現在確認されているところでは、1545年にボルドーで出版された、司祭ベルナト・エチェパレの『リングアエ・バスコヌム・プリミティアエ Linguae Vasconum Primitiae』《バスク初文集》である。宗教、恋愛、バスク語賞賛の三つの部分から成り、いずれも韻文詩である。以降、コンスタントにバスク語での文芸作品が著されるが、世紀前半までは、作家には聖職者が多いこと、内容的には宗教的、教訓的なもの、バスク語や古くからのバスク的なことがらを賞賛するものが多いことが特徴である。

エチェパレから20年ほど後のレイサラガによる新約聖書翻訳などを経て、17世紀にはラプルディを中心に文学の開花期を迎え、司祭であったペドロ・アゲレ、通称アシュラルが現れる。代表作『ゲロ Gero』《あとで》（1643年）は「今日できることを後回しにすることの弊害」を説いた散文である。その文体は純粋、優雅にして模範的であるとされ、「バスク語文学における真の傑作」と評される。

19世紀には、ファン・アントニオ・モゲル（Juan Antonio Mogel）が、バスク語による最初の「小説」とみなされる『ペル・アバルカ Peru Abarka』（1802年に書かれ、1881年に出版）を著す。モゲルはバスク人農夫ペルを通して農家の暮らしを描写しつつ、農民の話す純粋なバスク語こそが手本であると説いている。ビスカイア方言で書かれ、言語的にも貴重な資料となっている。

ドノスティア市のエルカル書店の内部

そして19世紀を迎えるが、バスクは二つのカルリスタ戦争に敗れ地方特権を失った。政治的、社会的にどん底に落ちたような雰囲気の中で、バスク民族としてそのアイデンティティを示すために何かをしなければ、という風潮が生まれた。そんな中で、バスク語アカデミーの創設にも関わったチョミン・アギレ（Txomin Agirre）は、ビスカイア方言で海辺の町の漁師の世界を描いた『クレサラ Kresala』《潮》（1906年）を書き、ギプスコア方言で山の農家の生活を描いた『ガロア Garoa』《羊歯》（1912年）を著した。詩では、ホセ・マリア・アギレ（Jose Maria Agirre）、通称リサルディ（Lizardi）が現れ、ニコラス・オルマエチェア（Nikolas Ormaetxea）、通称オリシェ（Orixe）が現れる。オリシェはナファロアの村の四季折々の習慣や行事を描いた民族叙事詩『エウスカルドゥナク Euskaldunak』《バスク人たち》（1934年には完成、スペイン内戦を経て1950年に出版）を書いた。

内戦後はあらゆる側面で近代化が進むが、バスク語をとりまく環境も例外でなく、農業に従事する人、漁師として海に糧を求める人が中心であったバスクの人びとの間にも都市在住者が増加した。加えて教育機会の平等化が進むにつれ、教養を身につけた都市生活者という新たな「読者層」が生まれることとなる。その一方で、フランコ体制下でバスク語の存続自体が危機にさらされることになるが、そんななか、バスク語で教育活動を行う学校であるイカストラが各地で密かに作られるようになる。これがまず「バスク語で書かれた書物の需要」を掘り起こし、さらにバスク語の各方言の話者の相互理解のために「共通のバスク語」の必要性がいよいよ高まり、1968年にバスク語アカデミーが共通バスク語の制定に着手することとなる。

そのような気運のなか、ホセ・ルイス・アルバレス、通称チリャルデギ（1929〜2012年）による『レトゥリアレン　エグンカリ　エスクトゥア Leturiaren egunkari ezkutua』《レトゥリアの秘密の日記》（1957年）が世に出る。これは都市生活者を主人公とした初の小説とされ、また「バスク語文学における小説の真の始まり」を示すものと言われた。チリャルデギは言語学者でもあり、バスク語アカデミー会員であった。

そして1969年に、バスク語文学におけるエポックメイキング的な作品と言える、ラモン・サイサルビトリア（Ramon Saizarbitoria, 1944年〜）の『エグネロ　アステン　デラコ Egunero hasten delako』《毎日始まるのだから》（1969年）が世に出る。これは、バスク語やバスクそのものを擁護・称揚することだけや、特定のテーゼを主張することを目的としたものではない、より普遍性のある文学として高く評価された。この後、バスク語の小説は、質・量・多様性の面で大きく向上していくこととなる。

サイサルビトリアは１９７６年には『エウン・メトロ Ehun metro』《１００メートル》を発表する（フランコ体制下で出版が遅れた）。ＥＴＡの若者が当局に追われて逃亡する最後の１００メートルを描いたもので、テーマそのものもさることながら、それを描写する、コラージュを思わせる映画的手法、様々な語り口を駆使したドキュメンタリー的手法がバスク語文学の新たな息吹を感じさせる斬新なものとして衝撃を与えた。

以来、バスク語文学界には質の高い作家たちがコンスタントに活躍しているが、紙幅の関係からここでは中堅・若手から６人の名を挙げるに留める。

アンヘル・レルチュンディ

アンヘル・レルチュンディ（Anjel Lertxundi, １９４８年～）は小説、児童文学、エッセイにおいて多くの作品を発表し続けており、２０１０年には『エスカルメントゥアレン パペラク Eskarmentuaren paperak』《教訓の役割》（２００９年）がスペイン国民文学賞エッセイ部門で受賞。また、代表作『オチョ ペチエ Otto Pette』《ペチエおじさん》（１９９４年）は伝染病が蔓延する中世の架空の都市を舞台に人間の運命について描いた小説で、数カ国語に翻訳されている。さらに映画監督としても自作の小説・脚本に基づき2本の作品を撮っている。

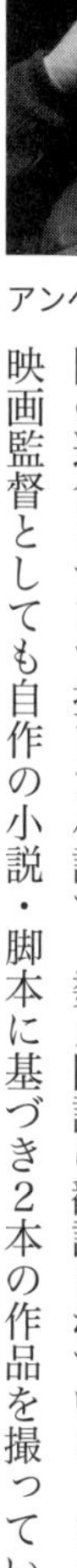

ホアン・マリ・イリゴイエン

ベルナルド・アチャガ

バスク語アカデミー準会員でもある。

ホアン・マリ・イリゴイエン（Joan Mari Irigoien, 1948年〜）は、『バビロニア Babilonia』（架空の農家の家号）（1989年）、『オルベタラク Orbetarrak』《オルベ家の人びと》（三部作、2008〜2010年）のようなある一族の数代にわたるサーガである大河小説的なものから、現代を舞台にしたもの、ユーモラスな作風のものまで、多くの作品を世に問い続けている。

ベルナルド・アチャガ（Bernardo Atxaga, 1951年〜）も児童文学、詩、戯曲、エッセイなど幅広く手がける作家であり、代表作である連作短編集『オババコアク Obabakoak』《オババの人びと／ことども》（1988年）は数言語に翻訳されているだけでなく、1989年度スペイン国民文学賞小説部門で受賞した。ミュージシャンとのコラボレーションにより音楽と自作の文芸作品を結びつけた作品もある。バスク語アカデミー会員。

マリアスン・ランダ（Mariasun Landa, 1949年〜）は精力的に児童文学作品を発表し続けている。2003年には『クロコディリョア オエ アスピアン Krokodiloa ohe azpian』《ベッドの下のワニ》でスペイン国民文学賞（児童文学部門）を受賞した。

彼らの後の世代を担う若い作家も台頭してきている。ウナイ・エロリアガ（Unai Elorriaga, １９７３年〜）は処女作『エセペラコ トランビア SPrako tranbia』《ＳＰへの電車》（２００１年）で２００２年度スペイン国民文学賞小説部門でバスク語作家２人目の受賞者となる。創作のほか翻訳も多く手がけている。キルメン・ウリベ（Kirmen Uribe, １９７０年〜）は、児童文学、詩集、エッセイなどを執筆し、いずれも高い評価を得ている。処女小説『ビルバオ―ニューヨーク―ビルバオ Bilbao–New York–Bilbao』（２００８年）では２００９年度スペイン国民文学賞の小説部門で受賞している。これは日本語にも翻訳されている。また、音楽や映像などを組み合わせた独自のパフォーマンスも行っている。

アルカイツ・カノ（Harkaitz Cano, １９７５年〜）は精力的に作品を発表し続けている若手の作家である。代表作『トゥイスト！ Twist!』（２０１１年）は実際に起こった「ラサ・サバラ事件」（１９８３年、ＥＴＡのメンバーのＪ・ラサとＪ・サバラが亡命先のフランス領バスクでＧＡＬ《解放のための反テロリスト集団》に拉致・監禁され、拷問の末に殺害された）に題材を得たもので、２０１２年のバスク文学賞を受賞している。

このように、現代の作家たちは、限られた一つの分野に留まるのではなく、あらゆる分野で文芸活動を行い、さらには公の機関でバスク語と文学の普及のために献身するなど、バスク文化に広く影響を与える存在となっている。

（吉田浩美）

# 46

# リテラシーとメディア

## ★バスク語による情報の授受★

１５４５年に『バスク初文集』（第10章、第45章参照）が出版されるまで、バスク語で読み書きする習慣は、ほとんどなかったようだ。バスク人の地域的／民族的自治の根拠として参照されるフエロ（第９章参照）にしても、ロマンス系諸語で起草され、バスク語で記述されることは、２言語主義が確立する20世紀後半までなかった。

フランスでは、１５３９年のヴィレール・コトレ勅令が、フランス語を法廷や公証人文書などにおける公用語に定め、１６３５年に創設されたアカデミー・フランセーズがその権威づけを担った。スペインでは、ネブリーハが『カスティーリャ語文法』（１４９２年）を通して、「帝国の伴侶」たるカスティーリャ語（スペイン語）という考えを提示したが、その規範化を目指す言語アカデミーの創設は、遅れて１７１３年のことであった。その後フランスでは、革命以降、学校、教会、軍隊などを通じて、フランス語教育とフランス国民化が徹底されていく。フランスほどの中央集権化を達成できなかったスペインでも、１８５７年のモヤーノ法により初等教育が義務化され、教員任命権が中央政府に付与された。

〈表1〉バスク語で書かれた出版物の点数の経年推移（1545〜1994年）

| 発行時期 | 1545〜1699 | 1700〜1875 | 1876〜1935 | 1936〜1975 | 1976〜1994 |
|---|---|---|---|---|---|
| 出版総点数 | 52 | 671 | 1,422 | 1,733 | 12,525 |
| うち初版本の発行点数 | 36 | 290 | 1,105 | 1,626 | 10,248 |
| 初版本に占める宗教的内容の著作の割合（%） | 83.3 | 77.9 | 41.9 | 24.0 | 3.5 |
| 初版本に占める教育関連書・児童書の割合（%） | 0.0 | 2.4 | 2.2 | 18.7 | 50.7 |

出所：Joan Mari Torrealdai, *Euskal kultura gaur*, Jakin, 1997, pp. 54-57より作成。

以上のことがらは、バスク語の衰退を助長したが、それに抵抗してバスク語の復興を求める社会的潮流も、歴史上何度か起こった。とりわけ、1919年に創設されたバスク語アカデミーは、バスク語の規範とその社会的地位に対して、様々な是正措置を講じた。フランコ体制下でカトリック教会の庇護下に提案した「共通バスク語」は、その一例である。こうして、バスク語の読み書きという営為は、フランコ独裁の抑圧を乗り越えて、バスク社会に浸透した。

バスク語で書かれた書籍出版点数は19世紀後半より漸増し、フランコ体制崩壊後に急増する〈表1〉。19世紀末までは、大半が宗教的内容の書籍であったが、今日では、その割合は全体の3%に満たない。

2020年現在、バスク出版協会（EEE）によれば、バスク語による書籍（ISBNを有する書籍に限る）を発行する出版社や出版局が、バスク地方の内外に、官民合わせて計135存在する〈表2〉。この年に刊行されたバスク語書籍点数は2055点、発行部数は273万部に達し、売上高は3974万ユーロにのぼる。書籍の39・5%は高等教育段階以前の教材で、26・6%が児童幼児文学作品である。出版書籍の中に占める教材の割合の高さは、スペイン語（18・1%）、カタルーニャ語（27・0%）、ガリシア語（17・4%）で書かれた書籍の事例と比べても、抜きんでている。

〈表2〉バスク語で出版物を発行している出版社／出版局の数（2020年）

| 出版社／出版局の所在地 | 民間の出版社 | 公的機関の出版局 | 計 |
|---|---|---|---|
| バスク州 | 57 | 14 | 71 |
| ナファロア州 | 5* | 2 | 7 |
| 仏領バスク地方 | 9 | 0 | 9 |
| カタルーニャ州 | 13 | 0 | 13 |
| マドリード州 | 16 | 0 | 16 |
| その他 | 19 | 0 | 19 |
| 計 | 114 | 16 | 135 |

*うち2つは、バスク州の出版協会に所属。
出 所：Eusko Jaurlaritza, *Euskarazko argitalpenei buruzko XVI. txsostena (2020)*, 2021. に基づき筆者作成。

新聞に関しては、バスク州で購読されている主な一般紙（スポーツ紙を除く日刊紙）は、三つに分類可能である。一つ目は、マドリードで発行されている全国紙で、社会民主主義志向の『エル・パイース El País』と、リベラル右派の『エル・ムンド El Mundo』が代表格である。

二つ目は、マドリードの政界・財界との結びつきが強い保守的な地方紙である。ビスカイア県とアラバ県で普及する『エル・コレオ El Correo』（1937年〜）と、ギプスコア県に本拠を置く『エル・ディアリオ・バスコ El Diario Vasco』（1934年〜）が典型例である。これら2紙は、保守系右派全国紙の『ABC』と同じボセント・グループ傘下にある。

そして三つ目は、バスク・ナショナリズムとの親和性が高い地方紙である。ノティシアス・グループは、ビスカイア県で『デイア Deia』（1977年〜）を、ギプスコア県で『ノティシアス・デ・ギプスコア Noticias de Guipúzcoa』（2005年〜）を、アラバ県で『ノティシアス・デ・アラバ Noticias de Alava』（2005年〜）を発行する。『デイア』は穏健中道右派のPNV寄りで、残り2紙は穏健中道左派路線に位置づけられる。一方、バスク独立を主張する急進左派の論調を掲げるのが『ガラ Gara』（1999年〜）であり、バスク語一言語の日刊紙である『ベリア Berria』（20

03年～）は、進歩的左派とされる。2紙ともにバスク7領域に販路を持つ。なお、『ガラ』と『ベリア』は、それぞれ『エギンEgin』（1977～1998年）と『エウスカルドゥノン・エグンカリアEuskaldunon Egunkaria』（1990～2003年）の、事実上の後継紙である。これらの2紙は、ETA寄りだという理由で、1998年と2003年にスペイン当局の発行停止処分を受け、編集者らが逮捕された経緯を持つ。しかし、2009年と2010年に、各々の案件に対して、発行停止処分の無効と逮捕者の無罪判決が出されている。

ナファロアでは、ナバリスモを標榜するUPN《ナバーラ人民同盟》に近い『ディアリオ・デ・ナバーラDiario de Navarra』（1903年～）とノティシアス・グループの『ノティシアス・デ・ナバーラNoticias de Navarra』（1993年～）が普及している。北バスクでは、ボルドーで発行される地方紙『シュド・ウエストSud Ouest』（1944年～）が圧倒的シェアを占める。その寡占状況に挑んだバスク・ナショナリズム寄りの『バスク地方ジャーナルLe Journal du Pays Basque』は、2001年から2013年まで刊行された後、ウェブメディアの『メディアバスクMediabask』（2014年～）に引き継がれた。

スペイン出版組合連盟（FGEE）の2020年データによると、「読む」行為に関して、バスクとナファロアの二つの州民は、スペインの中でもマドリード州に次いで、読書の頻度が高い。しかし、普段読む言語としてバスク語を筆頭に挙げる者の割合は、バスク州で34%、ナファロア州では8・7%にすぎない。ちなみに、2019年と2020年にスペインで最も読まれた書籍は、2年続けてフェルナンド・アランブルの『祖国』であり、最も読まれた作家は、これまた2年続けてドロレス・

レドンドであった。２人ともドノスティア市の出身だが、バスク語ではなく、スペイン語で叙述する作家である。

視聴覚メディアはというと、バスク地方には50を超えるラジオ放送局が林立する。紙幅の制約上、バスク語のみの放送を行う老舗局に限ると、バスク州の「エウスカディ・ラジオ Euskadi Irratia」（１９４６年〜）、ナファロア州の「エウスカル・エリア・ラジオ Euskalherria Irratia」（１９８８年〜）、ラプルディ地方の「われらがラジオ Gure Irratia」（１９８１年〜）、低ナファロア地方の「イルレギ・ラジオ Irulegiko Irratia」（１９８１年〜）、スベロア地方の「スベロアの声 Xiberoko Botza」（１９８２年〜）が挙げられる。この中ではエウスカディ・ラジオのみ公共放送である。１９４６年にフランス領バスク地方で誕生し、１９６５年からベネズエラに拠点を移し、反フランコの主張を行ってきたが、１９８２年に「エウスカディ・テレビ（ＥＴＢ）」とともに、「バスク・ラジオ・テレビ局（ＥＩＴＢ）」に統合された。ＥＴＢは４チャンネルを有し、うち一つがバスク語のみの放送である。現在は、衛星放送を通じて、世界のバスク・ディアスポラ社会でも受信可能である。

以上のバスク語メディア産業を俯瞰できる絶好の機会が、１９６５年に始まり、今日まで途切れず、毎年末にドゥランゴ市で開催されている「バスク語書籍・ディスク市」であろう。なお、目下のスペインでは、ＩＳＢＮとＩＳＳＮを付与する権限を中央政府からバスク州政府に移譲しようという議論がある。

それにしても、近年のＩＣＴ技術の急速な革新は、メディアの有り様を大きく変容させつつある。かつて活版印刷術の出現が読む行為のあり方を抜本的に変革したように、今日ではデジタル化とサイバー空間の進展が、書籍や新聞・雑誌のような紙媒体メディアのみならず、テレビやラジオのような視聴覚メディアにおいても加速度的に進行している。しかも、２０２０年に始まったパンデミックにともなう移動制限は、情報のデジタル化とサイバー空間の拡大にさらなる拍車をかけた。

「チキペディア」の HP。2022 年 10 月現在、文化、伝記、地理、社会、歴史、自然、科学の 7 分野で、計 5,010 の記事項目が掲載されている

サイバー空間におけるバスク語のプレゼンスを高める動きは、１９９１年に開設されたバスク語版ウィキペディアに始まり、２０１４年にトップレベルドメインの「.eus」が導入されると、大いに勢いづいた。現在では、「ウィキラリア Wikilaria」（英語のウィキペディアン Wikipedian）と呼ばれる有志から成る文化団体が、バスク州政府と協定を結び、ウィキペディアを通してバスク語を用いた情報発信に邁進している。こうしてバスク語版ウィキペディアは、２０１９年に記載項目数が世界第29位に位置づけられるまで成長した。一般に、ウィキペディアの記載内容に対しては、エディターの匿名性ゆえに、その信頼性にしばしば疑念が呈されている。この点、ウィキラリアの主体は学生だが、情報の質を担保すべく有識者の参加・支援もあり、中には本名を公開している人もいる。また、次世代に対するバスク語による教育という観点から、8歳から13歳の児童向けの「チキペディア Txikipedia」（チキ txiki はバスク語で《小さい》の意味）が新たに開設されている。繰り返すが、情報伝達・受容のあり方は、劇的に変わりつつある。

（萩尾　生）

# 47

# 現代の「バスク音楽」事情

## ★「エス・ドク・アマイル」以降★

「バスク音楽」というジャンルは存在するだろうか。バスク語による歌曲のうち、現存する最古の録音は、1900年のパリ万国博覧会に出展された蠟管録音である。事実、19世紀以来、西欧の民族誌学者たちは、バスク地方の民謡を幅広く採譜してきた。こうして、ベルチョラリ（即興歌人）（第38章参照）の詠唱に見られるような独特の拍や節回しが記録され、チストゥ（3本穴の縦笛）、チャラパルタ（2人1組で奏でるミニマル打楽器）、アルボカ（二つの管を有する牛の角笛）、トリキティシャ（ボタン式ダイアトニック・アコーディオン）といった特色ある楽器の存在も明らかになった。しかし、これらの特徴ある旋律や楽器がバスク固有のものかというと、必ずしもすべてがそうではない。「バスク音楽」の明確な定義はない。「同時代または伝統的バスク社会の特徴を反映しながら、バスク地方にルーツを持つ人びとによって創造される音楽」として、漠然と理解されているのが実情だ。

現代バスク地方の音楽事情を語る上で無視できない潮流が、少なくとも三つある。1960年代半ばに興った「新しいバスク語の歌」、1980年代に生まれた「バスク・ラディカル・

ロック」、そして１９９０年代以降のバスク版「ワールド・ミュージック」である。

音楽史上、１９６０年代はポピュラー音楽の一大転換期であった。独裁下のスペインにも、その変革の波は押し寄せてきた。カタルーニャ文化復興運動グループ「16人の判事」に鼓舞されたミケル・ラボア（Mikel Laboa, １９３４〜２００８年）が、ベニト・レルチュンディ（Benito Lertxundi, １９４２年〜）、シャビエル・レテ（Xabier Lete, １９４４〜２０１０年）、ルルデス・イリオンド（Lourdes Iriondo, １９３７〜２００５年）、ホシェアン・アルツェ（１９３９〜２０１８年）などの歌手や詩人たちと一緒に結成したのが、バスク前衛文化集団「エス・ドク・アマイル Ez Dok Amairu」である。１９６５年頃のことであった。

ホルヘ・オテイサ（第48章参照）が提案したこのグループ名は、《13はないよ》を意味する。自分の魂を賭けて悪魔と問答を交わすことになった男が、「13はないよ」と主張して最終的に救済される、という民間伝承に基づく。バスク文化が被っている呪縛を不吉な数13になぞらえ、その呪縛を解くことを目指したのである。この呪縛とは、フランコ体制による弾圧のみならず、バスク民衆自身による抑圧も含む。「スカート姿の女がギターを抱えて公衆の面前で歌うのか、しかもバスク語で！」とイリオンドが非難されるような時代だったのである。

ミケル・ラボアが1975年から1976年にかけてチャラパルタ奏者のアルツェ兄弟と共演した前衛的観劇会『イキミリキリクリク』のライヴ録音は、当時の雰囲気を知る上で貴重な記録であり、今日でもまったく古びていない

「エス・ドク・アマイル」は、バスク地方の伝統歌謡を掘り起こして同時代的に再解釈する一方、ラテン系音楽ともアングロサクソン系音楽とも異なる、バスク語によるバスク独自の新しい音

楽の創造を試みた。彼らの打ち立てた金字塔は、器楽、歌唱、詩歌、舞踏、映像の総合を試みて上演された観劇会『一つ、二つ、三つ Bega, biga, higa』（1970年）であろう。

「エス・ドク・アマイル」は、音楽的方向性と商業主義をめぐる内部不和から、1972年に解散するが、その影響は国境の両側のバスク地方に及んだ。解散後、レルチュンディはスベロア地方の民謡の豊かさを、レテは「バスク語よ、世界に出でよ」と高唱した16世紀のエチェパレの存在を、ともにバスク民衆に思い出させた。この路線は、伝統的な楽想を現代風に編曲してバスク語文化の擁護を歌ったトラッド・バンド「オシュコリ Oskorri」（1971〜2015年）や、フランス領バスク地方出身ながらバスク・ナショナリストの主張を代弁したデュオ「パンチョア・エタ・ペイオ Pantxoa eta Peio」（1969〜2016年）や、ロック・バンドの「エロビ Errobi」（1973〜1985年）、「イトイス Itoiz」（1978〜1988年）などに継承された。だが、1980年代後半以降、アングロサクソン系のポップス／ロックとの差異が次第になくなり、力を失っていく。

数少ない例外はラボアであろう。2008年の死に至るまでの間、歪んだ叫びとオノマトペを交えて独自の楽曲世界を創り出したのである。そこに、何かがまさに生まれ出でんとする寸前の混沌と、自らの生まれ出づる源郷に対する漠とした郷愁とを感じとるのは、筆者だけであろうか。ラボアの歌った傑作として、「星くず」（第Ⅱ部の扉参照）と「鳥は鳥」の2曲を挙げたい。「鳥は鳥」は、田村すず子の名訳をここに引く。旋律にのせてそのまま日本語で歌うことができる。

翼を切り落とせば／僕のものになった／逃げはしなかった／

でもそれじゃ／それはもう鳥じゃない／
僕は……／鳥が好きだった（作詞：ホシェアン・アルツェ。訳：田村すず子）

以上の「新しいバスク語の歌」に代わって1980年代半ばに登場したのが、「バスク・ラディカル・ロック」である。当時、若年層の半数が未就業という経済不況に陥っていたスペイン領バスク地方で、彼らの鬱憤を見事に汲み取ったのである。ETAとその周辺のバスク・ナショナリスト急進左派は、日刊紙『エギン』や「ガステディ」と呼ばれる青年団を通して、自分たちの政治主張を代弁するロック・バンドの発掘と支援を頻繁に行った。こうして、パンク、スカ、ヒップ・ホップなどの要素を取り入れたハード・ロック・バンドが、続々と現れたのである。その大半は1、2枚のディスクを発表するだけで消えていったが、バスク独立や反スペインを唱える歌詞は、話題性を高めるべく過激化した。中でも、「コルタトゥ Kortatu」（1984〜1988年）とその後継バンドの「ネグ・ゴリアク Negu Gorriak」（1990〜1996年）は、バスク地方の外にもファンを増やし、その中心人物フェルミン・ムグルサ（Fermin Muguruza, 1963年〜）は、日本のフジロックフェスティバルに出演するなど、ソロになった後も世界的な活動を展開し続けている。

ムグルサは、世界の多様な音楽要素（リズムや楽器）を導入して、海外のミュージシャンと共演しながら、外国の音楽市場に進出したという点で、バスク版「ワールド・ミュージック」の先駆けと言えよう。しかし、1990年代以降ワールド・ミュージック分野で活躍するバスク・ミュージシャンは、公的資金援助による制作環境の改善に浴すると同時に、たとえば、トリキティシャ奏者のケパ・フン

オレカTXのドキュメンタリーDVD
『ノマドたちTX』

ケラ（Kepa Junkera, 1965年〜）やチャラパルタ奏者コンビの「オレカTX」のように、音楽の脱政治性を特徴とする。

フンケラは、『ビルバオ午前0時』（1996年）で世界的な人気を博し、『イリ』（2006年）は欧州ワールド・ミュージック・チャートの2007年度最優秀ディスクに輝いた。また、世界中のミュージシャンとの共演あるいは「興演」を記録したオレカTXの『ノマドたちTX』（邦題：遊牧のチャラパルタ）（2006年）は、地元の国際ドノスティア映画祭ほか、海外の幾多もの映画祭において入賞している。マドンナとの共演で一躍有名になったトラッド・トリオの「カラカン Kalakan」の名前も、落とすわけにはいかない。

今日、バスク語で歌われる歌曲は、ジャンルと媒体を問わず、毎年200点以上の作品が発表されている。ストリーミング配信が世界的潮流となる中、バスク地方では、アルバム単位のセルフ・プロデュース作品発表が依然主流である。2009年以来、そうした作品はBadok.eusというサイトに集められ、いつでもどこからでも試聴可能である。

なお、ハビエル・ブスト（Javier Busto, 1949年〜）の合唱曲が、近年、日本を含め世界各国の合唱コンクールで上位に入る常勝曲の一つとなっていることや、スペイン語で歌うバスク・ポップ・バンド「ラ・オレハ・デ・バン・ゴッホ」（1996年〜）が、ラテン・グラミー賞を受賞するなど商業的に大きな成功を収めていることも、多彩な「バスク音楽」のグローバルな受容を象徴する現象であろう。

（萩尾　生）

48

# 現代バスク・アート

## ★オテイサとチリダ★

20世紀の現代アートを顧みる際に、2人のバスク人彫刻家の名前を忘れるわけにはいくまい。ホルヘ・オテイサ（Jorge Oteiza, 1908〜2003年）とエドゥアルド・チリダ（Eduardo Chillida, 1924〜2002年）のことである。

2人ともギプスコア県の出身である。オテイサはオリオという漁村で、チリダは県都ドノスティアで、おのおの幼少時を過ごした。ともにマドリードに出て、それぞれ医学と建築の高等教育を受けたが、中途で彫刻家に転じている。また、オテイサは1935年から1948年までを南米諸国で、チリダはスペイン内戦時と1948年から1951年までをパリで過ごした後、バスク地方に帰還して、終生活動の拠点とした。

オテイサは、初期の具象的彫刻ないし擬人的抽象彫刻から、幾何学的または構成主義的な抽象彫刻へと、作風を変化させていった。代表作には、アランツァスのバシリカ式教会の正面外壁彫刻群（1969年）や「球体の明け渡し」、「空っぽの箱」「形而上学的立方体」と呼ばれる一連の作品群（1957〜1959年）がある。また、「バスク魂」の美的解釈に関する『いつまで……!』（1963年）ほか数多の論考を発表し、さらには、

上／ビルボ市庁舎前のオテイサ作「球体の明け渡し──卵形ヴァリエーション」　下／ドノスティアの海岸に設置されたチリダ作「風の櫛」

美術教育や文化行政に関しても積極的に発言していった。サンパウロ・ビエナーレ・グランプリ（1957年）やアストゥリアス皇太子賞（1988年）などの受賞歴を持つ。

チリダも、初期のアンフォルメル風の擬人的抽象彫刻から、知恵の輪のような鉤型を多用した抽象彫刻へと作風を発展させた。作品の多くが公共空間に設置され、鋼やコンクリートを素材とする作品の中には、高さ5メートル、重量81トンに及ぶものもある。ドノスティアの海岸に設置された「風の櫛」（1977年）や、ゲルニカ爆撃50周年を記念してゲルニカ議事堂の傍らに建てられた「われらが父の家」（1988年）などが代表作である。オテイサと同じく、ウルフ賞（1984／85年）、アストゥリアス皇太子賞（1987年）、高松宮殿下記念世界文化大賞（1991年）など、輝かしい受賞歴を有す。

国際的評価の高い2人の中期以降の作風には、一見すると相通じるところがあり、彼らの作品はしばしば「バスク様式」の形容語で括られる。しかし、芸術上の価値観や社会との関わり方など多くの面で、両者はきわめて対照的である。

中期以降のオテイサとチリダの作品を読み解く一つの鍵は、《虚空》ないし《無》を意味するバスク語の huts という概念である。それは、彫刻と空間の配置の問題に関わる。ここで、「ルビンの壺」と呼ばれる有名なだまし絵を思い出してほしい。黒い背景の中に、左右対称で腰高の白い壺が描かれている。白い部分に着目すると壺に見えるのだが、何もないはずの黒い部分に注目すると、対面する2人の横顔が影絵のように浮かび上がってくる。「ルビンの壺」は二次元世界のことだが、三次元世界の彫刻作品を観る際、われわれは彫刻（ルビンの壺の白い部分）ばかりに着目しがちだ。しかし、観点を変えれば、塊としての彫刻に隣接する空間や空隙（ルビンの壺の黒い部分）の存在に気づくことも可能なはずだ。すると空間は、観る角度によって多様な表情を呈することになろう。「無」としての空間を「存在」としての空間に転成させるところに、オテイサとチリダの作品に共通の特色がある。この転成作用をオテイサは「空間の明け渡し」と呼んだのだと筆者は理解している。余談だが、日本語の「虚空」は、日常語では何もない空間を指すが、仏典では一切万物を包括する場としての空間を意味する。

こうした「虚空」の重要性を、オテイサはバスク地方に散在する先史時代の環状列石や民間伝承から、チリダはギリシャ哲学やハイデガーの思想から得たと言われている。だが、「虚空」に対する2人の認識は異なる。

オテイサにとっての「虚空」は、彫刻の外縁とその延長線とで囲まれた範囲の内側を志向する。しかもその空間構造は、緻密な計算のもとに形成され、硬質でときに不均衡で不断の動きを喚起してやまない。オテイサは「虚空」を鍵要素として新たなバスク・アートという神話を創成しようとした。神話には、始まりがあれば終末もある。オテイサがいったん彫刻制作を断つ前年の作品「レオナルド

アランツァス聖堂の再建には、オテイサやチリダらのバスク芸術家が参画した

讃」（１９５８年）において、この「虚空」がまさに閉じられようとしているのは、暗示的である。以後、オテイサは、自作が美術市場に出回るのを嫌悪し、作品を自宅の内奥に封印してしまう。

一方、チリダにとっての「虚空」は、彫刻の外縁部の内外双方に広がる。対象空間が拡散したぶん、「虚空」の動態はあまり感じられない。むしろ印象的なのは、塊としての彫刻と「虚空」との連続性ないし一体感である。それは「自然」との調和と言ってもよい。チリダが、作品にはそれが設置されるにふさわしい固有の場があると語り、屋外彫刻を幾多も制作したのは、こういうわけである。ちなみに、自身の名を冠したチリダ＝レク美術館の「レク」は、バスク語で《場所》を意味する。

ビルバオ＝グッゲンハイム美術館（以下ＢＧ美術館）の誘致（第42章参照）をめぐる２人の反応もまた、対照的であった。バスク州政府のＰＮＶ《バスク・ナショナリスト党》と親密だったチリダは、バスク地方のアーティストの作品が世界に認知される好機だとして、誘致に賛同した。一方、バスク・ナショナリスト急進左派への親近感を持つオテイサは、「米国文化帝国主義の侵略」だとして強硬に反対した。ビルボ市の委託を受けて自ら進めていたバスク文化センターの企画が、ＢＧ美術館誘致を推すＰＮＶによって一方的に破棄されたことへの反発もあった。

ところが、ＢＧ美術館側が興味を示したのは、オテイサの作品であった。その芸術的評価だけでなく、市場的希少価値に注目したに違いない。対するＰＮＶは、常設展示のためにチリダの作品を購入するようBG美術館側に要請したが、作品1点購入につき別の作品1点を寄付せよ、という屈辱的な回答を受ける結果となる。こうした経緯の最中に、オテイサは自身の全作品をナファロア州政府に寄託してしまうのであった。

その後、チリダは2000年にチリダ＝レク美術館を、オテイサは没後の2003年にオテイサ美術館を、それぞれ開館させた。今日、BG美術館の常設展示品の3割前後が、バスク系アーティストの作品である。しかし彼らの大半は、活動拠点を北米に置き、バスク地方との接点は少ない。また、BG美術館は、1997年の開館以来、年間平均100万人前後の入場者を数えるが、彼らがバスク地方のその他の美術館にも立ち寄る相乗効果は、必ずしも見えない。

そもそも、一人のアーティストの作品に特化した美術館経営はなかなか困難のようである。チリダ＝レク美術館は経営難に陥り、2011年に閉館した。2019年に再び開館したが、直後のコロナ渦の中で、運営状況は依然厳しい。一方のオテイサ美術館も、閉鎖には至っていないものの、これまで市場への流出を抑制していた作品が市場に出回り始めている。

オテイサとチリダに代表される「バスク様式」の揺籃期には、1966年に発足した前衛芸術グループ「ガウルGAUR《今日》」が、その様式の確立に大きく寄与した。彫刻の分野に限っても、オテイサ、チリダほか、ネストル・バステレチェア（Nestor Basterretxea, 1924〜2014年）やレミヒオ・メンディブル（Remigio Mendiburu, 1931〜1990年）など、逸材が輩出してきた。この最初の世代がほぼ全員鬼籍に入った今、現代バスク・アートをいったん総括する作業が求められている。

（萩尾　生）

# 49

# バスク伝統スポーツのプロ化

## ★ピロタの場合★

伝統スポーツは一定の地域あるいは文化圏に持続的に実施されているスポーツである。したがって文化を異にする地域に受容されるまでには時間がかかる場合がある。しかしバスク移民は新天地へ自文化を持ち込み、新たなコミュニティ形成をしながら新天地に根づかせる努力を惜しまなかった。1929年3月19日ブエノスアイレスにて世界ピロタ連盟が発足し、その普及と発展が期待された。第一次世界大戦（1914～18年）は西ヨーロッパが舞台であり、戦争の影響がほとんどなかったアメリカ大陸はピロタ揺籃の地となった。スペイン、フランス、およびアルゼンチンのピロタ連盟は、ピロタの世界への普及を目指してバスク移民の多いアメリカ大陸を選択した。しかしその後のスペイン市民戦争、第二次世界大戦勃発により1945年までは活動休止となる。当時はまだプロ選手は存在していなかった。ピロタとはバスク地方で親しまれてきた球戯であり、最も古い記述は1331年（ナファロア公文書館、コラム15参照）である。テニスのルーツの一つを傍証する文書として重要な位置にある。

世界ピロタ連盟の発足は五輪種目（1900年パリ、1904年セントルイス、1908年ロンドン）としての再登場を目的としていた。1924年パリ、68年メキシコそして92年バルセロナの3回の五輪エキシビションとしてピロタが登場した。しかしいまだ正式競技に戻っていない。一般的に世界に70カ国以上の国内ピロタ連盟が必要と言われているからだ。

2001年秋田県でワールドゲームス（五輪種目を目指す競技会）開催決定後に、世界ピロタ連盟事務局長から筆者へ、日本へのピロタや球戯場（フロントイ）の導入について打診があった。球戯場建設後の使用状況を熟慮して、積極的賛成はできかねると返信した。現代では競技スポーツの普及と商業イベント化が中心に据えられ、資本主義経済への貢献が求められるからである。

伝統スポーツから近代スポーツへ変化させるために必要なことは、伝統的価値観の希薄化つまり世界中の誰もが理解し参加できる普遍的ルールの統一化および組織化である。スペイン領バスクではエリ・キロラク（バスク伝統スポーツ）として、原初形態を保持しながら近代スポーツと同等に扱われている。

ピロタとは球戯の総称であり、用具の差異や使用球、コートの形態や大きさなどが関係してくる。用具には、パラ（pala）、パレタ（paleta）、セスタ（zesta）、シャレ（xare）、ラケタ（raketa）があり、各用具仕様のボール（硬球やゴム球）が用意される。用具による飛距離が異なるので球戯場の広さも異なる。基本的には、テニスのように相手へ直接返球するのではなく、ワンバウンド以内で正面壁に返球する球戯である。スカッシュという球技を想起すれば理解しやすいであろう。特徴的なのは、返球しなければならない正面壁（Frontis）以外に左壁や後壁があることである。左壁や後壁へのボール接触は床のバウンドのようにカウントされない。そして観客は正面壁の右側から観戦するのである。

ハイアライ（Jai alai）として知名度の高い種目は、セスタという捕投用具を用い、時速３００キロのスピードが出ると言われる。この種目は、かつて上海やマカオなどでもプレイされたが、現在は米国ラス・ベガスやフィリピンなどでスポーツベッティング（賭け）として登場する。

しかし、バスク人から最も支持されている種目は用具を使わず素手で打つピロタ（エスク・ピロタ）である。スピード感がなくても痛みをこらえて硬球を打ち返す音が球戯場内に響きわたり、観客を熱狂させる。幼少期に村の広場などでエスク・ピロタに親しんできた人たちには、ゲームの進行がまさに手に取るようにわかるのである。

伝統形態を保持するラショアやエレボテというピロタ（フランスやベルギーなどで普及していたボールゲームの古形態がナファロア王族などの嗜好でバスクに伝承したと言われる）は牛皮のグローブを使用してプレイされる。球戯は広場を使用し、選手は正面壁を利用はするが、同一コート内にいる相手チームへテニスのように返球する。中央にネットがあるわけではなく、地面に引かれているラインで判断される。相手がミスをしてもすぐに得点になるのではなく、得点獲得のための前段階がある。これはかつてのバレーボールの「サーブ権（この権利を持っている側が得点できる）」のように、球戯を長く楽しむための一方法である。競技人口は少ないがナファロア北部やギプスコア、フランス領バスクに伝承されている。

バスク伝統スポーツは、ピレネーの太陽信仰に由来すると言われるピロタ以外に、丸太切り、石かつぎ、石引き、草刈り、エストロパダク（ボートレース）など日常労働が競技スポーツとして楽しまれるようになったものもある。しかしこれらはもともと二者間（対抗する二者間や二つのチーム）の賭け

(当事者や観客を含む)であった。かつての賭けは金銭以外に食物や生活用品など多岐にわたった。そこでは賭けを嫌悪せず、賭けもスポーツの定義として肯定されているのである。選手が地域代表ともなれば共同体の名誉もともない、守護聖人祭などにはこれらの伝統スポーツがメインイベントとなり、人びとの関心や楽しみの一つになっていった。これまではプロではなく、あくまでもアマチュアとしての立場であった。

１９８８年ソウル五輪のプロ選手解禁の理由は最高のパフォーマンスを提供することにあった。この影響を受けて、スペイン領バスクでは１９８０年代にピロタのルールの統一化と組織化をはじめプロ化への模索がはじまった。１９９８年のバスク州スポーツ法にはプロスポーツに関する記述はない。しかし１９９２年のバルセロナ五輪を契機にスポーツに関する改革が実施された。同年アセガルセ(現バイコ・ピロタ)はエスク・ピロタ企業として名乗りを上げ、１９９８年アスペも登場した。つまりバスク伝統スポーツの商品化に乗り出したのである。今後はバスク周辺や普及した地域を視野に入れ、競技人口の拡大が目指されている。

ピロタの収入はチケット、スポンサー、放映権、イベント企画およびグッズ販売などのマーチャンダイジングによる。プロのピロタ選手は、バイコ・ピロタに22名、アスペに20名が所属している(２０２２年)。つまり選手はプレイにより生計を立て、企業は興行として収益を上げることを目指し、そして観客はより高度なプレイを楽しむのである。

その他のスペイン領バスクのプロスポーツ(２０２２年)はサッカー(アスレティック・クルブ・デ・ビルバオ、レアル・ソシエダ、Ｃ・Ａ・オサスナ、デポルティボ・アラベス)、バスケットボール(ビルバオ・バス

プロのエスク・ピロタ（素手）ダブルスの決勝

ケット、サスキ・バスコニア）、ハンドボール（ビダソア・イルン、ヘルヴェティア・アナイタスナ）などが確認できる。

伝統スポーツ文化を残存させるために近代化し、プロ化を選択されたたエスク・ピロタはバスクで認知され人気のあるスポーツとなった。一方、アマチュア選手たちは公的補助金などで運営されるバスク州ピロタ連盟傘下で活躍している。急速な社会変化の中で、プロやアマはバスク文化の紐帯となり、新旧バスク共同体の文化であると認知され支持されている。硬球の苦痛を耐え忍ぶプレイにこれまでバスクが受けてきた政治的・文化的状況（バスク語禁止令など）が重なるのである。また聖ザビエルの右手（イタリア・ジェズ教会安置）の形状からエスク・ピロタ選手の手が想起されるため、1962年にイルニャ市で世界ペロタ連盟主催の世界選手権（第1回1952年、アマチュア）が開催された時に、聖ザビエルはピロタの守護聖人として迎えられ現在に至っている。世界選手権でのプロ選手登場は2018年である。

（竹谷和之）

# 50

# 助け合いの精神

## ★モンドラゴン協同組合★

モンドラゴンはすべて山の中にある。ギプスコア県のはずれにある小さな町モンドラゴン（バスク語名アラサテ、現在人口約2・2万人）に生まれたモンドラゴン協同組合グループは、1970年代から世界的に注目を集め、また世界的に影響を与えてきた。一口で言えば、協同組合によるまちづくりが進められたからである。モンドラゴンでは労働者協同組合を中心とした産業活動が行われてきた。協同組合とは何か。日本では農業協同組合（農協）や生活者協同組合（生協）の法律があるが、ヨーロッパ各国に約100年遅れて、労働者協同組合法が2022年10月に制定された。農協は農民が組合員であり、生協は消費者が組合員である。労働者協同組合とは、労働者が組合員であり、農協や生協などと異なる点は、協同で労働を行うことである。一般に、協同組合とは経済事業体であるが、株式会社とはちがって、株主の営利を目的とするのではなくて、人びとが共通の社会的目的のために、共同して出資をし、利用し、また労働を提供するものである。

ヨーロッパでは労働者協同組合あるいは生産協同組合は多く存在している。歴史的にも150年くらい前から存在している。

モンドラゴンが注目されたのは、地域コミュニティ発展の課題、一般企業との市場競争に勝ち抜くこと、労働者の経営参加、協同組合のグループ化による規模の優位性などがあったからである。それまでは、協同組合といえば、市場から離れた世の中の片隅で、相互扶助精神によって事業活動という小さな花を咲かせるものだと考えられてきた。

バスク地方は、歴史的にも労働運動が盛んであったが、それにともない協同組合運動も1900年代から1930年代にかけて盛んな土地柄であった。共和制時代にはビルボやエイバルやその他の町で生産協同組合や消費協同組合などが作られた。

モンドラゴン協同組合の歴史は、スペイン内戦が終わって数年後の1941年に一人の若いカトリック神父アリスメンディアリエタ（Arizmendiarrieta）が町に赴任してきたことから始まる。モンドラゴンは昔から鍵製造の町として有名であった。今はないが、ウニオン・セラヘラという鋳造会社の城下町といってよいくらいであった。当時この会社は徒弟学校を持っていたが、社員の子どもしか入学が許されなかった。アリスメンディアリエタ神父が最初にやったことは、たくさんの学習サークルやスポーツサークルを作り、貧乏な青少年に活動の場所を提供することであった。そして現在のモンドラゴン大学の前身にあたる職業学校を創設したのは1943年のことであった。アリスメンディアリエタは半信半疑の町の人たちを説得して、寄付や宝くじ発行などによって、広い学校用地を取得した。モンドラゴン協同組合の最初の工業協同組合は、この職業学校の卒業生たち5人によって1956年に設立された。最初の製品は、イギリス製品のコピー商品の家庭用石油コンロであった。

モンドラゴン協同組合の誕生の前史には約15年にわたる教育活動という準備期間があった。雇用のない町にどのように雇用を作り出すのか、町の人びとの文化的社会的活動をどのように作り出すのかという地道な努力と連動した経済活動があったのである。地域社会開発という今日的課題を、フランコ独裁時代の中にあって、理想を掲げつつ現実的な対応をしてまちづくりをしてきたモンドラゴンの歩みは、世界中から注目されるようになったのである。

アリスメンディアリエタ神父のアイディアが優れていた点は、1959年に協同組合銀行（カハ・ラボラル）を設立したことである。この銀行がなければモンドラゴングループの発展はなかったからである。当時、協同組合の人たちは、銀行などは自分たちに関係ないと思っていたので、その反対を押し切ってアリスメンディアリエタ神父は銀行を作った。やがて、この銀行はスペインでも有力な銀行に成長するが、協同組合グループが発展するための金融や経営指導に力を発揮することになった。

現在モンドラゴングループは、バスク地方を中心に約8万人の従業員と200の企業が集まる協同組合（社会的経済企業）グループとなっている。金融部門は協同組合銀行とラグンアロ（共済組合）、物流部門はエロスキ生協（スペイン第一のスーパーマーケットチェーン）、工業部門には電子電機、機械製造を扱うファゴール（ヨーロッパ有数のメーカーグループ）、イケルラン製品開発研究所（スペイン第一の民間の製品開発研究所）、学生数約4000人のモンドラゴン大学などにより構成されている。そして、海外約30カ国に工場を設立するなど、いわば多国籍協同組合企業という特徴を持っている。

ローカルな地域開発とグローバルな経済活動は、従来の協同組合についての考え方からすると矛盾すると思われていたが、モンドラゴンの経済活動は新しい経済活動のあり方を提示している。すなわち、現代において人びとの暮らしはグローバル化と無縁ではありえず、反グローバル化のみを主張す

ファゴールの工場の一つ。背後にそびえるのはウダラ山

るのではなくて、地域の人びとにとってのグローバル化とは何かを探求しなければならないことである。たとえば、創設者のムハンマド・ユヌス氏がノーベル平和賞を受けたバングラデシュのグラミン銀行は、貧しい女性たちに事業融資をするマイクロクレジットで有名であるが、2010年7月に日本のユニクロと提携して、女性たちの社会的企業および起業家を支援することを決めた。モンドラゴンもまた、海外に工場を設立すると同時に、発展途上国の社会的企業設立の財政・技術支援を行っている。社会的経済企業とはヨーロッパ各国やEUで法律化されているが、協同組合など営利を主目的としない社会的貢献（社会的責任）を目的とした企業のことである。

モンドラゴン協同組合の10の基本原則のうち、中でも「労働は資本を道具とする」「労働は資本に優越する」「地域社会の変革」などが、スペインおよび世界の協同組合の法制に影響を与えた。

またモンドラゴンは、19世紀に3度（バスク地方では2度）にわたって繰り広げられたカルリスタ戦争、1930年代のスペイン内戦、その後のETAの活動の舞台となった町でもある。名前の由来は、1260年にアルフォンソ賢王が、地域の竜の伝説にちなみ町の名前として「モンドラゴン」（フランス語で《竜の山》の意）を付け、国王直属の「地方特権（フエロ）」を付与したことにある。なお、町にそびえる山の名前はモンドラゴンではなくて、魔女が住むと言われるウダラ山である。（石塚秀雄）

# 51

# 新バスク料理とガストロノミー産業

## ★バスク・ガストロノミーの功績★

「新バスク料理」とは、フランコ独裁体制の崩壊後に誕生したスペイン初の前衛的料理運動である。国内で地方の伝統料理が主流であった時代に登場したが、バスク州に限らず、スペイン全土に波及し、さらには世界の料理界に大きな影響を与えた。

その歩みは、ドノスティアの料理人であるフアン・マリ・アルサク（Juan Mari Arzak, 1942年～）とペドロ・スビハナ（Pedro Subijana, 1948年～）が1976年にマドリードで開催された雑誌『クルブ・デ・グルメ』のイベントで、ポール・ボキューズ（1926～2018年）らが提唱するフランスの新しい料理（ヌーベル・キュイジーヌ）運動に感銘を受けたことに始まる。イベントから戻った二人は、ギプスコア県にゆかりのある料理人らとグループを結成し、新バスク料理の模索を開始した。バスク料理界の重鎮であり、このグループの一員であるルイス・イリサル（Luis Irizar, 1930～2021年）によれば、結成当初のメンバーはレストラン経営者を含む11人であったという。そこでは、互いの技術や知識を惜しみなく与え合うというグループの理念に基づき、各料理人が研究を重ねた最上のレシピがグループ内で共有された。近年、このレシピの共有というスタイルは、「レシピのオープンソース化」と表現され、新バスク料理が発展した要因としてメディア等に取り上げられている。

新バスク料理は、次の3原則を掲げている。①伝統的なバスク料理を本来のレシピを通して一般に認知させること。②失われた伝統的なバスク料理を発見し復興すること。③バスクの食材と伝統料理を見直し、これらを新バスク料理の手法によって高い水準の料理に変換することである。こうした新バスク料理の象徴的な料理として、「カサゴのケーキ」がある。アルサクが考案したこの料理は、デザートのような外観や繊細な食感と凝縮された魚のうま味が特徴である。また、調理が比較的簡単で、冷製でも温製でも美味なことから、多くのレストランやバルでも提供され、一般家庭にも普及した。

当初、新バスク料理はバスク州のギプスコア県以外の2県では関心が示されず、また、保守的な伝統料理の支持者からは厳しく批判された。しかし、グループは、料理評論家やレストラン関係者約50名を無料で招待する夕食会と、その後の討論会を月に1度、結成から2年間開催し続けた。この試みをマスメディアを活用し宣伝したことで世間一般から注目を集めるようになり、その活況を見たアラバやビスカイアの料理人たちが新バスク料理を積極的に学び取り入れるようになった。以来、バスク州全体の料理の質が向上し、優れた料理人を輩出することとなった。

新バスク料理の活動は、厨房の中だけではない。その主なものは、「イディアサバルチーズ」（コラム14参照）や「アニャナ（アラバ県）の塩」などの存続への支援、世界料理学会（現サン・セバスティアン・ガストロノミカ）の開催、モンドラゴン大学のガストロノミー科学部（2011年設立）を擁するバスク・キュリナリー・センターや食文化関連の博物館の設立に関わるなど多岐にわたっている。

第51章

# 新バスク料理とガストロノミー産業

新バスク料理が世界的に認知されるようになったのは、2000年前後に始まったガストロノミーに特化した国際観光の進展によるところが大きい。ガストロノミーとは、ギリシャ語を語源とするフランス起源の用語であり、日本語では「美食学」や「美食術」と訳出されている。また、2014年に欧州連合が宣言した定義によれば、「健康的生活と食を通じた喜びを分かち合うための知識、体験、芸術、クラフト（地産品や調理技術・巧みさ等）を統合した概念」である。つまり、美味な料理を作るないし食べるという術に留まらない、人びとが何をどのように食べるのかについての多分野に及ぶ知識の領域を示す。

バスク・ガストロノミーの三つの柱の一つである新バスク料理への関心の高まりは、あとの二つの柱である「ピンチョ」（第40章参照）や「伝統料理」に対しても、人びとが好奇心を示すきっかけとなった。さらには、「チキテオ」（コラム13参照）や「エルカルテ・ガストロノミコ」（コラム13参照）が、バスク人の文化的嗜好や社会的結束が現れているユニークな習慣として注目されるようになった。こうしてドノスティアは、その豊かな食文化と新バスク料理によって国際的な美食都市に位置づけられた。

バスク・ガストロノミーを支えるホスピタリティ部門（宿泊サービス業・飲食サービス業）は、2019年に雇用者数が6万4000人に達し、約45億1000万ユーロの売上高を産出した。そのうち部門の全施設数の90・2%を占める飲食サービス業（バル・レストラン・ケータリング等）は、バスク州の総雇用者数の5・4%にあたる5万6860人が従事し、その売上高は部門全体の85%に相当する〈表1〉。

〈表１〉バスク州のホスピタリティ部門における施設・雇用・売上の状況（2019 年）

| 部門の内訳と項目 | | バスク州 | アラバ県 | ビスカイア県 | ギプスコア県 |
|---|---|---|---|---|---|
| ホスピタリティ部門 | 施設数 | 13,710 | 1,987 | 7,243 | 4,480 |
| | 雇用者数 | 64,094 | 9,281 | 32,018 | 22,795 |
| | 売上高 | 4,509,764 | 668,314 | 2,154,681 | 1,686,769 |
| 宿泊サービス | 施設数 | 1,347 | 213 | 488 | 646 |
| | 雇用者数 | 7,234 | 922 | 3,014 | 3,298 |
| | 売上高 | 678,253 | 81,084 | 271,019 | 326,150 |
| 飲食サービス | 施設数 | 12,363 | 1,774 | 6,755 | 3,834 |
| | 雇用者数 | 56,860 | 8,359 | 29,004 | 19,497 |
| | 売上高 | 3,831,511 | 587,230 | 1,883,662 | 1,360,619 |
| 飲料施設（バル等） | 施設数 | 8,149 | 1,169 | 4,808 | 2,172 |
| | 雇用者数 | 20,416 | 3,151 | 10,880 | 6,385 |
| | 売上高 | 1,491,656 | 237,223 | 793,024 | 461,409 |
| レストラン | 施設数 | 3,941 | 569 | 1,813 | 1,559 |
| | 雇用者数 | 25,761 | 3,745 | 11,837 | 10,179 |
| | 売上高 | 1,928,515 | 293,916 | 848,794 | 785,805 |
| ケータリング等 | 施設数 | 273 | 36 | 134 | 103 |
| | 雇用者数 | 10,683 | 1,463 | 6,287 | 2,933 |
| | 売上高 | 411,340 | 56,091 | 241,844 | 113,405 |

（1）売上高の単位：千ユーロ。
（2）バスク統計院（EUSTAT）による 2021 年 6 月 2 日発表のデータをもとに筆者作成。
https://www.eustat.eus/banku/id_4071/indexLista.html

飲食サービス業の中で最も施設数が多い業種は、飲料施設（主にバル）である。各県の飲料施設数をみると、ビスカイア、ギプスコア、アラバの順に多いが、飲食サービス業の全施設数に対する飲料施設の割合は、ビスカイア、アラバがそれぞれ71・2％、65・9％を占め、ギプスコアは56・7％と低い。また、飲食サービス業の総雇用者数に対し、ビスカイアとアラバの雇用者数の割合はともに37％以上、ギプスコアは32・7％である。一方、レストランは、ギプスコアでは、県内の全飲食サービス業の施設数や雇用者数に対する割合が他の2県を超える40・7％、52・2％である。さらに、人口1万人あたりのレストラン数は、アラバの16・6店、ビスカイアの15・5店を上回る21・6店である（2020年）。

近年、ガストロノミーは、豊かさと雇用の創出に貢献する戦略的分野として急速に浮上している。バスク州では、2017年に「ガストロノミーと食料の戦略的計画2020（PEGA）」が策定された。それ以降、州が世界のガストロノミー分野のベンチマークとなり、その国際的な存在感を高めるために、州の10・56％にあたるGDPと9万6000人の雇用を産出しているガストロノミー関連産業全体をさらに強化する取り組みが官民連携で行われてきた。2021年からは、PEGAを引き継ぐ計画として「PEGA Berria《新PEGA》」が開始された。この計画は、主に2019年に欧州連合が打ち出した循環型共生経済の実現を目指す「欧州グリーンディール政策」と、これに関連して策定された「バスク・グリーンディール構想」の中核をなす「農場から食卓まで戦略」を考慮して作成された。目的には、持続的な食料システムの構築による新たな経済的機会の創出が掲げられ、また、数値目標として、2024年までにガストロノミー関連産業、第一次産業および食品・飲料業のGVA（粗付加価値額。一定期間内に国や地域で生産された付加価値の総額）をそれぞれ25％、15％増加させることが設定されている。

新バスク料理の最大の功績は、ガストロノミーの経済的、社会的機能を広く知らしめたことにある。現在、その発生地であるドノスティアは、ガストロノミーによる地域活性化の模範都市として注目され、国内外の各種業界や地域がその動向を追っている。


（上田寿美）

コラム15

# バスク地方の博物館・美術館・文書館

吉田浩美

バスクの美術館・博物館の中で最もよく知られているのは、米国のグッゲンハイム美術館の分館として1997年に開館したビルバオ・グッゲンハイム美術館（Guggenheim Bilbao Museoa）だろう。近現代美術の作品を専門に展示しており、建物自体も脱構築主義建築の傑作と言われる。それまで鉄鋼業中心の工業都市というイメージが大きかったビルボであるが、この美術館のおかげで観光客の数が飛躍的に増加した。

ほかにも興味深い美術館・博物館は多い。まず、これもビルボの「ビルボ美術館」（Bilboko Arte Ederren Museoa）。100年近い歴史を持ち、現在の建物は1996年に改装されたものである。8000点以上の所蔵品は、絵画を中心に12世紀から現代のものまでを網羅する。バスクの画家、彫刻家の作品を多く取り上げているほか、絵画はスペインのものとフランドル派のものが多い。エル・グレコ、ゴヤの作品もある。

ガステイスにある「アラバ美術館」（Arabako Arte Ederretako Museoa）は20世紀初頭に建てられた宮殿のような建物の中に、おもに1850～1950年頃のバスクの画家の作品、それに18～19世紀のスペインの画家の作品が展示されている。アラバ出身の画家の作品を多く収蔵している点も特徴的である。

イルニャの「ナファロア美術館」（Nafarroako Museoa）は、ナファロア領域内で発見された紀元前の遺物、中世からルネサンス期にかけての作品から近現代の作家の作品まで、幅広い時期・ジャンルのものが常設されている。ゴヤによる肖像画も所蔵している。

考古学・歴史関係の博物館も興味深い。ドノスティアの「サン・テルモ博物館」（SanTelmo Museoa）は、1902年以来、絵画、彫刻、版画、楽器、農機具、墓石、蠟燭を巻き付けるためのアルギサイオルと呼ばれる板など、おもにバスクの文化的遺産を収蔵しているが、エジプト関連のものなどもある。２０１１年に、大規模な改修工事を終え、リニューアル・オープンした。

　ガステイスの「考古学博物館」（Arabako Arkeologia Museoa）には、前史時代から中世までのアラバの歴史に関する史料、それに世紀以降にアラバで発掘された考古学的史料の豊富なコレクションが展示されている。

　ビルボの「バスク博物館」（Euskal Museoa）は１９２１年創設。創設当時は「ビスカイア考古学・バスク民族学博物館」（Bizkaiko Arkeologia eta Euskal Herriko Etnografia Museoa）という名であった。展示物は、ビスカイアにまつわる考古学的史料と、バスクの牧羊、海洋、陶業、織物など民族学的資料である。

　ゲルニカの「バスク博物館」（Euskal Herria Museoa）はバスク地方の歴史、政治、文化についてあらゆることがらを教えてくれる。１９３７年の爆撃を免れたバロック様式の館を使用し、有名なゲルニカの木と旧議会場の側にある。

　バイオナの「バスク博物館」（Euskal Museoa）もバスク民族学をテーマとする。ラプルディ、低ナファロア、ナファロアの家具や家財道具、様々な道具類のほか、バイオナの歴史にまつわる遺物や、フランス革命に関する史料が展示されている。

　さらにテーマをしぼったものとして、「ゲルニカ平和博物館」（Gernikako Bakearen Museoa）がある。ゲルニカはスペイン内戦でドイツのコンドル部隊とイタリア軍による爆撃を受けたが、「平和とは何か」「スペイン内戦時のゲルニカ」「現在の世界平和」という三つの大きなテーマに沿って展示・催しを行っている。

　珍しいものでは、アスペイティアの「バスク鉄道博物館」（Burdinbidearen Euskal Museoa）がある。産業革命期の列車から最新のビルボ市の地下鉄の車両までの新旧の様々な車両のほか、蒸気、ディーゼル、気動車、駅員の制服や駅の備品のコレクションなど、鉄道にまつわるあらゆるものが展示されており、バスクの鉄道の歴史を知ることができる。ガイド付きの見学ツアーもある。また、春から秋までの週末には、蒸気機関車が牽引するクラシカルな車両に乗って隣のラサオ地区まで短い鉄道の旅を楽しむことができる。

スガラムルディにある「スガラムルディ魔女博物館」（Zugarramurdiko sorginen museoa）では、17世紀にこの地を中心にナファロア全土に広まった異端審問に関する詳細な展示を見ることができる。近くには魔女たちが夜な夜な集会（バスク語で「アケラレ」）を開いていたとされる巨大な洞窟があり、これも公開されている。

トロサには２００９年に開業した「トロサ国際パペットセンター」（Tolosako Nazioarteko Txotxongilo Zentrora, 通称ＴＯＰＩＣ）がある。パペットに関する総合的な施設としてはヨーロッパでは唯一のものである。様々な展示のほか、多彩なワークショップも開催されている。

タバカレラの名で知られるのは「ドノスティア国際現代文化センター」（Donostiako Kultura Garaikidearen Nazioarteko Zentroa）である。現代文化の創造の担い手たちを支援し、お互いが交流できる機会やスペースを提供している。また、デンマーク芸術財団（Danish Arts Foundation）、ゲーテ・インスティテュート（Goethe Institut）など、他国の文化的機関とも連携・交流を行っている。この建物の中には、エチェパレ・インスティテュートやバスク・フィルム・センターなど、文化・芸術分野の機関のオフィスも入っている。

ゲタリアには「クリストバル・バレンシアガ記念館」（Cristóbal Balenciaga Museoa）がある。地元出身で１９１０年代から１９６０年代に活躍したファッション・デザイナー、クリストバル・バレンシアガのオートクチュール作品が、その型紙がわかるように展示されている。

イルニャから9キロほどのところにあるアルツサには、世界的な彫刻家、ホルヘ・オテイサの作品を集めたオテイサ美術館がある。160０を超える彫刻、８００の絵画のほか、蔵書や著述物なども展示されている（オテイサとチリダについては第48章を参照）。

エルナニにあるチリダ・レク（Chillida Leku）は、オテイサと並んで世界にその名をはせた彫刻家エドゥアルド・チリダの作品を集めた記念館である。ブナがマグノリアなどが植えられた庭園にも作品が配置され、自然と人工的オブジェとの融合を堪能することができる。

「ロヨラの聖域 Loiolako Santutegia」（アスペイティア）は、イグナティウス・ロヨラの聖堂を中心とした様々な施設の集合体であるが、その中になるイエズス会の文書館には、イエズス会が出版してきた図書・文書を中心におよそ15万冊の蔵書を誇る。そのうちおよそ3万が15～16世紀のもので、羊皮紙に書かれたものも含まれる。

ラスカオの「ラスカオ・ベネディクト会財団 Lazkaoko Beneditarren Fundazioa」には、現代バスクの歴史を紐解く上で不可欠な定期刊行物や文書、ポスターなどが多数保管されている。特に１９７０年代～１９８０年代のものが充実している。

バスク・ディアスポラ文書館（Euskal Diaspora-ren Artxiboa, ビルボ）は、世界の各地へ移民したバスク人の歴史に関わるおよそ７０００の文書とおよそ１０００冊の図書を所蔵している。

ナファロア公文書館（Nafarroako Artxibo Nagusia, イルニャ）ナファロア王国時代およびそれ以降のナファロア州の社会制度・法規・歴史に関する文書を見ることができる。

# バスク語文学の翻訳

コラム16

金子奈美

20世紀後半を通じて、バスク語による著述・出版活動をめぐる環境は、言語復興の大きな進展や政治体制の変化とともに急激に好転した（第46章参照）。それにともない、かつては考えられなかったほど数多くの、良質かつ多様な作品が生み出されるようになったバスク語文学だが（第45章参照）、1990年代以降にさらなる劇的な変化が起こった。それまで存在すら知られていなかったこの文学が、世界の様々な言語へ翻訳され、国際的に認知されるに至ったのである。

その端緒となったのは、ベルナルド・アチャガの『オババコアク』の国際的な成功だった。この本が、1989年にスペイン国民文学賞（小説部門）をバスク語作品としてはじめて受賞し、その後世界各地で立て続けに翻訳・紹介されたことで、バスク語でも文学が――それも優れた文学が――書かれ得るのであり、実際に書かれているということがバスク内外で広く知られるようになり、注目を集めたのだ。

そして1990年代以後、アチャガ作品をはじめとするバスク語文学の他の言語への翻訳が急増し、2000年代には平均して年間50点以上の翻訳が刊行されるに至る〈表1〉。2010年までには、161人の作家の480点の作品が世界各地の38言語に翻訳され、その数は年々増加し続けている。バスク大学がオンラインで公開している『バスク語文学翻訳目録』によれば、今日までに出版された翻訳は、50の言語で計1700点以上にのぼるという（2022年5月現在）。

バスク語のような少数言語の文学にとって、他の様々な言語に翻訳されることは、たんにその存在が国際的に可視化され、価値を認められるというだけに留まらない重要性を持つ。外部からの認知や評価は、翻ってバスク語話者たちが自らの言語と文化への関心を高め、その価値を（再）認識することにもつながり、バスク語の書き手と読み手の増加にも寄与するだろう。

〈表１〉バスク語文学作品の翻訳点数の経年推移

| 刊行時期 | 17 世紀 | 18 世紀 | 19 世紀 | 20 世紀前半 | 1950～1959 |
|---|---|---|---|---|---|
| 刊行点数（年平均） | 2 (0.02) | 0 (0) | 20 (0.2) | 11 (0.22) | 5 (0.5) |
| 刊行時期 | 1960～1969 | 1970～1979 | 1980～1989 | 1990～1999 | 2000～2010 |
| 刊行点数（年平均） | 6 (0.6) | 11 (1.1) | 56 (5.6) | 245 (24.5) | 562 (51.1) |

出所：Elizabete Manterola Agirrezabalaga, *La literatura vasca traducida*, Peter Lang, 2014, pp.118-122 より筆者作成。

また、他の言語で新たな読者を得て、異なる文化との対話が生まれることは、いかなる文学の発展にとっても欠かせない。こうした理由から、バスク語文学の翻訳は、世紀の変わり目にかけて、バスク語とその文化の継承、存続と発展にとってきわめて重要な課題として浮上したのだった。

上記のような認識のもと、２０００年代以降は、バスク語文学の翻訳を促進するための公的な政策が打ち出されるようになった。当初はバスク州政府によって、２０１２年からはエチェパレ・インスティテュート（43章を参照）によって行われてきた翻訳振興事業は、バスク語文学作品の翻訳出版助成を中心とするが、エチェパレが政策実行の主体となってからは、過去の翻訳に見られた問題点を積極的に是正しようとする一連の新たな取り組みが注目される。

従来、バスク語文学の翻訳では、スペイン語訳が刊行点数の半数近くを占め、その他の言語

翻訳者育成プログラム（2016 年）に参加し、1ヵ月または半年の現地滞在でバスク語力に磨きをかけた各国の翻訳者たち（エチェパレ・バスク・インスティテュート提供）

への翻訳は大半がスペイン語からの重訳であるという、スペイン語への過度の依存状態が続いてきた。エチェパレは、翻訳助成やバスク語文学の優れた翻訳を表彰する「エチェパレ＝ラボラル・クチャ翻訳賞」（２０１５年創設）の選考で、バスク語からの直接翻訳であることを重視したり、新たな翻訳者育成プログラムを立ち上げるなどして、スペイン語を介さずバスク語文学を世界に直接届けることのできる翻訳者の育成と支援に注力している。また、スペイン語以外の欧米の主要言語に対象を絞った翻訳助成や、欧州の他のマイナー言語（少数言語だけでなく、中東欧の言語なども含む）の翻訳者を招いてのワークショップの開催といった、目標言語の多様化を図るための政策も拡充されつつある。

　これらの取り組みの多くはまだ始まったばかりだが、バスク語文学の未来にどのような変化をもたらすのか、今後の展開が期待される。

# 分断から共生へ
## 尊厳ある持続可能社会の模索

Olerkiak sortu zuen lurra
lurrak sortu zuen ura
urak sotru zuen zura
zurak sortu zuen hostoa
hostoak sortu zuen haizea
haizeak sortu zuen karnaba
karnabak sortu zuen olerkia

詩が大地を生み
大地が水を生んだ
水が木を生み
木が葉を生んだ
葉は風を生み
風はヒワを生んだ
そしてヒワは詩を生んだ

—Joseba Sarrionandia “Olerkia”
ヨセバ・サリオナンディア 「詩」

# 52

# 人口動態の変化

## ★多様化する社会構成員と共生社会★

このⅦ部では、本書の初版（2012年刊行）において十分に触れることのできなかった、2010年代以降のバスク社会の新たな動向を取り上げていく。

手始めに本章では、近年の人口動態の変化に着目し、バスク社会経済の基本的な特徴をかいつまむ。具体的には、EU、スペイン、バスク州、ナファロア州、フランスの公的統計データの統合と分析を担ってきた民間非営利組織「ガインデギアGaindegia」（活動期間、2004〜2021年）の資料に依拠して、可能なかぎり、バスク全土を一つの領域的なまとまりとしてデータを提示したい。

2020年のバスク全土の人口は、319万人を数え、2000年時点の291万人から9・8％増加した〈表1〉。もっとも、バスク地方の中でも、七つの歴史的領域ごとに状況は異なり、ナファロア州とラプルディ地方では、この20年間に20％前後の人口増加を経験している。同時期の人口増加は、スベロア地方を除く6領域で確認され、ビスカイア県では、21世紀に入ってから、1980年代以来の人口減少傾向に歯止めがかかった。

この人口増加は自然増ではない。バスク全土において、２０１３年以降、死亡数がつねに出生数を上回っているからである。出生率も、２０１０年の９・９‰から２０１９年の７・４‰へと一貫して低下しており、中でもバスク州では、合計特殊出生率が１・３にまで下がっている（２０２１年）。少子化の原因については諸説あるが、当事者に対する意識調査（２０１８年）からは、「家事と仕事の両立が困難」、「経済的事情」、「育児以外の優先事項の存在」といった理由が目立つ。

バスク全土の人口構成に着目すると、生産年齢人口から外れる年齢層のうち、65歳以上の高齢者の割合が22・1％（ＥＵ27国平均20・6％）に達する一方、14歳以下の子どもの割合は14・1％（同15・1％）に留まる。

〈表1〉バスク地方の人口の地域別経年推移（2000〜2020年）（単位：千人）

| 年 | 2000 | 2005 | 2010 | 2015 | 2016 | 2017 | 2018 | 2019 | 2020 |
|---|---|---|---|---|---|---|---|---|---|
| アラバ | 287.81 | 301.76 | 319.33 | 325.33 | 325.95 | 328.42 | 330.72 | 333.40 | 335.81 |
| ビスカイア | 1,133.10 | 1,136.57 | 1,154.10 | 1,149.11 | 1,147.90 | 1,148.61 | 1,149.91 | 1,152.93 | 1,159.72 |
| ギプスコア | 679.37 | 688.71 | 707.26 | 716.83 | 717.83 | 719.28 | 720.59 | 723.58 | 727.12 |
| ナファロア | 543.37 | 593.47 | 636.92 | 640.48 | 640.65 | 643.23 | 647.55 | 654.21 | 661.20 |
| ラプルディ | 220.50 | 228.47 | 237.08 | 249.85 | 252.49 | 254.17 | 256.88 | 260.19 | 263.18 |
| 低ナファロア | 28.51 | 29.25 | 30.04 | 31.49 | 31.64 | 31.75 | 31.78 | 31.83 | 31.83 |
| スベロア | 15.52 | 15.43 | 15.30 | 15.10 | 15.00 | 14.87 | 14.78 | 14.75 | 14.67 |
| バスク全土 | 2,908.18 | 2,993.66 | 3,100.02 | 3,128.38 | 3,131.46 | 3,140.33 | 3,152.22 | 3,170.89 | 3,193.51 |
| EU27国* | 428,474 | 434,416 | 440,660 | 443,667 | 444,803 | 445,534 | 446,209 | 446,446 | 447,320 |

*EU27国の人口は千人未満切り捨て
出所：Gaindegia, *Euskal Herria 2021*. に基づき筆者作成。

過去20年間のバスク地方の人口増加は社会増であり、リーマンショック（２００８年）と新型コロナ肺炎パンデミック（２０２０年）直後の時期を例外として、もっぱらバスク地方の外からの流入者の増大に起因する。バスク地方の中には、ビスカイア県やギプスコア県のように、19世紀末や１９６０年代に国内移民による人口の社会増を経験した領域もあるが、外国からの継続的な人的流入は、かつてない規模の新たな現象である。

２０２１年現在、バスク州の人口の11・5％、ナファロア州の人口の16・８％が外国出身者である(IKUSPEGI, *Panorámica* No.84)。出身地別では、スペイン語圏のラテンアメリカ出身者の割合が最も高く、以下、地理的に近接するＥＵ諸国と北部アフリカ諸国出身者が続く。実際、モロッコ、コロンビア、ルーマニアの３カ国の出身者だけで、バスクとナファロアの在住外国人のそれぞれ30％と47％を占めている。フランス領バスク地方でも、２０１６年時点で外国籍者の割合は人口の７・７％に達する。ここでは、スペイン、ポルトガル、モロッコ出身者の割合が高い。なお、スペインないしフランスからの「国内流入者」の数を加味すると、バスク地方外出身者の人口比は、バスク全土で30％前後で推移している。

外国からの流入者は、平均年齢が30歳代前半と若く、都市部（人口1万人以上の市町村）に居住する傾向が強い。現在、バスク地方の全人口の55・4％が都市部に居住しているが、外国人の流入は、人口の都市部集中傾向を後押ししている。外国人人口率がとくに高いのは、西仏国境のビダソア河口のイルンとエンダイア、ギプスコア県のデバ、ナファロア州のイルニャやトゥテラといった都市圏域である。

外来者の継続的な存在は、バスク地方が経済的に魅力ある領域であることの証左だと一般には言えるだろう。実際、2019年のバスク地方住民1人当たりのGDPは、EU平均3万1200ユーロを凌ぐ3万5500ユーロであり、スペインとフランスの中でも、マドリードやパリの首都圏に次ぐ高い水準である。

もっとも、リーマンショック以来、バスク地方の年間GDP成長率は、EU平均と同等か若干上回る水準に留まっている〈表2〉。ビルボのグッゲンハイム美術館誘致（第42章参照）以来、バスク社会は従前の重工業依存社会から情報サービス社会へと産業構造を転換させた印象が強いが、じつは産業部門別就業者の割合が、第一次産業1・4％、第二次産業30・6％、第三次産業67・9％（2019年）と、西欧諸国の中では第二次産業就業者の割合が依然高い地域なのである。

外国人労働者の就業職種からは、バスク地方の労働市場の傾向が垣間見られる。バスク州では、外国人労働者の2割が家事手伝いに従事し、以下、宿泊業、製造業、通商、事務管理職、建設業と続く。ナファロア州の状況も似たようなものだ。直近では、家事手伝い従事者の割合が下がり、事務管理職

〈表2〉 バスク地方のGDP成長率の経年推移（2007～2020年）（単位：%）

| 年 | 2007 | 2008 | 2009 | 2010 | 2011 | 2012 | 2013 | 2014 | 2015 | 2016 | 2017 | 2018 | 2019 | 2020 |
|---|---|---|---|---|---|---|---|---|---|---|---|---|---|---|
| バスク全土 | 4.0 | 1.3 | -3.7 | 0.9 | 0.7 | -1.7 | -1.4 | 1.5 | 2.8 | 3.0 | 2.8 | 3.0 | 2.2 | -9.2 |
| EU 27国 | 3.1 | 0.6 | -4.3 | 2.2 | 1.8 | -0.7 | 0.0 | 1.6 | 2.3 | 2.0 | 2.8 | 2.1 | 1.6 | -6.1 |
| 世界 | 5.5 | 3.0 | -0.1 | 5.4 | 4.3 | 3.5 | 3.5 | 3.6 | 3.5 | 3.3 | 3.8 | 3.6 | 2.8 | -3.3 |

出所：Gaindegia, *op.cit.* に基づき筆者作成。

と建設業従事者の割合が上昇傾向にある。一方、フランス領バスク地方では、外国人居住者の3分の1が退職後の年金生活者だという点に特徴がある。

バスクとナファロアの州政府は、世界の卓越した人材を招へいして研究開発イノベーションの振興を標榜する。しかし、バスク地方「全体」での研究開発費の対GDP比率は、EU平均を下回る1・9％に過ぎないのが現状だ。また、バスク全土の25歳から64歳の年齢層のうち、中等教育終了者の割合は75・1％で、EU平均の79％に及ばない。ただし、高等教育修了者の割合が50・8％に達し、EU平均の32・8％を大きく上回っている事実は、人材開発の点から好意的に捉えられている。

経済格差や教育格差は貧困と密接な関係を持つ。この点バスク全土の貧困率は、EU諸国のみならず、スペイン、フランスの中でも最低位にある。それでも、全住民の3・5％に当たる11万1400人が、「EU戦略2020」の基準による「物質的剝奪」の状態に置かれており、さらに14・2％が、「貧困ないし社会的排除のリスク」に直面している。貧困と社会的排除の問題は、わけてもビルボ、イルニャ、トゥテラ、バイオナ、デバなど、外国人労働者集住域を抱える都市部で表面化している。

20世紀後半のバスク社会では、「バスク人」と「非バスク人」、バスク語話者と非バスク語話者、内戦や武力独立闘争における加害者と被害者、といった二項対立的な社会分断の融和が模索されてきた。しかし、相異なる言語文化的、宗教的、民族的な属性や価値観を複合的に持ち合わせる人びとの存在が顕在化してきた今日、単なる二項対立的な分断の克服ではない「共生社会」のあり方が、いまいちど問われつつある。

（萩尾　生）

# 53

# 観光振興とオーバー・ツーリズム

★日常生活の質の確保をめぐって★

前章で述べた人口の社会的変動に影響を及ぼしているいま一つの要因が、観光（ツーリズム）である。観光とは、期間があらかじめ限定された、人の一時的な移動のことだ。ところが、個々の移動が期間限定であっても、旅行者の過度の集中が継続することが、受入社会の経済や生活環境に対して、あるいは旅行者の滞在に対して、負の影響を与えることがある。これが「オーバーツーリズム」と呼ばれる現象である。負の影響は、中長期的に持続する性格を持ち合わせ、ともすれば建て直しが困難なほどの不可逆性をまとう。

バスク地方では、19世紀初頭のナポレオンによるスペイン侵攻を機に、ビスケー湾岸域のリゾート化が進んだ。中でもドノスティア市は、19世紀半ば以降、スペイン王室の夏季の避暑地として国際的に名を馳せ、パリ―マドリード間鉄道が開通した後の20世紀初頭には、有閑階級を中心に、年間100万人を超す宿泊者を受け入れていた。

「新バスク料理」（第51章参照）に対する高評が世界に広まる今日、とりわけバスク州では、ガストロノミー産業を旗印として、観光や商用の短期来訪者の呼び込みを、行政府と経済界が率

写真１　ビルボ空港に英文で掲げられたバスク州政府の広報
「ようこそ美食の国へ」

先して支援している（写真1）。観光関連施設の拡充を通して、雇用増大や資本投下の増加を促し、地域経済のさらなる発展を期待しているのである。実際、新型コロナ肺炎が蔓延する直前の２０１９年に、人口２２０万人の同州には、過去最高の年間３２０万人が来訪し（延べ宿泊者数は６２７万人）、観光関連業界は州内ＧＤＰの６・４％を産出するに至った。その後、パンデミックが完全に収束していない２０２２年７月の時点で、バスク州（とナファロア州）への観光客の流入はパンデミック以前の状態に戻っている。

　ところが他方で、「規制なきツーリズム」を指弾する人たちが現れてきたのも事実である。転機は、ドノスティアが「欧州文化首都」に選ばれた２０１６年であろう。人口18万人の同市では、２０１３年以降、国内よりも国外からの来訪者が上回り、２０１９年には、宿泊者の数が５年前より47％増えて、過去最高の年間１５０万人に達した。そうした旅行者が必ず訪れるのが、飲食店が立ち並ぶ旧市街である。６千人が居住する10ヘクタールのこの空間には、たとえば２０１９年の７月と８月だけで、延べ２８０万人が押し寄せている。地域住民の異議申し立ては、購買や諸手続き等に要する近距離移動、冠婚葬祭や余暇の近所づきあい、静寂な時間帯の確保、清潔な公共空間の管理、といった日常生活の維持が困難になったという感覚に発していた。

住民のこうした反発を受けて、2018年、市当局は条例により市内をゾーニングし、旧市街における観光用宿泊施設の新規開設を禁じた。また2021年には、バスク州の市町村としてはじめて、宿泊者に対する「観光税」の徴収を導入した。だが、これらの対策は根本的な解決につながっていない。というのも、市当局が観光客を呼び寄せる姿勢を崩していないからである。現にドノスティア市は、それまで立入制限下にあったコンチャ湾のサンタ・クララ島にインスタレーション・アーティストのオブジェを設置したほか、コンチャ海岸の足下を通る地下鉄の敷設計画、人工波を起こす「サーフ・パーク」の郊外丘陵地への開設計画等、観光客誘致を狙った大規模開発を相次いで進行させている。

現在、住民の異議申し立ては、地域社会経済の構造的変質を問い質す訴えに変容している。彼らの矛先は、バスク州では2016年の「旅行法」によって制度化された民泊（住宅宿泊）事業に向かう。AirBnb に代表される、インターネットを介して旅行者と受入先を結びつける短期ハウジング・サービスには、遊休資産を分かち合う「シェア・エコノミー」という考えが背景にあった。一定期間使用しない住居の全部ないし一部を旅行者に提供することで、家主は付加的な収入を得て、旅行者もホテル等よりも割安に宿泊できる、というのだ。だが、家主の中には、居住者向けの長期賃貸から、短期滞在を志向する旅行者相手の短期賃貸へ移行する者が出てくる。業者に手数料を支払うだけで賃貸契約に基づく煩雑な手続きや管理を省略でき、手数料を差し引いても長期賃貸より利益率が高いからだ。

2021年末、ドノスティアには1432のAirBnb物件が確認された。ところが、その7割弱の982件については家主が重複しており、これらの家主は、事実上、短期間ではなく、1年のほとんどの期間を賃貸業に従事している。じつは、こうした家主の過半は個人ではなく、AirBnb等を利用して賃貸物件を提供するエージェントなのである。そうしたエージェントに不動産を売却した個人家主も多い。しかも、エージェントの中には不動産業者やホテル業者が含まれており、本来の「シェア・エコノミー」とはほど遠い実態が現存する。

こうしたプラットフォーム型の民泊事業が、局地的に長期賃貸物件を市場から排除し、不動産価格の高騰を誘発している可能性は、バスク大学の研究グループほか、複数の都市研究者が指摘してきた。なるほどドノスティアでは、1平方メートル当たりの宅地用不動産価格が2015年の3627ユーロから2021年の4925ユーロへと、同じく賃貸価格が2016年の11・9ユーロから2021年の15ユーロへと、それぞれ急騰している（『アルギア Argia』、2022年1月16日）。

不動産価格の上昇は、個人商店や借家人の契約更新を困難にし、旧市街とその隣接区域からドノスティア市東部への人口転出現象を引き起こしている。そして旧市街では、飲食店の屋号は変わらずとも、外資系チェーンの経営者と安価な外国人労働者の比率が高まり、「はしご酒」を行う主体が観光客だという現象すら見られる。地元民が長らく培ってきた旧市街の飲食文化の質と近隣共同体のあり様は、明らかに変容しているのである。

同様の現象は、ビルボやガステイスなどの都市でも確認される。人口30万人のフランス領バスク地方でも、ツーリズムと不動産投機は緊密な関係にある。少し古いデータだが、2018年の時点で、フランス領バスク地方１平方メートル当たりの宅地用不動産価格は平均４２５０ユーロで、ミアリツェ市ではバスク全土の中でも最高値の６４８９ユーロを記録した。２０１５年から３年間で２４５０ヘクタールの農牧地が宅地に変わり、目下、住宅の２割に当たる４万６千件が別荘として用いられ、加えて民泊の数は７千件にのぼる。空き家の数が１万２千に達するのに、不動産価格の高さゆえ、地元の若者には持ち家の可能性がおよそ奪われている。尊厳ある居住への権利を求める声が高まる中、２０２２年３月、バスク市町村共同体は、観光客用の宿泊／居住施設に対する制限措置を策定する意向をようやく表明するに至った。

写真２　観光客優先だったり、地元の食材を用いないなど、地元の食文化を貶める行為を行っているとみなされた店舗に対しては、しばしば近隣共同体の「制裁」が加えられている。ドノスティアの旧市街のバスク風タベルナのシャッターに描かれたメッセージは、スペイン語で「この通りは嘘っぱちだ」、バスク語で「地域住民は生きてるぞ！」、英語で「観光客は家へ帰れ」。2020 年 1 月

　バスク地方の国際的な知名度が高まる一方で、行き過ぎたツーリズムは、地域や都市の文化と空間を商品化し、旅行者にとって訪問すべき契機となっていた当該地域ないし都市の魅力を破壊しかねない、という見解が、バスク市民の間に確実に共有されつつある。

（萩尾　生）

# 54

# ジェンダー平等と伝統文化

## ★女人禁制の伝統祭をめぐる確執★

今日のバスク社会において「共生社会」の意味するところは多岐にわたるが、そこにジェンダー平等の実現が含意されていることは、言を俟たないだろう。

たしかに世紀の転換点頃より、バスク地方出身女性の世界的な活躍が耳目を驚かすようになった。パフォーマンス・アーティストのエステル・フェレール（Esther Ferrer）、スペイン初の女性指揮者インマ・シャラ（Inma Shara）、8千メートル級14座完全登頂者のエドゥルネ・パサバン（Edurne Pasaban）など、その事例は枚挙にいとまがない。第41章で述べたような「バスク女性の神話」は乗り越えられたのだろうか。

この点、民政移行後のスペインで、1978年憲法による性差別禁止の明文化、1980年の労働法改正、1981年の離婚法、2004年のジェンダー暴力保護措置法、2005年の同性婚を認める民法改正、2010年の人工妊娠中絶に関する法改正など、女性をめぐる政策が急展開したことは、記憶に留めておく価値がある。わけてもジェンダー平等を積極的に推進する上で重要だったのは、2007年の「実質的女男平等のための組織法」であろう。350人以上の従業員を抱える企業における性別間不均衡是正義務や、選挙立候補者リストにおける女性クオータ制の導入（人口5千人以下の市町村を除く）などが規定されたのであった。

もっともバスク州政府は、スペイン政府に先行して、EUの施策を意識した「女男平等法」を2005年に発布していた。しかも、さらにさかのぼる1988年に「エマクンデEmakunde」と称する州政府傘下の自律的な組織を設置し、以来ジェンダー平等の施策立案、企画調整、評価を行っているのである。隣りのナファロア州では、2019年の「女男平等法」でもって、ようやく同様の法整備がなされた。なお、フランス領バスク地方に固有の施策はないが、フランス政府が1999年と2008年の憲法改正以来推進している、政治・経済・社会活動における男女平等参画促進政策の影響下にある。

諸々の施策が展開しているバスク州では、欧州ジェンダー平等研究所が策定した「ジェンダー平等指標」を用いて、現状分析がなされる。全31の指標を雇用、金銭、知識、時間、権限、健康の六つの領域と14の下位分野にまとめ、100点満点（100点は完全なジェンダー平等）で数値化するのである。

2019年の結果を〈表1〉に示す。2010年から19年にかけて、EU域内のほとんどの国と地域でジェンダー平等指数は上昇した。2019年現在、バスク州の指数は73・1で、EU平均値（68・0）を上回るものの、スペイン平均値（73・7）や、フランス平均値（74・6）には及ばない水準に位置している。また、領域別の特徴として、健康関連領域でジェンダー平等がほぼ達成されていることがわかる。賃金や高等教育修了者数においては、ジェンダー間格差は厳存するものの、緩和されつつある。しかし、意思決定権限や社会的活動におけるジェンダー間格差は、依然として高い。中でも、金融・経済関係

〈表１〉　ジェンダー平等指数（バスク州・スペイン・EU、2019 年）

| | バスク州 | EU 27 カ国 | スペイン |
|---|---|---|---|
| ジェンダー平等指数 | 73.1 | 68.0 | 73.7 |
| 雇用（労働市場への参画） | 74.6 | 71.6 | 73.7 |
| 参画 | 83.0 | 81.3 | 80.2 |
| セクター別偏り | 67.1 | 63.1 | 67.8 |
| 金銭 | 85.4 | 82.4 | 78.4 |
| 収入源 | 80.7 | 76.9 | 73.5 |
| 経済的状況 | 90.3 | 88.3 | 83.7 |
| 知識（教育・研修） | 65.6 | 62.7 | 67.9 |
| 達成と参加 | 74.8 | 72.5 | 76.4 |
| 分野別偏り | 57.6 | 54.1 | 60.3 |
| 時間 | 74.1 | 64.9 | 64.0 |
| 育児・介護 | 93.7 | 69.1 | 74.5 |
| 社会的活動、社交 | 58.5 | 61.0 | 55.0 |
| 権限（意思決定権） | 62.7 | 55.0 | 76.9 |
| 政治的活動 | 96.7 | 58.5 | 86.5 |
| 経済的活動 | 45.1 | 48.8 | 70.1 |
| 社会的活動 | 56.5 | 58.2 | 75.1 |
| 健康 | 92.4 | 87.8 | 90.3 |
| 健康状態 | 97.2 | 92.1 | 95.2 |
| 健康的な行動 | 81.3 | 74.8 | 78.6 |
| 保健衛生サービスへのアクセス | 99.8 | 98.2 | 98.6 |

出所：EUSTAT, *2022/05/31ko prentsa-oharra. Genero berdintasunaren indizea*. 2022.

企業の役員やスポーツ競技連盟幹部における不均衡が著しい。これに続く不均衡の高さは、研究開発費の配分や、就業分野におけるジェンダーの偏りにおいて確認される。

ジェンダー施策の重点は、平等指数の低い領域ないし分野に向けられ、一定の効果を挙げている。しかし、市民の根強い抵抗をしばしば喚起しているのが、社会的活動としての伝統的な祭りへの関わり方である。

今日のバスク地方のローカルな祭りの中には、古来の民間信仰やその後の制度化された宗教に根ざす行事が、19世紀の近代化の過程で相次いだ戦争を通して軍事的勝利を祝う催事と融合し、「伝統」と化したものが多い。そこには、１９３０年代の革命思想や、フランコ独裁が掲げた国家カトリック主義が加味されることもあった。個々の祭りの意味合いには微妙な違いが残るものの、女性の参加が阻まれていること、あるいは女性の果たす役割が二次的ないし限定的であることは、これらの祭りに共通していた。

ギプスコア県のイルン市やオンダリビア町などで毎年夏祭りに際して催される「アラルデ Alarde」と呼ばれる練り歩きは、ジェンダー平等に抗う形で祭りを堅持しようとする典型例である。この祭事の起源は15世紀頃にさかのぼり、武具の披露がその端緒であるらしい。今日では、近隣共同体や職能団体を代表する集団が、歩兵、弓兵、騎馬兵に倣った制服をまとい、楽隊を率いて、礼砲を撃ちながら、街中を練り歩くパレード形式の出し物となっている。従来アラルデは、唯一の例外を除き、女性の参加を禁じてきた。その例外とは、紅一点としての「従軍炊事婦」役の女性である。

アラルデの「従軍炊事婦」像（イルン市内）
(Javi Guerra Hernando, CC BY-SA 4.0)

アラルデに男女の対等な参加を求める最初の主張がなされてから三十余年が経つが、主催者は伝統や歴史の尊重を理由として女性の参加を拒んできた。女性参加の要求は地元の歴史や慣行に疎い「よそ者」の介入だという主張も耳にする。だが、その実、女性参加を拒む人びとの多くは、内戦後バスク地方の外から流入し、地域社会に溶け込もうと努めてきた労働者とその家族である。

なお、女性参加を拒むのは男性に限らない。祭りの現状維持を望む女性は、ときに「バスク母権社会」の神話を半意識的に援用しながら、練り歩き集団の先頭に直立して脚光を浴びる「従軍炊事婦」役が、決して二次的な役柄ではなく、銃後から男性を統べる女性の力強さを象徴する中心的な存在だと解釈する。そして、女性参加を求める女性に対しては、「若くて美しい」従軍炊事婦役に選ばれず嫉妬しているのだと強弁さえする。

スペインでは、2015年の「無形文化財保護法」により、たとえ無形文化財の伝統的性格であっても、それがジェンダー平等を侵害することは認められない。実際、ビルボ市の夏の一大催事である「アステ・ナグシア（セマナ・グランデ）」は、フランコ没後、催事の象徴たる「マリ・ハイア Mari Jaia」という女性の造形を創作し、女性主導の祭事に生まれ変わった。また、ドノスティア市のダンボラダ（第34章参照）は、長年の伝統を破って、女性の参加に門戸を開いた。さらには、バスク地方の降誕祭の主役である炭焼き人夫のオレンツェロ（第34章参照）も、昨今では、伴侶に仕立て上げられた「マリ・ドミンギ Mari Domingi」を連れ立つようになった。このように伝統とは、ときに変容することによって持続発展していく、可塑性を持ち合わせた事象なのである。

アラルデに話を戻すと、現在、伝統型のアラルデと並行して、行政の指導を受け入れた男女参加型の「混合アラルデ」が同時開催されている。しかし後者に対する地元民の反発は根強く、感情的な暴力沙汰も散発している。伝統型アラルデの主催者は、公的補助金の受給を辞し、伝統の尊重と表現の自由を盾にして、女性の参加を拒み続けている。

（萩尾　生）

# 55

# 現代スペイン・バスク社会における宗教性

★宗教的心性と宗教教育のゆくえ★

19世紀のローマ・カトリック教会（以下教会と略記）は、バスクのナショナル・アイデンティティの形成に大きな役割を果たした。歴史的に見て、バスクの人びとの生活は伝統的にカトリック信仰と結びついており、人格教育は、家庭と教会が担っていた。

スペインでは、1857年の公教育法（モヤノ法）が、教会に対して、公教育機関・私教育機関双方におけるカトリック教義に従った教育が実施されているかどうか、監察する権利を認めた。その後、スペインにおける自由主義諸政権が公教育を推進し、教育の世俗化を漸次的に進めようとする中で、近代教育システムの中で宗教をどう位置づけるのか、教会の介入主義をどこまで認めるのか、といった課題が長年にわたって表面化していくこととなった。

20世紀に入り、復古王政下の1902年に出された政令では、地域言語を重視して行われていたそれまでの慣習を無視し、宗教もスペイン語で教育することを決定した。この時期は、まさに隣国フランス第三共和政が教育修道会の活動を禁止して修道士・修道女を追放する時期と重なり、その一部はスペインに活動の場を移し、初等・中等教育機関を設立していた。バスク3県においても例外ではなく、たとえばラ・サール修道会などがその存在感を強めた。そのような教育修道会は、生徒に精神修養のための黙想会への参加や信徒会等での活動を推進することを通じて、宗教心を涵養することに努め、スペイン語を用いた国民教育に貢献したのである。

第二共和政は脱宗教化をめざす教育政策を実践した。イエズス会員は国外追放され、修道会による教育活動は禁止された。そのような中で、バスク・ナショナリストは、共和国政府に対し、母語としてのバスク語使用とともに、学校教育における宗教科目の復権を求めた。

内戦とそれに続くフランコ独裁によって、バスク人は分断された。また、内戦中に起きた聖職者弾圧は人びとにとってトラウマとなった。独裁政権はナファロアとアラバの人びとを称賛し、ビスカイア、ギプスコアの人びとを反逆的とみなしていた。ガステイス司教区の神学校は分離主義者の温床と非難された。バスクの信徒はフランコ独裁体制と協調する教会を完全に捨てることはなかった。他方で、バスク・ナショナリズムを弾劾する聖職者の存在を容認せざるをえなかった。

フランコ独裁は、宗教教育を再び必修化し、教会は全面的にそれに協力した。しかし、一部のバスク聖職者は独裁政権と教会の癒着を非難し、1944年には教皇庁に批判的な意見を述べた書簡を送っている。また、体制も末期に近づくと、教会内には、生徒のバスク語の使用の是非をめぐって意見の相違がみられた。たとえば、ある修道会経営の学校では生徒がバスク語を話すと非難され、別の学校では宗教行事が行われる際にも、生徒がバスク語で話す様子が窺えたという。文化活動機関としてバスク語教育施設イカストラが再開されると、教会は、これが正規の学校教育機関となるよう尽力した。

フランコの死後、民政移行期の教育システム改編において、宗教は義務教育の必修科目ではなくなったが、その後も、宗教科目の扱いは政権ごとに変動し続けている。その背後には、民主的な国家は国家宗教をもたないのだから、どの宗教宗派をも尊重することを図り、中立的であるべきとする「ライシダー」の思考と、国家宗教をもたないのならいかなる宗教的世界観も公的生活からは徹底して排除されるべきだとする「ライシスモ」の思考とが争っている状況がある。

２０００年以降のスペインにおける教育に関する法改正を見ると、初等・中等義務教育システムは、「教育に関する基本法（ＬＯＥ、２００６年）」、「教育改善基本法（ＬＯＭＣＥ、２０１３年）」、そして「改正教育基本法（ＬＯＭＬＯＥ、２０２０年）」と、比較的短期間に変更されているといえる。これらの諸改正において、歴史的経緯によって長年優位にあったカトリックの宗教科目がどう提供されるか、されないのか、またそれに代わる道徳関連科目を設置するのか、しないのか、といった問題が浮上し、議論となっているのが現状である。

教育における平等を担保することがいかに困難であるかを物語る、このような宗教科目に関連する諸政権の「迷走」は、バスクの人びとについていえば、中でもとくに青年層が脱宗教化する現状を反映しているといえよう。現代のポストモダンな風潮にあって、バスクの人びとの脱宗教化・脱カトリック化の傾向は明らかである。社会学者Ａ・ペレス＝アゴテ他の１９８７年の調査データによれば、バスク州でカトリックであると自己認識する人びとは、実践者と非実践者をあわせて調査対象者全体の81％であり、プロテスタントなどキリスト教の他の宗派が約４％、その他宗教の信仰者は１％、無神論者と不可知論者の合計の割合は10％だった。

また2020年の別の調査によると、カトリック信徒が69・1％であり、次点はムスリムで、全体の4・1％を占める。プロテスタント福音派は1・4％であり、正教会の0・9％がそのあとに続く。また目には見えにくいが、仏教、ユダヤ教、ヒンドゥー教の信徒のほか、エホバの証人、末日聖徒イエス・キリスト教会（モルモン教）などの信徒もいる。無神論者と不可知論者の合計割合が23・9％に上ることにも注目するべきであろう。こういった宗教分布の傾向は、大まかなところではナファロアでも同様に見られる。

最後に入移民と宗教教育の関係性についても言及しておきたい。バスク州では、2000年代以降、モロッコを中心とするマグレブやパキスタン、セネガルなどからのムスリムが移住し、現在では古くからの宗教的マイノリティだったプロテスタントの割合を上回る。このような状況の中で、イスラームの宗教科目を開講してほしいとする入移民保護者からの強い要望が出され、ダイバーシティの尊重に基づく宗教教育の必要性が、バスク議会の政治アジェンダに上っている。なお、スペインイスラーム共同体連合（UCIDE）によれば、バスク州は、全国的に見て、義務教育でのイスラーム教育が小規模ながら実施されている数少ない州のうちの一つであるという。

より俯瞰的に見るならば、バスクの人びととの生活において宗教は私的領域のものとして認識され、社会の脱宗教化が進行しつつあるように思われる。しかしながら、この傾向は将来的に逆行しえないものと断言することはできない。今後の推移を見守る必要があるであろう。

（渡邊千秋）

# 56

# 研究開発イノベーション

## ★持続可能な社会への道のり★

風光明媚な景色や灼熱の太陽など「観光資源」に恵まれたスペインは、今や世界に冠たる観光立国として知られている。他方、バスク州は〝スキル〟や〝教育〟という「人的資源」を原資とした持続可能な地域社会として注目されている。過去の内戦や独裁政権下の弾圧から得た教訓として「スキルは身を助く」という独自の哲学があり、有事の際の危機意識は非常に高い。スペインは1978年の憲法公布および民主化以降、急速な経済発展を遂げ、今では欧州（27カ国）の中でドイツ・フランス・イタリアに次ぐ第4番目の経済大国である。そのスペインの経済成長を「高付加価値型モノづくり産業」で支えてきたのがバスク州であり、現在も然りである。

同州のGDPはスペイン国内総生産の約6％に当たり、特に戦略分野ごとにクラスター化した産業構造がバスク地域経済の競争力を高めている。他方、過度なグローバル資本主義が招いた経済格差や貧困・失業問題、さらには気候変動・パンデミック・国際紛争など新たな脅威への対応が急がれている。このような予測不能な状況下においてもバスク州は、独自の哲学である「人的資源」への投資を加速し、つねにイノベーションが醸成される持続可能な社会を維持している。この章ではバスク州が進める「地域主導型イノベーション」の骨子や、産業基盤の現状および展望を紹介する。

バスク州はかつて、豊富な鉄鉱石の産出によりスペイン屈指の重工業地帯として繁栄していた。しかし石油危機にともなう原油高騰の煽りで、造船や鉄鋼という伝統的な産業は空洞化し衰退の一途を辿った。1980年代に入り、フランコ独裁政権から民主化に移行すると、バスク州はそれまで剝奪(はくだつ)されていた権利（地域言語、徴税権など財政制度、州警察など）を取り戻し、名実ともに「自治州」として復活。すでに空洞化した労働集約型産業から、新たな付加価値を生む知的集約型産業へと転換を図るため、イノベーションによる地方創生および国際化に舵を切った。

1980年以降、同州における①人口、②GDP、③1人当たりのGDP、④失業率の推移を見てみよう。スペイン全体の人口はこの40年間に約1000万人（全人口の20％相当）増えたのに対し、バスク自治州の人口はつねに一定水準（210万人前後）を維持している。一般的に人口減少や高齢化が進むとGDPの伸びが鈍化し経済活力も停滞していくが、バスク州では逆の現象が起きている。たとえばGDP成長率を見ると、スペインは年平均3％前後に対し、バスクは8％前後の伸びで推移している。また、スペインは恒常的な失業率の高さ（15～25％）が社会問題化しているが、バスク州は欧州平均並みの失業率（約10％）に抑えている。さらに地域の豊かさを示す指標と言われる「1人当たりのGDP」においてもバスク州は、3万5201ユーロ（パンデミック前の2019年時点）を記録し、スペイン平均（2万5328ユーロ）およびユーロ圏平均値に比べ約30％高く、ドイツに匹敵する値である〈図1〉。

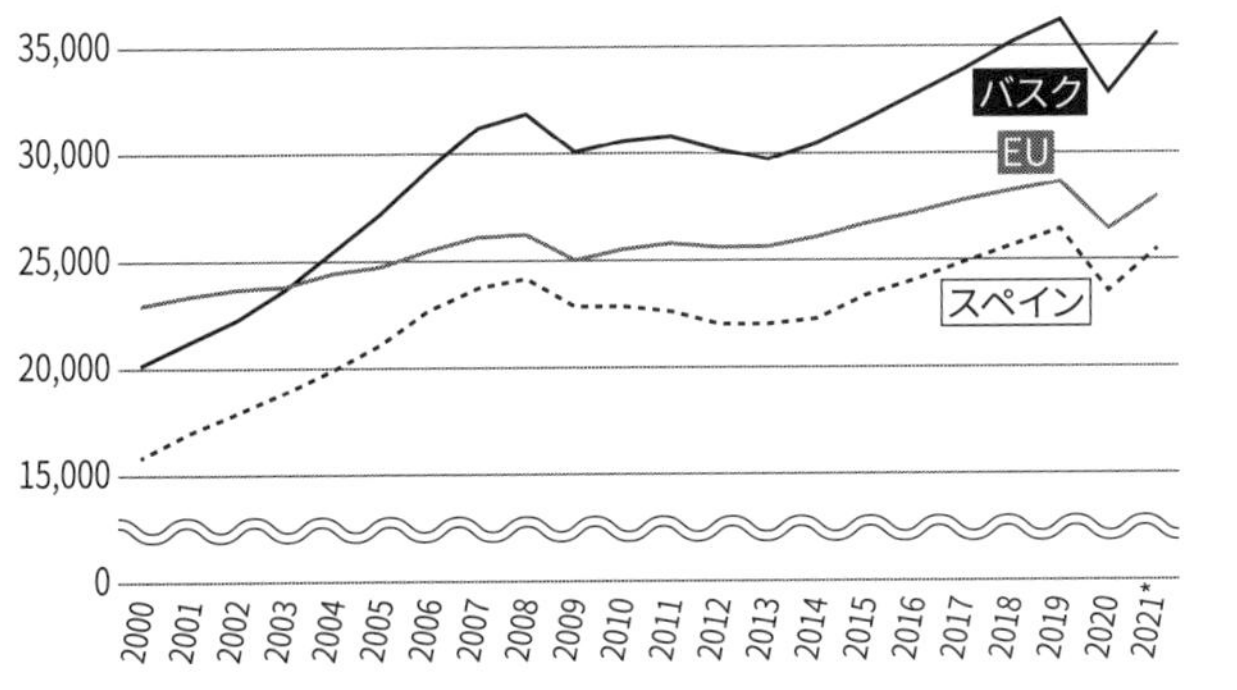


〈図１〉　１人当り GDP 比較（単位：ユーロ）（ただし、2021 年は暫定値）
出所：Expanción: Datosmacro.com

つまりバスク州はこの40年間、人口増加による経済成長ではなく、産業の構造転換や人的資源への投資により豊かで競争力の高い地域社会を築き上げてきたのである。その根底には「地域主導型イノベーション」を促す産業別クラスターの存在が欠かせない。

バスク州におけるイノベーションの萌芽は、スペイン民主化（１９８０年）以降にさかのぼる。まず地域産業を振興するためにＳＰＲＩ（バスク州経済開発公団）を設立（１９８１年）後、地域経済の強靭化やグローバル化を図るためにハーバード大学・研究所と協力して「クラスター理論」を取り入れた。この取り組みはまず、主要な産業ごとにクラスター化し企業間の相互協力・補完を促し（例：共同調達や研究開発）ながら産業自体の国際競争力を高めるものである。さらに、海外からも研究者や専門家を招聘しグローバルな視点で産業の底上げを図った。現在、バスク州全体で16の産業クラスターがあり、その中でも「バスク・エネルギー・クラスター」（以降は「再エネ」）関連企業・研究開発機関で構成されている。今や世界屈指の風力発電事業者に成長したイベルドローラ社やジーメンス・ガメサ社などを頂点に、川上から川下まで一貫したバリューチェーンを構築している。かつて栄えた伝統的産業基盤を活用し、高付加価値型の産業へと転換を果たしてきたのである。

〈表 1〉 バスク州の産業クラスター

| 業　種 | クラスター名 | Web | 会員企業数 |
|---|---|---|---|
| 航空宇宙産業 | Hegan | www.hegan.com | 64 |
| 食品産業 | Alimentación de Euskadi | www.clusteralimentacion.com | 120 |
| ハウジング、木材事務用品 | Habic | www.habic.eus | 100 |
| 鉄鋼産業 | SIDEREX | www.siderex.es | 55 |
| エネルギー | Cluster Energía | www.clusterenergia.com | 180 |
| 船舶・海洋産業 | FMV | www.foromaritimovasco.com | 20 |
| 先端技術関連産業 | AFM | www.afm.es | 128 |
| 自動車産業 | ACICAE | www.acicae.es | 103 |
| 鉄道車両関連産業 | MAFEX | www.mafex.es | 101 |
| 環境産業 | Aclima | www.aclima.eus | 118 |
| 情報通信産業 | GAIA | www.gaia.es | 302 |
| バイオメディカル | BHC - Basque Health Cluster | www.basquehealthcluster.org | 89 |
| 鋳造・鍛造産業 | AFV | www.feaf.es | 143 |
| 製紙業 | Papel de Euskadi | clusterpapel.com | 33 |
| モビリティ、運搬 | MLC + UNIPORT | www.bclm-federacion.com | 340 |

出所：SPRI

また、100年に1度といわれる変革期を迎えた自動車産業においても、バスク州は電動化・自動化など次世代技術の実証・実装地域として知られている。ドイツに次ぐ欧州第2位の自動車生産国スペインには約1000社を超える部品企業が集積しており、主要なメガサプライヤーはほぼすべてバスク企業で占められている。自動車産業クラスターACICAEは、バスク自動車産業の競争力強化を目指してオープンイノベーションを推進。2009年に「オートモーティブ・インテリジェンス・センター（AIC）」をビルボ郊外に創設した。日系を含む8カ国300社、部品メーカーやコンサル

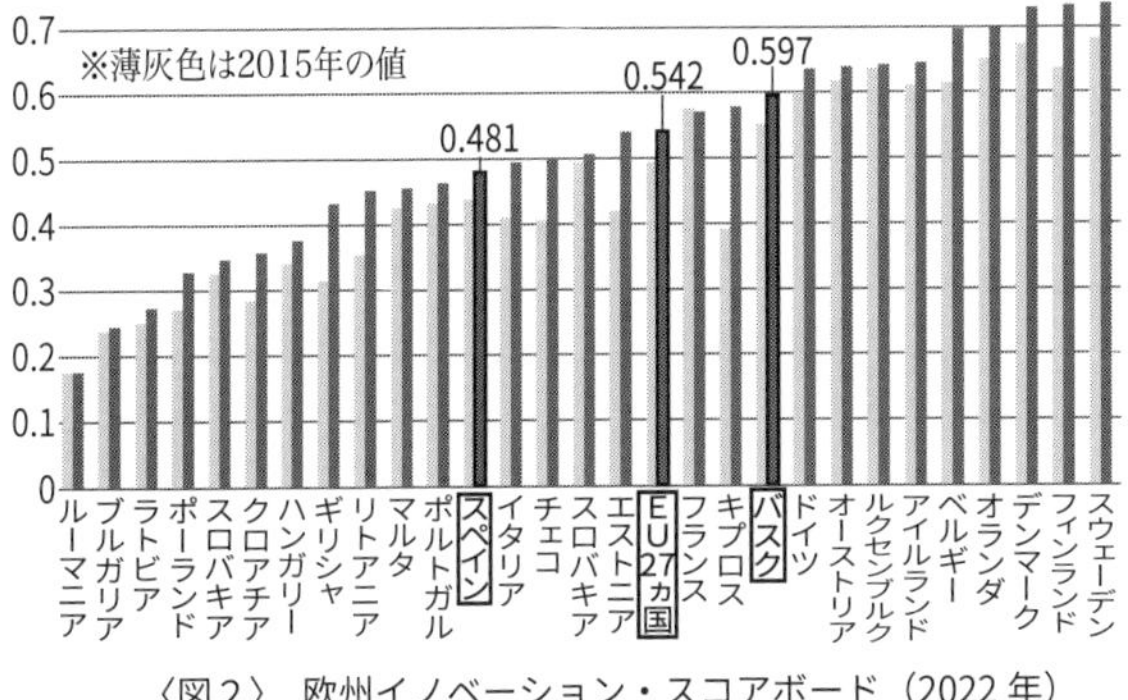


〈図２〉 欧州イノベーション・スコアボード（2022年）
出所：EIS: *European Innovation Scoreboard 2022.*

ティング企業などがＡＩＣに入居し、産官学連携のもとで開発に取り組んでいる。

さらに、世界中からスタートアップ企業を公募し、バスク州内の大企業とのマッチングでイノベーションを起こすアクセラレータープログラム「バインド４・０（BIND 4.0）」が毎年実施されている。これは即戦力となる革新技術を海外スタートアップから取り込み、ローカル企業の競争力を向上させる狙いがある。また、バスク州は製造業部門が州全体のＧＤＰの約20％（２０１７年、スペイン全体では12・8％）を占める「モノづくり」地域であることから「スペインのドイツ」と呼ばれている。それを意識してか、ドイツが掲げる「インダストリー４・０」を州内にも導入し、産官学連携で先端技術の実証・実装に取り組んでいる。

このようにバスク州は１９８０年代の民主化以降、重厚長大な伝統的産業から知的集約型へと改革を進め、今ではイノベーション指数においてもＥＵ平均を上回るレベルにまで成長した。総合的なイノベーション力を表す指標「欧州イノベーション・スコアボード（ＥＩＳ）」でも、バスク州はスペインのみならずＥＵ平均をも上回っている〈図２〉。特に「人的資源への投資」や「持続可能な環境の整備」「情報通信技術の活用」等の評価が高く、これは同州がつねに「教育」や「技術力」を重視してきた成果とも言える。今後、気候変動やエネルギー危機など地球規模の問題が深刻化する局面にあっても、「スキルは身を助く」という独自の哲学をベースに強靭な地域社会を目指し続けるだろう。

（内田瑞子）

# 57

# ICTとバスク語文化

## ★サイバー空間と現実空間★

２０１７年に開催された即興歌の全バスク大会の決勝で、ベルチョラリ（第38章参照）のマイアレン・アルサリュスは当時話題になっていたカタルーニャ州首班カルラス・プチデモンの国外脱出をテーマに取り上げた。その場で歌詞を考え、同時に旋律も選択しなければならなかったアルサリュスは、日本の名作アニメ「ドラえもん」のオープニング曲を選び、そのメロディーに沿って「プチデモン」と「ドラえもん」との言葉遊びなども交えて即興歌を歌い出した。その翌日、その動画はバスクのＳＮＳでまたたく間に拡散された。

なぜそれほど拡散されたかというと、バスクでは「ドラえもん」が大人気を博しているからである。１９９０年代以降、アニメ「ドラえもん」のバスク語吹き替え版はバスク公共放送局ＥＩＴＢでほとんど途切れることなく放送され、多くのバスク人に愛されてきた。また、バスク語版がスペイン語版よりも先に放映されていたこともあり、多くのバスク人にとって「ドラえもん」はバスク語を喋るキャラクターなのである。

バスク語に訳されて人気になったアニメは「ドラえもん」だけではない。１９８０年代に「ドラゴンボール」、２０００年には「クレヨンしんちゃん」がそれぞれ爆発的な人気を博した。どちらもバスク語版がスペイン語版より先に放映された。バスク公共放送局がアニメの吹き替えに力を入れていたのは、子どもたちにとって魅力的な人気アニメをバスク語で提供することによって、子どもたちの間にバスク語を普及させることを目的としていたからである。その結果、今日の40歳以下のバスク人のほとんどは日本のアニメをバスク語で観て育っており、現在では即興歌コンクールのアルサリュスの歌のように、アニメが他の分野でのネタにされることも珍しくない。

　このような大衆文化は、インターネット上でさらに際立った存在感を示している。特に１９９０年代から２０１０年代にかけてバスク語でアニメなどの大衆文化を享受した世代は、世界がインターネットでつながった現在、その文化をサイバー空間に持ち込むことによってネット特有のバスク語世界を作り出していると言える。

　この現象にはいくつかの要因がある。一つは、上述のような、子どもたちをバスク語文化に引き寄せるための政策の限界である。幼少期にバスク語のアニメを観て育っても、その世代が思春期になると、バスク語で楽しめる娯楽が比較的少ないため、圧倒的に使用範囲の広いスペイン語やフランス語の娯楽へと流れざるを得ないという現実がある（１９８９年から4～5年ごとに行われている言語調査では、例外なく成年の方が子どもよりバスク語の使用率が低いという結果が出ている）。もう一つの要因は、２０００年代に入ると、インターネット利用者の急増にともない、テレビなどの旧来型マスメディアが顕著に衰退し始めたことである。

　もちろん、バスク公共テレビや日刊紙などの旧来型メディアも、おもに２０００年代後半以降インターネット上で閲覧可能になっている。また、フェイスブックは2011年に、ツイッターは2012年に、というようにSNSも次々とバスク語で使用できるようになり、ネット上のバスク語の位置付けも徐々に高くなってきた。2022年現在ではウィキペディアのバスク語記事数は40万近くと、ギリシャ語やデンマーク語の記事の数を上回っている。また、2021年に多くの支援を集めた「ネットフリックスでバスク語のコンテンツ（外国語作品にバスク語による吹き替えや字幕を付したもののほか、そもそもバスク語で創出されたもの）を増やせ」というネット嘆願書のような、バスク語普及運動がインターネット上でも増加している。さらに、2010年代の後半から動画などのインタラクティブメディアを含めた、オンラインならではの特徴を持ったインターネット雑誌なども現れている。2018年に公開されたデジタル雑誌『TTAP』（《画面を軽く叩く》の意）やスマホ専用の自称「縦型オンライン雑誌」『ZUT！』（《立て》の意）はその代表的な例である。

興味深いのは、旧来型メディアのオンライン化や既存サービスのバスク語化以上にバスク語のサイバー空間に独特性を与えているのは、いわゆるエスタブリッシュメントから離れてボトムアップで作られたコミュニティの取り組みであるということだ。

その一例としてGame Erauntsia（ゲーム・エラウンチア）というウェブサイトが挙げられる。このサイトは、ユーチューブにバスク語によるコンテンツが少なかったため、ゲームストリーミングをバスク語で観たいという希望から2014年に作られた。このサイトではゲームに関するニュース、ブログ、ストリームなどが閲覧でき、公開の翌年には人気ゲーム「マインクラフト」のバスク語サーバーが立てられ、ネット上で広く知られるようになった。それ以来人気はさらに高まり、2022年の1

月には4000件以上の訪問数を記録した。現在はバスク語で利用可能なゲームの索引も作られている。バスク語版が販売されていないゲームの場合は、ファンたちがバスク語での使用を可能にするパッチまで作り、サイトで共有されている。

このようにファンの協力でバスク語コンテンツを提供しているのはGame Erauntsiaだけではない。ユーザーがバスク語によるコンテンツを非公式に提供し始めたパイオニアとして、まずはEuskal Encodings（エウスカル・エンコーディングズ）を挙げなければならない。

Euskal Encodingsとは、バスク語に訳されたすべてのドラマシリーズやアニメなどを無料で提供することを目的とした非営利プロジェクトで、その原点は2003年にさかのぼる。1980年代末にバスク公共テレビで放映されたバスク語版「ドラゴンボール」はたいへんな人気を博したが、2000年代には放映が終了しており、観ることが難しくなっていた。その対策として、誰でも観られるようにとファンがサイトを開設し、全話をアップロードすることになった。これがEuskal Encodingsの始まりである。それから徐々に他のアニメ作品もアップロードされ、やがてドラマシリーズや映画もバスク語の字幕を付けて提供されるようになった。Euskal Encodingsのサイトを通して1500本以上の映画をダウンロードできるようになった現在、利用者も8000人を上回り、バスク語視聴覚メディアの最大リポジトリとなっている。ただし、大部分のコンテンツは無許可で共有されていて著作権侵害に当たるものも多いため、Euskal Encodingsはコンテンツを直接に提供するのではなく、ユーザーたちがファイルを共有できるフォーラムのみを提供している。ユーザーが自分でファイルを外部のオンラインストレージサービスに載せ、フォーラムでリンクを共有するという

スペイン領のバスク人がスベロアに対して感じる憧れをネタにしたミーム。ナファロアにある平凡な村に対して、上のキャラクターは無関心な態度で顔をしかめている。一方、下にはもしその平凡な村が仮にスベロアにあったらという場面が描かれている。上下ともまったく同じ村なのに、スベロアに位置しているというだけで下のキャラクターは口をあんぐりと開けて大興奮している
（インスタグラム@ komandoalboka より）

この仕組みのおかげで、違法行為を避けてグレーゾーンでの活動が可能となっている。

このようにユーザーが協力して翻訳などを行うことによって、サイバー空間でも、バスク伝統の協同作業の文化が続いていると言える。

最後に、インターネットと言えばユーザー作成コンテンツも特筆に値する。

先ほどバスク語での若者向けの娯楽が比較的少ないと述べた。これはすなわち若いバスク人をバスク語世界に引き寄せる力に欠けている、ということである。ユーザー作成コンテンツのメリットは、作成者とそのターゲットオーディエンスが同一なので、若者は若者同士、自作のコンテンツをお互いに需要と供給を満たしつつ共有できるところである。

インターネットミームはその代表的な例である。おもに英語圏で投稿されている冗談やネタを単にバスク語に訳すだけでなく、バスクの事情に引き寄せてアレンジすることにより、バスク独特のミーム文化が生まれたと言える。主にインスタグラムを中心に共有されるこれらのジョークは2020年頃から急速に好評を博して、バスク語ミーム文化は「euskal memegintza（エウスカル・ミームギンツァ）」と呼ばれるようになった。辛口な風刺の利いた冗談も多く、英語で書かれた部分を活かしつつ、英語にバスク語（もしくはスペイン語やフランス語）を混じえて使われるのが特徴である。

このように、作ったものをすぐに共有できるというインターネット独特の特徴のおかげで、バスク語文化はかつて届けにくいとされていた若者層にも届くようになったと言える。これによって若者層においても今後バスク語使用率が上がると期待できるだろう。

　若者の間にバスク語を普及させるという目的で、1990年代から政府や公共放送局などがバスク語大衆文化の育成を促してきた。しかしこれによってエスタブリッシュメントがバスク語大衆文化を独占することにもなり、その大衆文化は実際の若者層が求めるものと懸け離れてきたとも言える。また、バスク語の普及にあまりにも執着しすぎたために、バスク語は大衆文化を消費する手段ではなくその目的となっていったと言える。そのため若者層はそれを無理やり押しつけられているように感じはじめ、そのようなメディアに背を向けはじめた。そこでゲームや掲示板などといった世界共通のインターネット文化をバスク語世界に自ら輸入し、グローカルな形でバスクの事情に適応させたのである。このように、若者たちは若者自身が消費したいバスク語大衆文化を自らの手で作り出したと言える。

　エスタブリッシュメントからどれだけ提供されても、庶民が消費したいと思わない文化はやがて形骸化してしまう。バスク語文化はインターネットのおかげで形骸化を回避した。そして今後も生き延び、時代の変化に対応していくだろう。

（ガリ・オルティゴーサ）

英語とバスク語が混ざったミーム。英語掲示板の幾つかのミームを合体させ、さらにバスクの有名人も登場させている
（インスタグラム@ komandoalboka より）

# 58

# 地産地消と地域呼称

## ★地域のブランディング★

バスク州の各地域には、常設の市場以外に週に1度定められた曜日に開かれる週市と年に1度開かれる大規模な特別市がある。特別市は約370種が開催され、守護聖人の日にちなむものが多いが、中には「リンゴ酒の日」や「ワインと干しタラの日」のような特定の食品の飲食を楽しむ市もある。州政府は、毎年、これらすべての市の情報を掲載したガイドブックを無料で配布している。

代表的な市は、アグライン（アラバ県）、ゲルニカ（ビスカイア県）、トロサ、オルディシア（ともにギプスコア県）で開催されている。このうち、ドノスティアから南西39キロに位置するオルディシアの週市と特別市は、それぞれに500年以上、400年以上の歴史を持つ。市は、12世紀頃から開かれていたが、1512年の大火後、カスティーリャ女王ファナ（1479〜1555年）がこの地域の再建のために、免税による売買を認める「自由市場」の開設の権利を与えた。これが週市の起源であり、以後、毎週水曜日にナグシア広場で開催されている。現在、この週市の販売価格は、州全域の農畜産物の価格の基準とされ、オルディシアの役場のホームページ上で公表されている。

特別市は、1614年にフェリペ3世（1578〜1621年）が聖バルトロメの祝日（8月24日）における開設を承認したことに始まる。近年、開催日は変更され、9月上旬の水曜日の「バスク祭」を含む9日間で催されている。市では、多くの農畜産物の品評会が開催されるが、とりわけ1904年から続く羊乳チーズの品評会は、優勝者のチーズのオークション（1980年から開始）が併催され、注目度が高い。

ギリシャ風の柱が印象的なナグシア広場での週市の様子

スペインでは、地域の環境や伝統に由来する食品等の表示において、その地名の使用を管理する原産地呼称（Denominación de Origen, 以下DO）制度が定着していた。その正式な枠組みは、1970年に改定されたワイン法に基づく原産地呼称庁（INDO）の設立にともない定められた。DOは、当初、同局が承認した各地の原産地呼称統制委員会が定めた要件に適合する製品に与えられていた。バスク州では、イディアサバルチーズ（コラム14参照、1987年認定）、ゲタリア産やビスカイア産の微発泡ワインであるチャコリン（1989年、1994年に認定）などが認定された。

バスク州は、1989年に高品質な州産の食品であることを保証する「エウスコ・ラベル Eusko Label」の表示を開始した。現在、その製品の管理と認証は、農村および海洋の環境開発公社であるHAZIが担い、イバラ産青唐辛子やトロサ産黒豆を含む21品目（2022年現在）が認定されている。HAZIによれば、自治州内のラベルの認知度は74％と高く、また、認定食品を生産する農業や漁業の経営体数は3000以上にのぼり、その関連企業数は400以上という。

バスク州の農林水産物の一部は、1992年に制定された欧州連合（EU）の地理的表示（Geographical Indications, 以下GI）に登録されている。GIには、食品やワインを対象とするPDO（原産地呼称保護、スペイン語ではDOP）とPGI（地理的表示保護、スペイン語ではIGP）の2種と蒸留酒類の地理的表示の一種が規定されている。PDOは、この中で当該製品と原産地との強い結びつきを裏付ける最も厳しい要件を満たさなければならないが、登録されれば、その製品の社会的、経済的価値は高くなる。なお、スペインのDOは、1994年1月の農水産食品省令ではPDOとの同等性が示され継続されていたが、2009年5月以降、PDOに統一され、DOの用語が使用不可となった。

スペインの製品をGIに申請する場合、申請者（主に生産者団体やDOまたはPDO統制委員会）が作成した出願書類は、原産地の所在する州政府や農林食料環境省の食品産業総局を経由して国内での審査を通過し、異議申し立て等の問題がなければ欧州委員会に提出される。

現在、GIに登録されている（ないし受理され登録を待つ）バスク州の製品は、イディアサバルチーズや天然のリンゴ酒を含む10品目である（2022年現在）。また、ナファロア州では、赤ピーマン、アスパラガスなどの19品目が登録されている（2022年現在）。これらの製品におけるGIの管理と認証は、主にバスク州ではHAZI、ナファロア州ではINTIA《ナバーラ農業食品技術・インフラ開発公社》が行っている。このほか、フランス領バスク地方においても赤唐辛子や純粋種の黒豚を含む17品目が登録されている(2023年3月現在)。
EUの知的財産庁と特許庁の調査によれば、GIの関連業界は、EU全体で約40万人の雇用を支え、200億ユーロ以上のGDPを創出している。また、欧州委員会によれば、GIに登録された製品の年間売上高は、約750億ユーロである。

近年、これまで述べたような優良な地域産の食品は、世界各地の振興計画で展開されている地域ブランディングに欠かせない要素となっている。地域ブランディングとは、地域の製品である「モノ」のブランド化と地域そのものである「場所」のブランド化を結び付けることで、地域の魅力や価値を発信し、その地域の認知度を向上させる活動である。また、市場における競争力強化や外部からの資金と人材の獲得という地域経済の活性化につながり、さらには住民の地域への愛着や訪問客の高い満足度をもたらすと期待されている。

バスク州でこの地域ブランディングに成功した事例の一つに、アイスコリ山の北麓にある面積10平方キロメートル、人口279人(2022年現在)のセライン村の取り組みがある。この住民は、1970年代から過疎化した村を再生するために、自然環境の保全と文化遺産の回復、および有機農畜産物の生産の推進を継続してきた。この活動は、1990年代から「セライン文化的景観計画」と呼ばれ、村の自然、文化、遺産、人間の風景を融合させた持続可能性の確保とその向上を目指している。すべての活動は、行政に頼らず、住民のアウソラン(協同作業、第5章参照)で実行されるが、議会、文化協会、財団が、それぞれ生活の質、社会的ダイナミクス(コミュニティの活性化)、経済の将来構想に関する企画運営に参画している。

オルディシアの羊乳チーズ品評会の様子

村の特徴的な販売促進活動に1990年代の半ばに始まった県内で最も古い「エコロジカル農業市」の開催がある。この他にも農畜産物のブランド「セライン」やオンラインストアの開設、新商品の開発などがある。これらの製品の販売価格は、前述のオルディシアの市に基づき設定され、生産者には他の商業施設より高い、利益の85％が支払われている。昨今、こうしたセライン産の良質で健康的な食材を求めて、村に足を運ぶバスク地方の著名な料理人もいる。

また、農牧業を保護するために、羊飼いの定住と牧羊技術の援助、小規模な家族経営の事業支援に加え、農牧地の生産性の向上と環境問題への貢献につながる森林放牧システムを導入している。さらに、牧羊や農村文化を体験するアグリツーリズムなどの農牧業と観光業の連携事業も展開している。これらの活動に関連する事業は、2010年の時点で村の労働人口の25％を占める雇用を生み出し、現在、村には年間約2万人の観光客が訪れている。

（上田寿美）

# 59

# 社会的経済

★労働から協働へ★

社会的経済という考えと運動は、世界的に広がりつつある。いわゆる市場経済における営利企業での賃労働とは異なり、非営利企業や協同組合などにおける協働により、社会生活のより良き発展をめざす経済活動である。EU諸国においてはスペインを含めた加盟国のいくつかに、社会的経済（一部の国では連帯経済の呼称を含む）を所轄する省庁レベルの行政機構が設置されており、バスク州政府にも「労働・社会的経済省」が設置されている。バスクの社会的連帯経済は先進的かつ独自的に展開されている。バスクの社会的経済・協同組合運動は、これまでスペインのみならずヨーロッパや世界の協同組合運動や理論および法制化（たとえばスペイン協同組合法改正など）に影響を与えてきた。とりわけモンドラゴン協同組合グループ（第50章参照）の存在は、バスク独自の企業文化として、社会開発論や社会的経済・社会的連帯経済の分野において大きなインパクトを世界に与えてきた。

ところで社会的経済とは何か、協同組合や社会的企業とは何かについては、日本の読者に簡単に説明しておかなければならない。社会的経済は、伝統的経済学が政治（的）経済と言われたのに対置されたものである。いわゆる経済学が商品市場における営利的経済活動を主たる対象とするものであるのに対して、社会的経済は社会的価値を経済活動の中に組み込み、賃金労働の他に協同労働による経済活動を対象にするものである。株主や投資家に対する利潤分配を最大目的にする営利活動ではなく、社会的発展、個人の暮らしの発展のための非営利的経済活動がその中心である。社会的経済（および連帯経済）の活動の場所は営利市場、公的市場、非市場が含まれる。分野としては営利、非営利、公益、社会的共同益という分野を含んでいる。社会的経済事業の展開はバスク地方だけでなくスペイン、EU、南北アメリカ、アフリカそしてアジアとグローバル化しつつある。

世界的に注目されるバスクの社会的経済運動は、モンドラゴン協同組合複合体（MCC）である。国連でもILOでも地域経済発展モデル、労働形態モデル（ILOの定義にディーセントワークとあり、人間らしい仕事と訳せる）として取り上げられている。バスク地方にこうした経済活動形式が発展した理由については、ゲルニカ議事堂の天井ステンドグラスの絵に象徴的に示されている。フエロの法典を持った神の下には鉱工業労働者、農民、漁民の姿が描かれている。バスクは人びとの労働を重視する民である。しかも、伝統的に農業や漁業において共同体における協働（アウソラン）（第5章参照）の労働文化があった。19世紀にスペインに産業革命が起き、ビルボはスペインの鉄鋼業、造船業などの中心地となり、労働運動の中心地ともなった。バスク地方では1880年代から協同組合運動が発達し、消費協同組合や労働者協同組合が設立された。1920年にエイバルに金属加工業の労働者協同組合が設立された。エイバルは1931年にスペイン第二共和制を宣言した最初の町でもある。

バスク州の社会的経済に属する経済事業体（企業）の種類としては、協同組合、非営利経済組織

〈表1〉 バスク州の社会的経済（2018年度）

| 種類 | 企業数 | 従業員数（人） |
|---|---|---|
| 協同組合 | 2,590 | 53,390 |
| 労働会社（株式会社SAL, 有限会社SSL） | 747 | 7,219 |
| 経済活動財団 | 762 | 13,045 |
| 雇用センター | 106 | 9,986 |
| 公益経済活動アソシエーション | 418 | 4,103 |
| 社会的弱者雇用センター | 70 | 719 |
| 農業加事業体（SAT） | 85 | 233 |
| 漁民組合 | 17 | 91 |
| ボランタリー社会サービス事業体（EPSV） | 165 | 74 |
| 社会的経済企業合計 | 4,937 | 89,693 |

出所：Eustat.

（アソシエーション）、共済組合、財団、労働会社（SAL、SLL）、社会的企業（中小企業の一部を含む）、一部公益事業アソシエーション、雇用創出センターなどがある〈表1〉。

いずれもそれぞれの個別法がバスク州法として制定されている。このうち労働会社（SL、1997年法）はスペイン独自の形態で、株式会社または有限会社において労働者が株式の半分以上をもっている自主管理型の企業であり、スペインにおいてはバスク州が最も盛んである。社会的経済のバスク州経済に占める比率は6・3％、企業数の6・7％、労働人口の9・4％（87万6939人）である（2019年）。しかし、バスク統計院では分類に含まれていないところの、関連する子会社や非市場におけるボランタリー労働や地域通貨経済、連帯経済の分野を含めると、広い意味での社会的経済・連帯経済セクターの経済的規模と労働人口はさらに多く数えられる。すなわち、経済と労働の関係は従来の雇用契約関係だけでなく、社会的経済という、企業経営参加の自主性と経済の社会的貢献、労働の人間的な自己実現（ディーセントワーク）という考え方を実現するための人びとの協働の実現を目指すセクターの存在がある。たとえばボランタリー労働や消費者組合員も社会的経済セクターにおいてはステークホルダー（利害当事者）として参加していることが特徴的であり、全体として経済活動でもあり社会運動でもあると言うことができる。

主要な企業形式である協同組合はスペイン協同組合法（1978年、1999年、2021年改正）およびバスク協同組合法（1993年、2019年改正）によって分類されており、消費協同組合（生協）、農協、漁協、工業、サービス、社会サービス、金融信用、教育、研究開発、建設、医療福祉などがある。バスクの特徴は工業分野の比率が高く全体の44％を占めており、ヨーロッパ有数の先端技術開発が進んでいる。サービス業ではスペイン流通市場で第5位を占めているモンドラゴングループのエロスキ生協が突出している。世界の一般的消費協同組合（生協）と異なるエロスキ生協の特徴は労働者と消費者が共に組合員で協働の関係にあり、一種の労働者協同組合の性格をもつことである。最近のバスク独自の協同組合としては、2019年のバスク協同組合法改正で追加された若者協同組合がある。これは学生が実習的に小規模の協同組合を作って起業活動を促進し、結果的に若者による仕事創出という地域雇用に貢献することを目指したもので、バスク州政府による助成金を受けられる。

工業協同組合で世界的にも知られているのはモンドラゴン協同組合グループ（MCC）である。1956年に最初の工業協同組合ファゴールが設立されて以来、工業、流通、金融、教育（大学含む）、研究、サービス、農業加工品などの分野を集めた現在約200の企業複合体として発展し、現在約8万人の従業員がいる。その基本は労働者協同組合形式である。MCCは自らを社会的経済企業体だと定義している。ＭＣＣの本拠地のギプスコア県においては雇用の24％を社会的経済セクターが占めている。２０１３年にＭＣＣのトップ企業であったファゴール家電（ＭＣＣの総事業高の５％）がリーマンショックをきっかけに倒産し、世界的にモンドラゴングループの持続可能性に疑問が出されたが、家電部門は廃止となったものの、その他の電機電子機器のファゴールグループは堅調であり、ＭＣＣグループは全体として着実に、とりわけ新技術開発分野の研究機関を10余り設立して、製品開発の強化を進めている。もしファゴール家電が協同組合でない資本主義企業であったならば、従業員の解雇や低賃金の外国への工場移転という普通の手法により企業存続を図ったことであろう。しかしモンドラゴン協同組合グループは人中心の企業であるので、ファゴール家電は労働者組合員総会において倒産を承認し、労働者組合員の仕事と雇用を基本的に守るために、組合員の大多数がグループ内の他の協同組合に転職した。そのためにグループ全体（すなわち組合員）で積み立てている協同組合連帯基金が活用された。ＭＣＣは協働（協同労働）によりを仕事（雇用）を守り創出するということを企業目的の主要目的に掲げている社会的経済企業なのである。

（石塚秀雄）

# 60

# 自決権を問い直す

## ★2010年代以降のバスク州の動向★

第17章で見たとおり、バスク州では、州自治憲章（ゲルニカ憲章）改正を名目としてPNVが提議した「イバレチェ・プラン」に基づき、バスク人民の自決権行使を問う住民投票が画された。しかし同計画は、憲法裁判所の違憲判断等により、最終的に2008年に頓挫した。こうして翌年には、パチ・ロペスを首班とするPSOEが、州発足後初となる非バスク・ナショナリスト政権を打ち立てた。しかし2012年には、PNVが単独政権に返り咲き、イニゴ・ウルクリュを新たな首班に選出した。

州議会第一党の座を堅持するPNVと、急進左派政党の連合体であるEHビルドゥの二つのバスク・ナショナリスト勢力は、この時以来、合わせて州議会の過半数議席を占めている。ところが、後述するような見解の相違から、バスク州で両者が連立したことは今日までない。PNVは、2016年以降、PSOEと連立しながら州の政局を先導している。

こうしたなか、「イバレチェ・プラン」の趣旨を継承する主体は、EHビルドゥと、2013年に発足した「グレ・エスク・ダゴ《我らの手中にある》」という超党派的な市民社会運

自決権を求める「グレ・エスク・ダゴ」のデモは、しばしばカタルーニャ主義者と連帯して行われている（ビルボ市内。2017 年 9 月）

動に移った。後者には、バスク・ナショナリストのみならず、非バスク・ナショナリストやカタルーニャ市民の一部も参加し、「人間の鎖」と呼ばれる示威行動は、２０１７年に14万人近くを動員するまでに急成長した。

このような状況を意識していたウルクリュ首班は、２０１４年に州議会内に「自治調査委員会」を設置し、議会内全勢力の熟議に基づくゲルニカ憲章の改正作業に再び入った。同憲章はスペインの州の中で最も早い１９７９年に発布されたが、ガリシア州の自治憲章とともに、スペインの中で今日まで一度も改正されていない州自治憲章の一つであり、ＰＮＶによれば、中央政府からバスク州政府に権限委譲される１４４項目のうち37項目が、憲章規定にもかかわらず、いまだに移譲されていないという。

では、ゲルニカ憲章の改正を通して、バスク地方の将来をどのように方向づけようとしているのか。

その議論の中身に立ち入る前に、現在のバスク州の政治風景を鳥瞰しておこう。政治勢力の立ち位置を決定する主たる対立軸においては、いわゆる左派か右派かという政治思想のみならず、バスク・ナショナリストか否か、バスク独立志向か否か、といった対立軸も重要である。

バスク・ナショナリスト勢力は、地方自治派と独立派に二分される。地方自治派は、さらに州主導派と歴史的領域主導派の二つに大別され、独立派もまた武力容認派と武力否定派に分かれていたが、武力容認派は少なくとも2011年以降消滅している。現在では、州主導の地方自治派と武力否定の独立派の2派が、バスク・ナショナリストを代表する主要政治勢力であり、それぞれの立場をPNVとEHビルドゥが代弁している。2022年現在、これら2勢力は、バスク州議会、ナファロア州議会、スペイン国会（上院・下院）、欧州議会に議席を有する。

バスク地方をスペインおよびフランスから分離して、一つの独立国家を樹立しようという主張は、19世紀末にサビノ・アラナが興したバスク・ナショナリズム運動に由来する。彼の思想は、彼が自ら創設したPNVに体現されている。もっとも、アラナの政治姿勢は、彼の死の直前に、バスク分離独立からスペイン国内自治へと大きく旋回した。このため、以後PNV内部には独立派と自治派が拮抗することとなり、党は数度に及ぶ分裂と再編を経験してきた。PNVから分派したグループは、総じて分離独立の性向が強い。

バスク州の将来像については、バスク・ナショナリスト穏健中道右派のPNV、同急進左派のEHビルドゥ、非バスク・ナショナリストで左派ポピュリストのポデモス、同穏健中道左派のPSOE、同右派のPP《国民党》の五つの政党が「自治調査委員会」におのおの提出した2016年の報告書とその後の発言が参考になる。そこでは「自決権」に対する考え方の違いが垣間見られる。

PPがバスク州のさらなる自治権拡大に否定的であることを除けば、それ以外の政党は、解釈の違いこそあれ、「自決権」に対して寛容である。PSOEは「ナシオン（英語のネーションに相当）」としての「バスク」に懐疑的で、憲法改正を通して連邦制国家としてのスペインの中に「バスク」を位置づけようとする。残りの政党は、「ナシオン」としての「バスク」を認知し、「自決権」の行使を支持する。ポデモスは、カナダのケベック州の事例を参考に、自治か連邦制か分離独立かを問う住民投票の法的道筋を明確にすることを重視する。一方でＰＮＶは、スペイン政府との対等な二者協議による合法的な「自決権」行使の道を探る。そこにスペインからの分離独立の意図は明示されず、むしろ「多民族国家スペイン」内部での「主権の再分配」が強調される。これに対しＥＨビルドゥは、ナファロアとフランス領バスク地方をも包含する「バスク連邦共和国」の樹立を目標に掲げ、コソヴォの事例等を念頭に置きながら、住民投票の結果次第では、一方的な分離独立も辞さない心積もりである。ただし、バスク・ナショナリスト勢力の中で、バスク州、ナファロア州、フランス領バスク地方のいずれの領域にも同一名称の政党を設置しているのがＰＮＶのみである点は、指摘しておく。

近年では、バスク語で呼びかけられた「バスク独立！」のポスターに、スペイン語で「No」と上書きされる事例も散見されるようになった（ドノスティア市内。2022年9月）

２０１８年５月、武力闘争によるバスク独立を標榜してきたＥＴＡ《祖国バスクと自由》がその60年の歴史に幕を降ろすと、ＥＴＡの流れを引くＥＨビルドゥとＰＮＶの間で、ゲルニカ憲章改正案に「自決権」の文言を入れる合意が生まれた。両者がそれまで反目しあい政治的連携がほとんどなかったことを顧みれば、これは画期的な出来事であった。

ところが、「カタルーニャ共和国独立宣言」をめぐる両者の姿勢の差異が明らかになると、PNVは再びEHビルドゥと距離を置き、PSOEやポデモスとの連携を重視していく。そんな中、2020年初頭に起きたパンデミックは、バスク分離独立問題を政治的係争の後景に押しやり、憲章改正作業の日程を遅延させると同時に、上述のグレ・エスク・ダゴに代表される公共空間での市民社会運動を大きく後退させることとなった。

PNVとしては、州議会会期末の2024年までにゲルニカ憲章の改正を実現させたいところである。2022年現在、同党の言説から「自決権」の用語は消え、代わりに「政治協約」なる概念が出されている。スペイン政府とバスク州政府の二者間協議に基づく「経済協約」（第21章参照）の政治版を想定しているが、他の政治勢力の理解と同意は得られていない。ただし、スペイン国会において左右諸勢力が拮抗するなか、バスクとカタルーニャのナショナリスト政党がキャスティングボートを握っている状況は、バスク・ナショナリストの意向を国政に反映させる上で有利だと思われる。

バスク州政府が1998年以来継続している社会的調査〈図1〉によれば、バスク独立に反対の姿勢を示す州民の割合は、2000年以降つねに30％強で推移し、直近のコロナ渦の中で40％にまで上昇した。独立反対派の割合は、独立賛成派の割合を総じて上回っているのである。一方で独立賛成の立場は21％から30％で変動しているが、最大勢力となったことは一度もない。そして、住民の3割前後は、態度を決めかねている。参考まで、ナファロア州とフランス領バスク地方においては、独立に

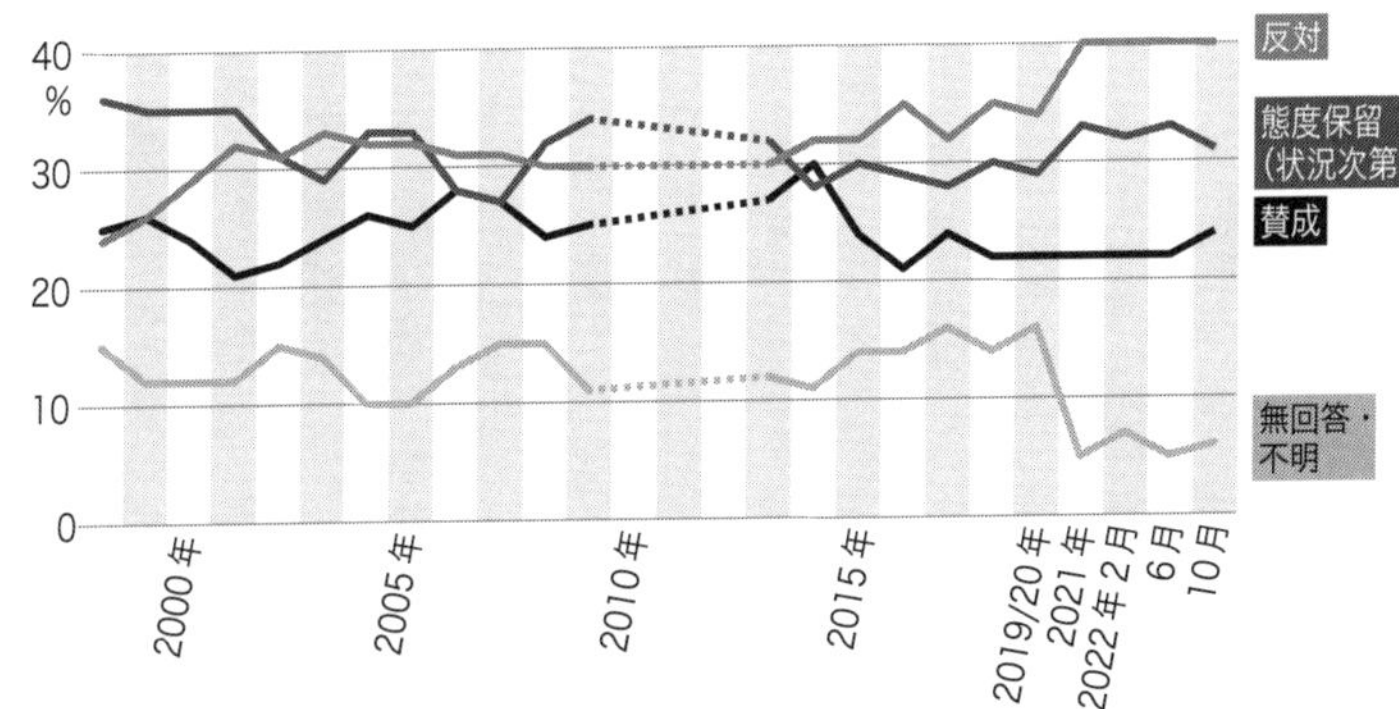


〈図1〉 バスク州民の「バスク独立」に対する姿勢の経年推移（1998〜2022年）
※ PSOE単独政権下の2010年から2012年の間、「バスク独立」に関する意識調査は行われなかった。
出所：Eusko Jaurlaritza, 78. *Euskal Soziometroa*, 2022ko urria.

肯定的な者の割合が、２割前後である。ちなみに、先に引用したいずれの政党も、バスク地方の将来を決定するプロセスとして、住民投票をアジェンダの中に含めている点は共通する。そこで、「スペインないしフランス政府が住民投票を合法的に実施すれば」という条件を付けると、独立に肯定的な者の割合が42・5％にまで上昇するという調査結果もある（２０２０年、*Naziometroa*）。

ともあれ、バスク地方の将来像に関する市民の総意はいまだなく、熟議を経ないまま性急な政治的判断がとられれば、バスク社会の分断を再び招きかねない状況だと言わざるをえない。

（萩尾　生）

## 地域通貨エウスコの挑戦

コラム17

萩尾　生

地域経済の振興・活性化という点で、モンドラゴン協同組合と同じく社会連帯経済の文脈において近年注目されているのが、フランス領バスク地方を中心に流通している地域通貨「エウスコEusko」である。法定通貨であるユーロの機能を補う、あるいは肩代わりするという意味で、補完通貨や代替通貨とも呼ばれる。

エウスコは、「エウスカル・モネタ Euskal Moneta（《バスク通貨》の意味）」と称する民間非営利組織によって、2013年1月にフランス領バスク地方のバイオナ市で誕生した。フランスでは、リーマンショック直後の2010年以降、50を超す地域通貨が国内に生まれたが、それを後押ししたのが、2014年7月の「社会連帯経済に関する法律（アノン法）」であった。

エウスコを利用するには、原則として、年会費を払ってエウスカル・モネタの会員になる必要がある。会員には、個人（一般）、個人（失業者・生活保護者・学生）、団体（営利企業）、団体（非営利組織）、地方自治体の五つのカテゴリーがある。それぞれに相異なる年会費（個人会員5〜60ユーロ、営利企業会員75〜1980ユーロ、非営利組織30〜345ユーロ等）が毎年設定され、年会費を支払うと口座の開設とキャッシュカードの利用が可能となる。

エウスコ紙幣（エウスカル・モネタのHPより）

コラム17

## 地域通貨エウスコの挑戦

1エウスコは1ユーロで購入できる。1、2、5、10、20の5種類のエウスコ紙幣が流通しており、1エウスコ未満の端数決済はユーロで行われる。2017年からは電子マネーにも対応し、「エウスコペイEuskopay」というアプリが用いられている。2021年現在、個人会員の9割がオンラインでエウスコを利用している。

なお、会員となって口座を開設しなくても、フランス領バスク地方に30カ所ほど設置された両替所で、誰でもエウスコを購入できる。短期滞在者（観光客、商用来訪者）が念頭にあるようで、2ユーロを支払えば、2カ月以内の期間限定口座を開くことも可能だ。

ちなみに、エウスコには利息がつかない。投資や貯蓄を目的とした利用を望まず、実体経済における通貨の迅速な流通を優先するからである。また、個人会員がいったん購入したエウスコをユーロに再び交換することはできない。エウスコを使用できるのは、エウスコでの決済を受け入れたエウスカル・モネタの団体会員が提供するサービスにおいて、ということになる。

エウスコでの電子決済を可能にするアプリ「エウスコペイ」（エウスカル・モネタのHPより）

団体会員は、フランス領バスク地方に本拠を置いていることが会員要件である。とはいえ、大規模販路を有するチェーン店の系列企業は、参加が認められない。そうした企業が一人を雇用すると地元に根ざした中小企業の3人が失職する、という経験値があるからである。こうして、エウスコの個人利用者は、たとえばグローバル展開している大型スーパーではなく、地元の個人商店へと足繁く通うことになる。エウスコの利用者が増えると、フランス領バスク地方の外への通貨の流出に抑止力が働くと同時に、その限定的領域内での消費行動が促進され、当該地域の経済活性化につながると見込まれている。

ただし、市町村によっては、上記のようなチェーン店なしに住民の日常生活が成立しがたい環境もある。この場合は、そうしたチェーン店の参入が例外的に認められている。エウスコが目指すのは、あくまでも地域経済の持続的な発展なのである。そこには、物流の範囲を近郊地域に可能なかぎり狭め、無駄なエネルギーの使用や排出ガスの量を抑えた、環境負荷を軽減させるエコロジックな社会経済を維持するという、倫理的な活動目標が据えられている。

なお、団体会員と地方自治体会員の場合、自らが提供するサービスの対価として得られたエウスコをユーロに交換することができる。ただしこの場合、交換額の5％相当の手数料をエウスカル・モネタに支払う必要がある。この手数料は、会員から集めた年会費とともに、投機的性格を持たない連帯金融のラ・ネフ（La Nef）銀行などに預けられ、エウスカル・モネタの運営に充当される。２０２０年には、約１４３万ユーロが新規にエウスコに交換され、そのうち約70万エウスコがユーロに再交換された。このことは、１年間で約73万エウスコ増えたことを意味する。

このほか個人会員は、自分が支援したい団体会員の非営利組織を指名する権利を持つ。30人以上の指名を受けた組織は、指名者がユーロからエウスコに交換した額の３％を、年単位で「ボーナス」として受け取る。たとえば、30人が各自毎月１００エウスコ購入したとすると、この30人が指名した組織には年度末に１０

８０エウスコのボーナスが贈られることになる。こうして２０２１年には、総額５万エウスコのボーナスが61の非営利組織に分配された。受給額上位３組織は、バスク語教育振興のＡＥＫ（コラム10参照）、土壌保全団体のルルサインディア、児童障がい者のインクルーシヴ教育支援団体で、それぞれ、１６９０エウスコ、１３９４エウスコ、１１９７エウスコであった。

もう一つ忘れてならないのは、バスク語の擁護が、エウスコの重要な目的の一つに位置づけられていることだ。紙幅の制約上ここに詳述する余裕はないが、エウスコを用いる各種場面で、バスク語の使用を促すいくつかの仕掛けが設けられている。

２０２１年春の時点で、エウスカル・モネタは、個人会員４０００、団体会員１２００、地方自治体会員33を抱える。通貨流通量は３００万エウスコに達し、ヨーロッパにおける地域通貨の先達であるドイツ・バイエルン州のキームガウアーや、英国のブリストル・ポンドの規模を凌ぐ勢いである。

今日、バイオナに位置するエウスカル・モネタ事務局には、10人を超す専属スタッフと50人前後のボランティアが出入りする。エウスコの経験を理論と実践の両面から追究する「地域通貨研究所」が設立され、後進の育成にも力が入る。そしてエウスコの流通範囲は、国境を越えてスペイン領バスク地方にも広まりつつある。いましばらくは、エウスコの動向と波及効果から目を離せない所以である。

# ローカル・コモンズとしての共有地

コラム18 萩尾 生

西ピレネー山岳地域は、中世を通じて、封建制国家の諸々の義務を免れることのできた領域であり、数多の河川が形作る渓谷集落ごとに、一種の自治体制を維持していた。こうした集落の主たる生業は、季節によって羊を移動させて放牧する「移牧（トランスヒューマンス）」であった。移牧に従事する集落の間で「リ・エ・パスリー（lies et passeries）」とフランス語風に呼ばれる協定が結ばれるようになったのは、12、13世紀頃にさかのぼる。こうした集落間協定は、ピレネー山脈の北側斜面と南側斜面、高地と低地といったように、相互補完的な関係に位置する集落どうしで結ばれ、多くの場合、牧草、水、木材、小屋等の共同利用や、家畜と人の通行の詳細を規定したり、集落間の諍いを調停する役割を担ったりしていた。

土地の共同利用のあり方は、所有権と用益権を複数を集落間で分有する型、所有権と用益権を複数の集落が共有する型、集落の所有権を認めず用益権のみを複数の集落が共有する型、国王直轄地の用益権が特定の集落に賦与される型など、いくつかのパターンが存在する。伝統的日本社会における入会地のシステムとまったく同じではないにせよ、いくぶん似た性格を有し、ビスケー湾から地中海までのピレネー地域全般で確認されてきた慣行である。

このようなローカル・コモンズは、近代化以前の慣行として、開発途上国に顕著な事象として理解される傾向が今日では強い。しかしバスク地方では、牧草地を中心とする土地の共同所有・管理・利用の慣行が、ときに国境を越えて、現在でも広く見受けられる。

慣行の呼び名には地域差があり、今日のナファロアでは「ファセリア（facería）」、ギプスコア県とアラバ県では「パルソネリア(parzonería)」(コラム14参照)などと、それぞれスペイン語で呼ばれている。わけてもナファロアでは、19世紀半ばにスペイン全土で永代所有財産の解放が推進されるのと併せて共有地の売却が進んだ際に、地方行政当局が独自に共有地の保護を認めたため、現在でも100を超すファセリアが残っている。なお、上記の慣行は、バスク語では「パルツエルゴ(partzuergo)」と言うが、どちらかというと人的結合組織を意味するニュアンスで用いられることが多い。

さて、上述したピレネー山岳地域における「リ・エ・パスリー」の慣行は、1659年のピレネー条約により今日のフランスとスペインの国境線の土台が敷かれた後も、引き続き実践されてきた。しかし、近代国民国家建設の過程において、国境を越えた共同利用権や自由通行権は次第に制限され、1856年、1862年、1866年の3度にわたって西仏2国間で締結されたバイヨンヌ条約により、国境を越えた「リ・エ・パスリー」は、おおかた撤廃されてしまう。

もっともバスク地方では、例外規定がいくつか適用され、今日に至る。たとえば、スペイン領ナファロア州に位置する約25平方キロメートルの「キントア」地方では、土地の領有権はスペインにあるが、用益権はフランスに属している。住民はフランス国籍を有し、住民税と所得税をフランスに納める一方で、固定資産税をスペインに納めているのである。この地は、フランス国内でEUの原産地呼称制度の認証を受けた「キントア豚」の名称の由来となった場所である。ナファロア王国時代に、豚を育てるドングリに対する税として、5頭に1頭(キントアはスペイン語のquinto《5分の1》に由来する)の豚の供出が課せられたことによる。

またたとえば、永続的な「リ・エ・パスリー」として存続が認知された事例もある。ス

エロンカリ村とバレトゥー村の村長が毎年7月13日にピエール・サン・マルタン峠において実施する「3頭の牛の貢納」の一場面　出所：ナファロア州政府HP。

ペイン領ナファロア州北東部のアエスコア郡とフランス領バスク地方のガラシの里が1556年取り交わした「リ・エ・パスリー」、そして同じくナファロア州北東端部のエロンカリ村とフランス領ベアルン地方（バスク地方の東隣の領域）のバレトゥー村が締結した「リ・エ・パスリー」である。後者においては、両村で起こった諍いを決着させた1375年の和約が現在も効力を有し、毎年7月13日には、国境線上に位置し二つの村の境になっているピエール・サン・マルタン峠において、バレトゥー村からエロンカリ村に対して3頭の牛が貢納され、観光風物誌の一つとなっている（写真）。

さらに、こうした国境を越えた協約は、漁業権にもその残滓が確認される。スペイン領バスク地方のイルン、オンダリビアと、フランス領バスク地方のビリアトゥ、エンダイア、ウルニャの沿岸集落は、国境線を成すビダソア川における共同漁業権に関して独自の取り決めを有す。

以上のように、バスク地方には中世にまでさかのぼる共有地の伝統が現在まで残っており、たしかに今日のローカル・コモンズに通じる考え方の実践をそこに見いだすことは可能だ。しかしその一方で、たとえばビスカイア県において水道の民営化が昨今急速に進行しているように、コモンズの考え方に逆行する現象が断続的に確認されてきたことも事実である。

## バスクについてさらに知りたい人のための情報源

ここでは、バスクについてさらなる知見を得る上で役立つと思われる情報源を、文献、視聴覚資料、ウェブサイトの中から選んで、分野ごとに紹介する。

文献は、日本語で書かれた書籍・雑誌を中心に、本書の編著者が推奨するものを掲載した。複数の著者が分担執筆し、その著者の一部のみがバスクに関連した叙述を行っている文献の場合は、当該著者の論文情報ではなく、その論文を所収している書籍・雑誌の書誌情報のみをここに掲げている。発行年が古い書籍の中には、すでに絶版となったものが含まれているが、図書館等を通して比較的容易に入手可能である。また、ここに挙げた書籍・雑誌の中には、デジタル化されているものがあり、その数は日々増えている。

本書の執筆に際しては、欧文文献を参照することがしばしばあったが、これらの文献は日本の読者にはなじみが薄いと判断し、辞書類を除き、欧文文献のリストは原則として割愛した。その一方で、ウェブサイトを通してアクセスできる有用な情報源を、文献リストに続いて列挙した。こうしたウェブサイトの中には短命に終わるものもあるが、ここでは、比較的持続して存続すると思われるサイトを選び、そのポータルサイトのＵＲＬを記載した。また、そのサイトの概要と対応言語を簡単に記した。情報は２０２３年1月現在のものである。

### 1．文献

**【総説・概説】**

J．アリエール（萩尾生訳）『バスク人』文庫クセジュ、白水社、１９９２年。

萩尾生・吉田浩美編著『現代バスクを知るための50章』明石書店、２０１２年。

渡部哲郎『バスクとバスク人』平凡社新書、２００４年。

**【共通バスク語の辞書】**

吉田浩美『バスク語常用６０００語』大学書林、１９９２年。

Batzuk, *Elhuyar Hiztegi Txikia. Euskara/Gaztelania*

- *Castellano/Vasco*, Elhuyar, 2013.

Bostak bat, *5000 adorez Hiztegiak*, 2013. https://www.bostakbat.org/azkue/

Euskaltzaindia, *Euskaltzaindiaren Hiztegia*, 1991–2015.

——, *Orotariko Euskal Hiztegia*, 11. argitaraldia, 2023.

——, *Euskal Hiztegi Historiko-Etimologikoa*, 2021.

（これら3つの辞書は以下のサイトからアクセス可能。
▶ https://www.euskaltzaindia.eus/hizkuntza-baliabideak/hiztegi-orokorrak）

Gorka Aulestia, *Basque-English Dictionary*, University of Nevada Press, 1989.

Gorka Aulestia, Linda White, *Basque-English English-Basque Dictionary*, University of Nevada Press, 1992.

UZEI, *Sinonimoen hiztegia*, Elkar, 2000.
▶ https://uzei.eus/baliabideak/sinonimoen-hiztegia-online/

**【バスク語、バスク語の学習書／辞典／事典】**

亀井孝・河野六郎・千野栄一編著『言語学大辞典 第3巻 世界言語編 下－1』三省堂、1992年。

下宮忠雄著、P．アルトゥナ監修『バスク語入門』大修館書店、1979年。

吉田浩美『バスクの伝説』大学書林、1994年。

――『ニューエクスプレスプラス バスク語』白水社、2019年。

――『バスク語のしくみ《新版》』白水社、2021年。

**【バスク地方の歴史・地理に関して参考となる叙述を含む文献】**

J．A．アギーレ（狩野美智子訳）『バスク大統領亡命記』三省堂、1989年。

荒井信一『ゲルニカ物語』岩波新書、1990年。

石塚秀雄『カルリスタ戦争』彩流社、2016年。

菊池一雅『ピレネーの北と南』古今書院、1976年。

川成洋編著『資料 三〇年代日本の新聞報道』彩流社、1982年。

L．L．キャヴァリ＝スフォルツァ（赤木昭夫訳）『文化インフォマティクス』産業図書、2001年。

黒川正剛『魔女狩り』講談社選書メチエ、2014年。

C．ゴンサーレス・サインス、R．カチョ・トカ（吉川敦子訳）、関雄二監訳、深沢武雄編『スペイン北部

の旧石器洞窟壁画　概説篇 カラー版』テクネ、2016年。
――『スペイン北部の旧石器洞窟壁画 図録集（下）アストゥリアス・バスク篇』テクネ、2014年。
T．ザーラ（三時眞貴子・北村陽子監訳、岩下誠、江川布由子訳）『失われた子どもたち』みすず書房、2019年
色摩力夫『フランコ』中公叢書、2000年。

芝紘子『歴史人名学序説』名古屋大学出版会、2018年。

関哲行、立石博高、中塚次郎編『世界史大系 スペイン史2』山川出版社、2008年。

専修大学人文科学研究所編『災害 その記録と記憶』専修大学出版局、2018年。

威仁親王行実編纂会編『威仁親王行実 巻下』1926年。

立石博高編『スペイン・ポルトガル史』上下2巻、YAMAKAWA Selection, 山川出版社、2022年。
E．トッド（荻野文隆訳）『世界の多様性』藤原書店、2008年。
R．バード（狩野美智子訳）『ナバラ王国の歴史』彩流社、1995年。
坂東省次・川成洋編『日本・スペイン交流史』れんが書房新社、2010年。

松尾容孝編『アクション・グループと地域・場所の形成』専修大学出版局、2019年。
M．モンテロ（萩尾生訳）『バスク地方の歴史』、明石書店、2018年。
山田信彦『スペイン法の歴史』彩流社、1992年。
H．ルフェーブル（松原雅典訳）『太陽と十字架』未来社、1979年。
渡部哲郎『バスク もう一つのスペイン』改訂増補版、彩流社、1987年。

渡邊昌美『巡礼の道』中央公論新社、1980年。


**【バスク地方の政治・経済を紹介する内容が含まれている文献】**


石塚秀雄『バスク・モンドラゴン』彩流社、1991年。

大島美穂編『EUスタディーズ3　国家・地域・民族』勁草書房。2007年。

岡部明子『サステイナブルシティ』学芸出版社、2003年。

奥野良知編著『地域から国民国家を問い直す』明石書店、2019年。

小谷眞男・横田正顕編著『新 世界の社会福祉 第4巻 南欧』旬報社、２０２０年。

㈶自治体国際化協会『スペインの地方自治』２００２年。
W．スウェンデン（山田徹訳）『西ヨーロッパにおける連邦主義と地域主義』公人社、２０１０年。
立石博高・中塚次郎編『スペインにおける国家と地域』国際書院、２００２年。

野々山真輝帆『スペイン辛口案内』晶文社、１９９２年。

――『スペインを知るための60章』明石書店、２００２年。
W．ホワイト・C．ホワイト（佐藤誠ほか訳）『モンドラゴンの創造と展開』日本経済評論社、１９９１年。

**【バスク地方の社会・文化を紹介する内容が含まれている文献】**

**❖現代社会**

川成洋・坂東省次編『現代スペイン読本』丸善、２００８年。

セルバンテス文化センター東京監修、川成洋・坂東省次編『スペイン文化事典』丸善、２０１１年。

立石博高編著『概説 近代スペイン史』ミネルヴァ書房、２０１５年。

坂東省次・碇順治・戸門一衛『現代スペイン情報ハンドブック』改訂版、三修社、２００７年。

高城剛『人口18万人の街がなぜ美食世界一になれたのか』祥伝社新書、２０１２年。

**❖言語と社会**

H．ジオルダン編（原聖訳）『虐げられた言語の復権』批評社、１９８７年。
渋谷謙次郎編『欧州諸国の言語法』三元社、２００５年。

永川玲二『ことばの政治学』岩波書店、１９９５年。

坂東省次・浅香武和共編『スペインとポルトガルのことば』同学社、２００５年。

宮島喬・梶田孝道編『統合と分化のなかのヨーロッパ』有信堂高文社、１９９１年。

山下清海編著『現代のエスニック社会を探る』学文社、２０１１年。

琉球大学沖縄移民研究センター『移民研究』第12号、２０１６年。

『ことばと社会』17号、三元社、２０１５年。

『ふらんす』２０２１年8月号、白水社、２０２１年。

**❖民俗文化**

J.カロ・バロッハ（佐々木孝訳）『カーニバル』法政大学出版局、1987年。

桑原武夫編『素顔のヨーロッパ』朝日新聞社、1968年。

黒田悦子『スペインの民俗文化』平凡社選書、1991年。

J.M.サトルステギ講演、田村すず子筆録・訳注「日本とバスクの古い習俗について」『語研』教材選書(35)、早稲田大学語学教育研究所、1988年。

**❖芸術**

植野和子『魂のうたを追いかけて』音楽の友社、2002年。

近藤健児『辺境・周縁のクラシック音楽Ⅰ イベリア・ベネルクス篇』青弓社、2010年。

R.マーティン（木下哲夫訳）『ピカソの戦争《ゲルニカ》の真実』白水社、2003年。

港千尋『ヴォイドへの旅』青土社、2012年。

**❖スポーツ**

稲垣正浩編『新世紀スポーツ文化論』体育学論叢5、タイムス、2002年。

稲垣正浩編著『テニスとドレス』スポーツ学選書8、叢文社、2002年。

神戸市外国語大学・バスク大学『グローバリゼーションと伝統スポーツ』第2回国際セミナー発表抄録集、2012年。

竹谷和之編著『〈スポーツする身体〉とはなにか』叢文社、2010年。

船井廣則ほか編著『スポーツ学の冒険』黎明書房、2009年。

『footballista（フットボリスタ）』2020年5月号、Issue 078, ソル・メディア、2020年。

**❖飲食文化**

M.カーランスキー（池央耿訳）『鱈』飛鳥新社、1999年。

作元慎哉・和田直己『バスク料理大全』誠文堂新光社、2016年。

菅原千代志・山口純子『スペイン 美・食の旅 バスク&ナバーラ』コロナ・ブックス、平凡社、2013年。

立石博高『世界の食文化14 スペイン』農山漁村文化協会、2007年。

深谷宏治『料理人にできること』柴田書店、2019年。

丸山久美『家庭で作れるスペイン・バスク料理』河出書房新社、2015年。

——『バスクの修道女 日々の献立』グラフィック社、2021年。

山本博監修、石井もと子ほか著『フランス主要13地区と40カ国のワイン』ガイアブックス、2020年。

渡辺万里『スペインの竈から』現代書館、2010年。


**【バスク地方の文学作品、バスク地方に関する文学作品、民族誌、随筆】**

B.アチャガ（金子奈美訳）『アコーディオン弾きの息子』新潮社、2020年。
B.アチャーガ（西村英一郎訳）『オババコアック』中央公論新社、2004年。
F.アラムブル（木村裕美訳）『祖国』（上・下）河出書房新社、2021年。
K.ウリベ（金子奈美訳）『ビルバオ―ニューヨーク―ビルバオ』白水社、2012年。
——『ムシェ』白水社、2015年。
B.エチェパレ（萩尾生・吉田浩美訳）『バスク初文集』平凡社、2014年。
奥彩子ほか編『世界の文学、文学の世界』松籟社、2020年。

垣花秀武『人類の知的遺産27 イグナティウス・デ・ロヨラ』講談社、1984年。

郭南燕編著『キリシタンが拓いた日本語文学』明石書店、2017年。

郭南燕『ザビエルの夢を紡ぐ』平凡社、2018年。
L.デ・カストレナサ（狩野美智子訳）『もう一つのゲルニカの木』平凡社、1991年。
狩野美智子『バスク物語――地図にない国の人々』彩流社、1992年。

S・カンドウ『カンドウ全集』中央出版社、全5巻＋別巻3、1970年。
F.ザビエル（P.アルーペ・井上郁二訳）『聖フランシスコ・デ・ザビエル書翰抄』岩波文庫、1949年。
司馬遼太郎『街道をゆく22 南蛮のみちI』朝日新聞社、1984年。
G.シュールハンマー・J・ヴィッキー編著（河野純徳訳）『聖フランシスコ・ザビエル全書簡』東洋文庫、平凡社、1994年。
トレヴェニアン（町田康子訳）『バスク、真夏の死』角川文庫、1986年。

野上弥生子『欧米の旅（下）』岩波文庫、2001年。

馳星周『エウスカディ』角川書店、2010年。
P．バローハ（笠井鎮夫訳）『バスク牧歌調』新潮社、1924年。
堀田郷弘編訳『フランス民話 バスク奇聞集』現代教養文庫、社会思想社、1988年。

堀田善衛『情熱の行方』岩波新書、1982年。

港千尋『バスク七色』Tokyo Publishing House, 2012年。

三原幸久訳『スペインバスク民話集 ラミニャの呪い』メルヘン文庫、東洋文化社、1988年。
F．ムグルサ他（吉田浩美訳）『BLACK IS BELTZA ブラック・イズ・ベルツァ』ロケットミュージック、2015年。
P．メリメ（工藤庸子訳）『カルメン／タマンゴ』古典新訳文庫、光文社、2019年。
D．レドンド（白川貴子訳）『バサジャウンの影』早川書房、2016年。
P．ロティ（新庄嘉章訳）『ラマンチョ』岩波文庫、1955年。
I．デ・ロヨラ（門脇住吉訳・注解）『ある巡礼者の物語』岩波文庫、2000年。

## 2．視聴覚資料

『アマルール 大地の人バスク』（記録映画）民族映像文化研究所、1981年。
“Euskara Jendea” (DVD) Zenbat gara, 6 vols., 2013.（日本語字幕付）

## 3．情報収集に役立つ主要ウェブサイト（［ ］内は対応言語）

バスク州政府［バ、西］ ▼https://www.euskadi.eus
バスク州議会［バ、西］
▼https://www.legebiltzarra.eus
ナファロア州政府［西、バ］
▼https://www.navarra.es
バスク市町村共同体［仏、バ］
▼https://www.communaute-paysbasque.fr
バスク州統計院：EUSTAT［バ、西、英］
▼https://eu.eustat.eus
ナファロア州統計院：NASTAT［西］
▼https://nastat.navarra.es

スペイン国立統計局：ＩＮＥ［西、英］
▼https://www.ine.es
フランス国立統計経済研究所：ＩＮＳＥＥ［仏、英］
▼https://www.insee.fr
バスク研究協会［バ、西、仏、英］
▼https://www.eusko-ikaskuntza.eus
バスク語アカデミー［バ、西、仏、英］
▼https://www.euskaltzaindia.eus
エチェパレ・バスク・インスティテュート［バ、西、英］▼https://www.etxepare.eus
バスク文化総合ポータルサイト［バ、西、英］
▼https://basqueculture.eus
バスク文化インスティテュート：ＥＫＥ［バ、仏、西、英］▼https://www.eke.eus
バスク語公務局：ＯＰＬＢ［仏、バ］
▼https://www.mintzaira.fr
社会言語学クラスター［バ、西、英、仏］
▼https://soziolinguistika.eus

バスク州経済開発公団：ＳＰＲＩ［バ、西、英］
▼https://www.spri.eus
バスク・ディアスポラ総合ポータルサイト［バ、西、英、仏］▼https://www.euskaletxeak.eus
バスク・ラジオ・テレビ局：ＥＩＴＢ［バ、西］
▼https://www.eitb.eus
フランス３・バスク地方版［仏］▼https://france3-regions.francetvinfo.fr/nouvelle-aquitaine/programmes/france-3_nouvelle-aquitaine_19-20-euskal-herri-pays-basque
バスク州観光局［西、バ、英、仏、独、葡、伊、日、韓］▼https://turismo.euskadi.eus
ナファロア州観光局［西、仏、英、バ］
▼https://www.visitnavarra.es
フランス領バスク地方観光局［仏、英、西、バ］
▼https://www.en-pays-basque.fr
エルカル書店［バ、西、英、仏］
▼https://www.elkar.eus

## 略号一覧

| 略号 | フル名称 | 日本語訳 |
|---|---|---|
| ETB | Euskal Telebista | バスク・テレビ局 |
| FCVV | Federación de Centros Vascos de Venezuela | ベネズエラ・バスクセンター連盟 |
| FEVA | Federación de Entidades Vasco Argentinas | アルゼンチン・バスク系団体連盟 |
| FIVU | Federación de Instituciones Vascas de Uruguay | ウルグアイ・バスク団体連盟 |
| GAL | Grupos Antiterroristas de Liberación | 解放のための反テロリスト集団 |
| HABE | Helduen Alfabetatze eta Berreuskalduntzerako Erakundea | 成人向けバスク語の識字化及び話 者再育成協会 |
| HB | Herri Batasuna | 人民統一 |
| IK | Iparretarrak | イパレタラク（《北の者たち》の意） |
| IKA | Ikastari Kultur Elkartea | バスク語学習文化団体 |
| IU | Izquierda Unida | 統一左翼 |
| LOE | Ley Orgánica de Educación | 教育に関する基本法 |
| LOMCE | Ley Orgánica para la Mejora de la Calidad Educativa | 教育改善基本法 |
| LOMLOE | Ley Orgánica por la que se Modifica la LOE de 2006 | 改正教育基本法 |
| LORAFNA | Ley Orgánica de Reintegración y Amejoramiento de Régimen Foral de Navarra | ナファロア特権体制の再統合と改善に関する組織法 |
| MCC | Mondragón Corporación Cooperativa | モンドラゴン協同組合（複合体） |
| Na+ | Navarra Suma | ナバーラ総和 |
| NABO | North American Basque Organizations | 北米バスク協会 |
| OPLB | Office Public de la Langue Basque | バスク語公務局 |
| PNV | Partido Nacionalista Vasco | バスク・ナショナリスト党 (EAJ のスペイン語表記 ) |
| PP | Partido Popular | 国民党 |
| PSOE | Partico Socialista Obrero Español | スペイン社会労働党 |
| SPRI | Sociedad para la Promoción y Reconversión Industrial | バスク州経済開発公団 |
| UCD | Unión de Centro Democrático | 民主中道連合 |
| UDF | Union pour la Démocratie Française | フランス民主連合 |
| UPN | Unión del Pueblo Navarro | ナバーラ人民連合 |
| UZEI | Unibertsitate Zerbitzuetarako Euskal Ikastetxea | バスク術語・語彙研究所 |

| バスク語 | スペイン語または<br>フランス語 |
|---|---|
| ビリアトゥ Biriatu (L) | ビリアトゥ Biriatou |
| ビスカイア Bizkaia | ビスカーヤ Vizcaya |
| ビルボ Bilbo (B) | ビルバオ Bilbao |
| ベルガラ Bergara (G) | ベルガーラ Vergara |
| ベルメオ Bermeo (B) | ベルメーオ Bermeo |
| ボサテ Bozate (N) | ボサーテ Bozate |
| ポルトゥガレテ<br>Portugalete (B) | ポルトゥガレーテ<br>Portugalete |
| マウレ Maule (Z) | モーレオン Mauléon |

| バスク語 | スペイン語または<br>フランス語 |
|---|---|
| ミアリツェ Miarritze (L) | ビアリッツ Biarritz |
| ムトリク Mutriku (G) | モトリーコ Motrico |
| メニャカ Meñaka (B) | メニャーカ Meñaca |
| ラスカオ Lazkao (G) | ラスカーノ Lazcano |
| ラプルディ Lapurdi | ラブール Labourd |
| リサラ Lizarra (N) | エステーリャ Estella |
| ルサイデ<br>Luzaide (N) | バルカルロス<br>Valcarlos |
| レケイティオ<br>Lekeitio (B) | レケイティオ<br>Lequeitio |

## 【略号一覧】

| 略号 | フル名称 | 日本語訳 |
|---|---|---|
| AB | Abertzaleen Batasuna | 祖国バスク主義者統一 |
| AEK | Alfabetatze eta Euskalduntze Koordinakundea | バスク語の識字化及び話者育成調整機関 |
| AP | Alianza Popular | 国民同盟 |
| CCOO | Comisiones Obreras | 労働者委員会 |
| CDN | Convergencia de Demócratas de Navarra | ナバーラ民主集中 |
| EA | Eusko Alkartasuna | バスク連帯 |
| EAJ | Euzko Alderdi Jeltzalea | バスク・ナショナリスト党 (PNV のバスク語表記 ) |
| EB | Euskal Batasuna | バスク統一 |
| EE | Euskadiko Ezkerra | バスク左翼 |
| EEE | Euskal Editoreen Elkartea | バスク出版協会 |
| EH | Euskal Herritarrok | われらバスク人民 |
| EHAK | Euskal Herrialdeetako Alderdi Komunista | バスクの地・共産党 |
| EH Bai | Euskal Herria Bai | バスク地方 Yes |
| EITB | Euskal Irrati Telebista | バスク・ラジオ・テレビ局 |
| EMA | Ezkerreko Mugimendu Abertzalea | 左派祖国バスク主義運動 |
| ETA | Euskadi Ta Askatasuna | 祖国バスクと自由 |
| ETA (m) | ETA militar | ETA ミリタール |
| ETA (pm) | ETA político-militar | ETA ポリティコ・ミリタール |

## 地名対照表

| バスク語 | スペイン語または フランス語 |
|---|---|
| エンカルテリ Enkarterri (B) | ラス・エンカルタシオーネス Las Encartaciones |
| エンダイア Hendaia (L) | アンダイユ Hendaye |
| オスピタレペア Ospitalepea (Z) | ロピタル・サン・ブレーズ L'Hôpital-Saint-Blaise |
| オニャティ Oñati (G) | オニャーテ Oñate |
| オリオ Orio (G) | オリオ Orio |
| オルディシア Ordizia (G) | オルディシア Ordicia |
| オレアガ Orreaga (N) | （西語）ロンセスバーリェス Roncesvalles （仏語）ロンスヴォー Roncevaux |
| オンダリビア Hondarribia (G) | フエンテラビーア Fuenterrabía |
| オンダロア Ondarroa (B) | オンダロア Ondárroa |
| ガステイス Gasteiz (A) | ビトリア Vitoria |
| ガレス Gares (N) | プエンテ・ラ・レイナ Puente la Reina |
| カンボ Kanbo (L) | カンボ Cambo |
| ギプスコア Gipuzkoa | ギプスコア Guipúzcoa |
| ゲタリア Getaria (G) | ゲタリア Guetaria |
| ゲタリア Getaria (L) | ゲタリー Guéthary |
| ゲチョ Getxo (B) | ゲチョ Guecho |
| ゲルニカ Gernika (B) | ゲルニカ Guernica |
| コルテスビ Kortezubi (B) | コルテスビ Cortézubi |
| サライツ Zaraitzu (N) | サラサール Salazar |
| サラウツ Zarautz (G) | サラウス Zarauz |
| サンゴサ Zangoza (N) | サングエサ Sangüesa |
| サントゥルツィ Santurtzi (B) | サントゥルセ Santurce |

| バスク語 | スペイン語または フランス語 |
|---|---|
| スガラムルディ Zugarramurdi (N) | スガラムルディ Zugarramurdi |
| シャビエル Xabier (N) | ハビエル Javier |
| スビエタ Zubieta (N) | スビエタ Zubieta |
| スベロア Zuberoa | スール Soule |
| スマイア Zumaia (G) | スマーヤ Zumaya |
| スマラガ Zumarraga (G) | スマラガ Zumárraga (G) |
| セガマ Zegama (G) | セガーマ Cegama |
| セグラ Segura (G) | セグーラ Segura |
| セライン Zerain (G) | セライン Cerain |
| タファリャ Tafalla (N) | タファーリャ Tafalla |
| 低ナファロア Nafarroa Beherea | バス・ナヴァール Basse-Navarre |
| デバ Deba (G) | デバ Deva |
| ドゥランゴ Durango (B) | ドゥランゴ Durango |
| トゥテラ Tutera (N) | トゥデーラ Tudela |
| ドニバネ・ガラシ Donibane Garazi (NB) | サン・ジャン・ピエ・ドゥ・ポール Saint-Jean-Pied-de-Port |
| ドニバネ・ロイスネ Donibane Lohizune | サン・ジャン・ド・リュズ Saint-Jean-de-Luz |
| ドネミリアガ Donemiliaga (A) | サン・ミリャン San Millán |
| ドノスティア Donostia (G) | サン・セバスティアン San Sebastián |
| トロサ Tolosa (G) | トローサ Tolosa |
| ナファロア Nafarroa | ナバーラ Navarra |
| ノアイン Noain (N) | ノアイン Noáin |
| バイオナ Baiona (L) | バイヨンヌ Bayonne |
| バイゴリ Baigorri (NB) | バイゴリ Baïgorry |
| バキオ Bakio (B) | バキオ Baquio |
| バサウリ Basauri (B) | バサウリ Basauri |
| バラカルド Barakaldo (B) | バラカルド Baracaldo |

## 【地名対照表】

・県市町村名を中心に、バスク語の地名のカタカナ表記の50音順に並べた。
・バスク語地名のあとに、ビスカイア、アラバ、ギプスコア、ナファロア、ラプルディ、低ナファロア、スベロアのいずれの領域にあるかをカッコ内にB、A、G、N、L、NB、Zの略号で示す。
・スペイン領の地名には対応するスペイン語の地名を、フランス領の地名には対応するフランス語の地名（オレアガ Orreaga のみ、西語、仏語の両方）を掲げる。
・バスク語/スペイン語/フランス語による公式な地名呼称をリストアップしているわけではなく、あくまでもそれぞれの言語による表記およびそれに対するカナ表記の対照である。

| バスク語 | スペイン語または フランス語 |
|---|---|
| アイア Aia (G) | アヤ Aya |
| アエスコア Aezkoa (N) | アエスコア Aézcoa |
| アグライン Agurain (A) | サルバティエラ Salvatierra |
| アスカイネ Azkaine (L) | アスカン Ascain |
| アスパレナ Asparrena (A) | アスパレナ Aspárrena |
| アスペイティア Azpeitia (G) | アスペイティア Azpeitia |
| アタウン Ataun (G) | アタウン Ataun |
| アニャナ Añana (A) | アニャーナ Añana |
| アラサテ Arrasate (G) | モンドラゴン Mondragón |
| アラバ Araba | アラバ Álaba |
| アランツァス Arantzazu (G) | アランサス Aránzazu |
| アルチャス Altsasu (N) | アルサスア Alsasua |
| アルツサ Altzuza (N) | アルスーサ Alzuza |
| アレソ Areso (N) | アレーソ Areso |
| イチャス Itsasu (L) | イチャスー Itxassou |

| バスク語 | スペイン語または フランス語 |
|---|---|
| イディアサバル Idiazabal (G) | イディアサバル Idiazábal |
| イトゥレン Ituren (N) | イトゥレン Ituren |
| イルニャ Iruñea (N) | パンプローナ Pamplona |
| イルニャ Iruña (A) | イルーニャ Iruña |
| イルレギ Irulegi (NB) | イルレギ Irouléguy |
| イルン Irun (G) | イルン Irún |
| ウスタリツェ Uztaritze (L) | ユスタリッツ Ustaritz |
| ウルディアイン Urdiain (N) | ウルダイバイ Urdaibai<br>ウルディアイン Urdiáin |
| ウルニャ Urruña (L) | ユリューニュ Urrugne |
| エイバル Eibar (G) | エイバル Éibar |
| エリオシャ Errioxa (A) | ラ・リオハ La Rioja |
| エリソンド Elizondo (N) | エリソンド Elizondo |
| エルナニ Hernani (G) | エルナーニ Hernani |
| エルムア Ermua (B) | エルムア Ermua |
| エレゲ・バルデア Errege Bardea (N) | バルデナス・レアレス Bardenas Reales |
| エロンカリ Erronkari (N) | ロンカール Roncal |

**内田瑞子**（うちだ・みずこ）［56］
スペイン大使館経済商務部 投資・産業協力担当アナリスト。専攻：スペイン語学。主な著作：「スペインのエネルギー政策　その推移と現状」(『エネルギーレビュー』38巻9号、2018年)、「コロナ前の日常に戻ることは善か悪か？」(『エネルギーレビュー』41巻11号、2021年)、「スペイン――風力を主軸とした脱炭素化の取組み」(『風力エネルギー』45巻4号、2021年)。

**オルティゴーサ、ガリ**（Ortigosa, Gari）［57］
東京外国語大学バスク語非常勤講師。2020年から東京バスクの家の代表理事。専攻：翻訳・通訳研究。

**梶田純子**（かじた・じゅんこ）［コラム7］
関西外国語大学教授。専攻：文化人類学、地域研究（バスク）、民俗学。主な著書：『スペイン文化事典』(共著、丸善、2011年)、『グリムと民間伝承――東西民話研究の地平』(共著、麻生出版、2013年)、『現代スペインの諸相――多民族国家への射程と相克』(共著、明石書店、2016年)。

**金子奈美**（かねこ・なみ）［コラム16］
慶應義塾大学文学部助教。専門：バスク文学。主な著書・訳書：ベルナルド・アチャガ『アコーディオン弾きの息子』(新潮社、2020年)、キルメン・ウリベ『ビルバオ–ニューヨーク–ビルバオ』(白水社、2012年)、『世界の文学、文学の世界』(共著・共訳、松籟社、2020年)。

**砂山充子**（すなやま・みつこ）［コラム6］
専修大学経済学部教授。専門：スペイン現代史。主な著書：『災害　その記録と記憶』(共著、専修大学出版局、2018年)、『ジェンダー』(共著、ミネルヴァ書房、2008年)。

**竹谷和之**（たけたに・かずゆき）［30、39、49］
神戸市外国語大学名誉教授。専攻：スポーツ史、スポーツ文化論。主な著書：『〈スポーツする身体〉とは何か――バスクへの問い PART 1』(編著、叢文社、2010年)、『スポーツ学の射程 「身体」のリアリティへ』(共著、黎明書房、2015年)。『スポーツ学の冒険――スポーツを読み解く「知」とは』(共著、黎明書房、2009年)。

**友常　勉**（ともつね・つとむ）［コラム12］
東京外国語大学大学院国際日本学研究院教授。専攻：日本思想史、地域研究、マイノリティ研究。主な著書：『脱構成的叛乱――吉本隆明、中上健次、ジャ・ジャンクー』(以文社、2010年)、『戦後部落解放運動史――永続革命の行方』(河出書房新社、2012年)、『夢と爆弾　サバルタンの表現と闘争』(航思社、2019年)。

**渡邊千秋**（わたなべ・ちあき）［29、55］
青山学院大学国際政治経済学部教授。専門：スペイン現代史・地域研究。主な著書：『現代スペインの諸相――多民族国家への射程と相克』(共著、明石書店、2016年)、*Más allá de los nacionalcatolicismos*（共著、Madrid: Sílex, 2021)、『カトリシズムと生活世界――信仰の近代ヨーロッパ史』(共編著、勁草書房、2023年)。

## ◉ 編著者紹介（［ ］内は担当章）

**萩尾　生**（はぎお・しょう）［1、2、5–7、コラム 2、8–14、コラム 3、コラム 5、15–28、31、32、コラム 9、コラム 10、41–43、46–48、52–54、60、コラム 17、コラム 18］
東京外国語大学世界言語社会教育センター教授。専門はバスク地域研究／言語社会学。著書に *Egile nafarren euskal literaturaren antologia*（共著、Nafarroako Gobernua, 2018 年）、『世界歴史大系 スペイン史 2』（分担執筆、山川出版社、2008 年）、*Identidad y estructura de la emigración vasca y navarra hacia Iberoamérica (Siglo XVI-XXI)*（分担執筆、Thomson Reuters/Aranzadi、2015 年）などが、訳書に B. エチェパレ『バスク初文集——バスク語最古の書物』（共訳、平凡社、2014 年）、M. モンテロ『バスク地方の歴史——先史時代から現代まで』（単訳、明石書店、2018 年）、J. アリエール『バスク人』（単訳、白水社、1992 年）、L.=J. カルヴェ『社会言語学』（単訳、白水社、2002 年）などが、論文に “External Projection of the Basque Language and Culture. The Etxepare Basque Institute and a Range of Public Paradiplomacy”, BOGA - *Basque Studies Consortium Journal*, 1, 1, 2013 などがある。

**吉田浩美**（よしだ・ひろみ）［3、4、コラム 1、コラム 4、コラム 8、33–38、40、コラム 11、コラム 13、44、45、コラム 15］
早稲田大学非常勤講師。東京大学大学院人文社会系研究科言語学専門分野博士課程修了。博士論文題目『バスク語アスペイティア方言の主要な動詞述語に関する記述的研究』（東京大学、2001 年）。専攻：言語学、バスク語。著書・論文に『ニューエクスプレスプラスバスク語』（白水社、2019 年）、『バスク語のしくみ〈新版〉』（白水社、2021 年）、「スペイン領バスク自治州の 4 自治体における高校生のバスク語の使用状況——社会的側面と文法的側面から」（2019 年、CSEL シリーズ 21、神戸市看護大学）、「バスク語アスペイティア（Azpeitia）方言の助動詞と動詞語彙に関する世代間の相違」（2023 年、CSEL シリーズ 24、神戸市看護大学）などが、訳書に B. エチェパレ『バスク初文集——バスク語最古の書物』（共訳、平凡社、2014 年）などがある。

## ◉ 執筆者紹介（五十音順、編著者は上欄参照、［ ］内は担当章）

**石塚秀雄**（いしづか・ひでお）［50、59］
社会的経済学者。主な著書：『バスク・モンドラゴン——協同組合の町から』（彩流社、1991 年）、『カルリスタ戦争——スペイン最初の内戦』（彩流社、2016 年）、『バスク語基礎学習 20 週』（彩流社、2019 年）、『協同組合思想の形成と展開』（共著、八朔社、1992 年）、『社会開発論——南北共生のパラダイム』（共著、有信堂高文社、2001 年）。

**上田寿美**（うえだ・としみ）［コラム 14、51、58］
沖縄調理師専門学校講師・管理栄養士。専攻：食文化研究、食品学。主な論文：「スペイン・バスク地方の伝統食文化——アルツァイ・ガスタの製造と継承」（『地域文化論叢』18 号、沖縄国際大学大学院、2017 年）、「スペイン・バスク地方出土のチーズ製造用土器について」（『地域文化論叢』16 号、沖縄国際大学大学院、2015 年）。

エリア・スタディーズ　98

**現代バスクを知るための 60 章【第 2 版】**

2012 年　5 月 15 日　初　版第 1 刷発行
2023 年　6 月 15 日　第 2 版第 1 刷発行

編 著 者　萩 尾　生
　　　　　吉 田 浩 美
発 行 者　大 江 道 雅
発 行 所　株式会社 明 石 書 店
〒101-0021 東京都千代田区外神田 6-9-5
電　話　03-5818-1171
FAX　03-5818-1174
振　替　00100-7-24505
https://www.akashi.co.jp/

装　幀　明石書店デザイン室
印刷／製本　日経印刷株式会社

(定価はカバーに表示してあります)　ISBN978-4-7503-5602-0

# エリア・スタディーズ

1 **現代アメリカ社会を知るための60章**
明石紀雄、川島浩平 編著

2 **イタリアを知るための62章**【第2版】
村上義和 編著

3 **イギリスを旅する35章**
辻野功 編著

4 **モンゴルを知るための65章**【第2版】
金岡秀郎 著

5 **パリ・フランスを知るための44章**
梅本洋一、大里俊晴、木下長宏 編著

6 **現代韓国を知るための60章**【第2版】
石坂浩一、福島みのり 編著

7 **オーストラリアを知るための58章**【第3版】
越智道雄 著

8 **現代中国を知るための52章**【第6版】
藤野彰 編著

9 **ネパールを知るための60章**
日本ネパール協会 編

10 **アメリカの歴史を知るための65章**【第4版】
富田虎男、鵜月裕典、佐藤円 編著

11 **現代フィリピンを知るための61章**【第2版】
大野拓司、寺田勇文 編著

12 **ポルトガルを知るための55章**【第2版】
村上義和、池俊介 編著

13 **北欧を知るための43章**
武田龍夫 著

14 **ブラジルを知るための56章**【第2版】
アンジェロ・イシ 著

15 **ドイツを知るための60章**
早川東三、工藤幹巳 編著

16 **ポーランドを知るための60章**
渡辺克義 編著

17 **シンガポールを知るための65章**【第5版】
田村慶子 編著

18 **現代ドイツを知るための67章**【第3版】
浜本隆志、髙橋憲 編著

19 **ウィーン・オーストリアを知るための57章**【第2版】
広瀬佳一、今井顕 編著

20 **ハンガリーを知るための60章**【第2版】 ドナウの宝石
羽場久美子 編著

21 **現代ロシアを知るための60章**【第2版】
下斗米伸夫、島田博 編著

22 **21世紀アメリカ社会を知るための67章**
明石紀雄 監修　赤尾千波、大類久恵、小塩和人、落合明子、川島浩平、高野泰 編

23 **スペインを知るための60章**
野々山真輝帆 著

24 **キューバを知るための52章**
後藤政子、樋口聡 編著

25 **カナダを知るための60章**
綾部恒雄、飯野正子 編著

26 **中央アジアを知るための60章**【第2版】
宇山智彦 編著

27 **チェコとスロヴァキアを知るための56章**【第2版】
薩摩秀登 編著

28 **現代ドイツの社会・文化を知るための48章**
田村光彰、村上和光、岩淵正明 編著

29 **インドを知るための50章**
重松伸司、三田昌彦 編著

30 **タイを知るための72章**【第2版】
綾部真雄 編著

31 **パキスタンを知るための60章**
広瀬崇子、山根聡、小田尚也 編著

32 **バングラデシュを知るための66章**【第3版】
大橋正明、村山真弓、日下部尚徳、安達淳哉 編著

33 **イギリスを知るための65章**【第2版】
近藤久雄、細川祐子、阿部美春 編著

34 **現代台湾を知るための60章**【第2版】
亜洲奈みづほ 著

35 **ペルーを知るための66章**【第2版】
細谷広美 編著

36 **マラウィを知るための45章**【第2版】
栗田和明 著

37 **コスタリカを知るための60章**【第2版】
国本伊代 編著

38 **チベットを知るための50章**
石濱裕美子 編著

39 **現代ベトナムを知るための63章**【第3版】
岩井美佐紀 編著

40 **インドネシアを知るための50章**
村井吉敬、佐伯奈津子 編著

41 **エルサルバドル、ホンジュラス、ニカラグアを知るための45章**
田中高 編著

# エリア・スタディーズ

42 パナマを知るための70章【第2版】 国本伊代 編著
43 イランを知るための65章 岡田恵美子、北原圭一、鈴木珠里 編著
44 アイルランドを知るための70章【第3版】 海老島均、山下理恵子 編著
45 メキシコを知るための60章 吉田栄人 編著
46 中国の暮らしと文化を知るための40章 東洋文化研究会 編
47 現代ブータンを知るための60章【第2版】 平山修一 著
48 バルカンを知るための66章【第2版】 柴宜弘 編著
49 現代イタリアを知るための44章 村上義和 編著
50 アルゼンチンを知るための54章 アルベルト松本 著
51 ミクロネシアを知るための60章【第2版】 印東道子 編著
52 アメリカのヒスパニック=ラティーノ社会を知るための55章 大泉光一、牛島万 編著
53 北朝鮮を知るための55章【第2版】 石坂浩一 編著
54 ボリビアを知るための73章【第2版】 真鍋周三 編著
55 コーカサスを知るための60章 北川誠一、前田弘毅、廣瀬陽子、吉村貴之 編著
56 カンボジアを知るための60章【第3版】 上田広美、岡田知子、福富友子 編著
57 エクアドルを知るための60章【第2版】 新木秀和 編著
58 タンザニアを知るための60章【第2版】 栗田和明、根本利通 編著
59 リビアを知るための60章【第2版】 塩尻和子 編著
60 東ティモールを知るための50章 山田満 編著
61 グアテマラを知るための67章【第2版】 桜井三枝子 編著
62 オランダを知るための60章 長坂寿久 著
63 モロッコを知るための65章 私市正年、佐藤健太郎 編著
64 サウジアラビアを知るための63章【第2版】 中村覚 編著
65 韓国の歴史を知るための66章 金両基 編著
66 ルーマニアを知るための60章 六鹿茂夫 編著
67 現代インドを知るための60章 広瀬崇子、近藤正規、井上恭子、南埜猛 編著
68 エチオピアを知るための50章 岡倉登志 編著
69 フィンランドを知るための44章 百瀬宏、石野裕子 編著
70 ニュージーランドを知るための63章 青柳まちこ 編著
71 ベルギーを知るための52章 小川秀樹 編著
72 ケベックを知るための54章 小畑精和、竹中豊 編著
73 アルジェリアを知るための62章 私市正年 編著
74 アルメニアを知るための65章 中島偉晴、メラニア・バグダサリヤン 編著
75 スウェーデンを知るための60章 村井誠人 編著
76 デンマークを知るための68章 村井誠人 編著
77 最新ドイツ事情を知るための50章 浜本隆志、柳原初樹 著
78 セネガルとカーボベルデを知るための60章 小川了 編著
79 南アフリカを知るための60章 峯陽一 編著
80 エルサルバドルを知るための55章 細野昭雄、田中高 編著
81 チュニジアを知るための60章 鷹木恵子 編著
82 南太平洋を知るための58章 メラネシア ポリネシア 吉岡政德、石森大知 編著
83 現代カナダを知るための60章【第2版】 飯野正子、竹中豊 総監修 日本カナダ学会 編

# エリア・スタディーズ

84 **現代フランス社会を知るための62章**
三浦信孝、西山教行 編著

85 **ラオスを知るための60章**
菊池陽子、鈴木玲子、阿部健一 編著

86 **パラグアイを知るための50章**
田島久歳、武田和久 編著

87 **中国の歴史を知るための60章**
並木頼壽、杉山文彦 編著

88 **スペインのガリシアを知るための50章**
坂東省次、桑原真夫、浅香武和 編著

89 **アラブ首長国連邦（UAE）を知るための60章**
細井長 編著

90 **コロンビアを知るための60章**
二村久則 編著

91 **現代メキシコを知るための70章【第2版】**
国本伊代 編著

92 **ガーナを知るための47章**
高根務、山田肖子 編著

93 **ウガンダを知るための53章**
吉田昌夫、白石壮一郎 編著

94 **ケルトを旅する52章** イギリス・アイルランド
永田喜文 著

95 **トルコを知るための53章**
大村幸弘、永田雄三、内藤正典 編著

96 **イタリアを旅する24章**
内田俊秀 編著

97 **大統領選からアメリカを知るための57章**
越智道雄 著

98 **現代バスクを知るための60章【第2版】**
萩尾生、吉田浩美 編著

99 **ボツワナを知るための52章**
池谷和信 編著

100 **ロンドンを旅する60章**
川成洋、石原孝哉 編著

101 **ケニアを知るための55章**
松田素二、津田みわ 編著

102 **ニューヨークからアメリカを知るための76章**
越智道雄 著

103 **カリフォルニアからアメリカを知るための54章**
越智道雄 著

104 **イスラエルを知るための62章【第2版】**
立山良司 編著

105 **グアム・サイパン・マリアナ諸島を知るための54章**
中山京子 編著

106 **中国のムスリムを知るための60章**
中国ムスリム研究会 編

107 **現代エジプトを知るための60章**
鈴木恵美 編著

108 **カーストから現代インドを知るための30章**
金基淑 編著

109 **カナダを旅する37章**
飯野正子、竹中豊 編著

110 **アンダルシアを知るための53章**
立石博高、塩見千加子 編著

111 **エストニアを知るための59章**
小森宏美 編著

112 **韓国の暮らしと文化を知るための70章**
舘野晳 編著

113 **現代インドネシアを知るための60章**
村井吉敬、佐伯奈津子、間瀬朋子 編著

114 **ハワイを知るための60章**
山本真鳥、山田亨 編著

115 **現代イラクを知るための60章**
酒井啓子、吉岡明子、山尾大 編著

116 **現代スペインを知るための60章**
坂東省次 編著

117 **スリランカを知るための58章**
杉本良男、高桑史子、鈴木晋介 編著

118 **マダガスカルを知るための62章**
飯田卓、深澤秀夫、森山工 編著

119 **新時代アメリカ社会を知るための60章**
明石紀雄 監修　大類久恵、落合明子、赤尾千波 編著

120 **現代アラブを知るための56章**
松本弘 編著

121 **クロアチアを知るための60章**
柴宜弘、石田信一 編著

122 **ドミニカ共和国を知るための60章**
国本伊代 編著

# エリア・スタディーズ

123 シリア・レバノンを知るための64章　黒木英充 編著
124 EU（欧州連合）を知るための63章　羽場久美子 編著
125 ミャンマーを知るための60章　田村克己、松田正彦 編著
126 カタルーニャを知るための50章　立石博高、奥野良知 編著
127 ホンジュラスを知るための60章　桜井三枝子、中原篤史 編著
128 スイスを知るための60章　スイス文学研究会 編
129 東南アジアを知るための50章　今井昭夫 編集代表　東京外国語大学東南アジア課程 編
130 メソアメリカを知るための58章　井上幸孝 編著
131 マドリードとカスティーリャを知るための60章　川成洋、下山静香 編著
132 ノルウェーを知るための60章　大島美穂、岡本健志 編著
133 現代モンゴルを知るための50章　小長谷有紀、前川愛 編著
134 カザフスタンを知るための60章　宇山智彦、藤本透子 編著
135 内モンゴルを知るための60章　ボルジギン・ブレンサイン 編著　赤坂恒明 編集協力
136 スコットランドを知るための65章　木村正俊 編著
137 セルビアを知るための60章　柴宜弘、山崎信一 編著
138 マリを知るための58章　竹沢尚一郎 編著
139 ASEANを知るための50章　黒柳米司、金子芳樹、吉野文雄 編著
140 アイスランド・グリーンランド・北極を知るための65章　小澤実、中丸禎子、高橋美野梨 編著
141 ナミビアを知るための53章　水野一晴、永原陽子 編著
142 香港を知るための60章　吉川雅之、倉田徹 編著
143 タスマニアを旅する60章　宮本忠 著
144 パレスチナを知るための60章　臼杵陽、鈴木啓之 編著
145 ラトヴィアを知るための47章　志摩園子 編著
146 ニカラグアを知るための55章　田中高 編著
147 台湾を知るための72章【第2版】　赤松美和子、若松大祐 編著
148 テュルクを知るための61章　小松久男 編著
149 アメリカ先住民を知るための62章　阿部珠理 編著
150 イギリスの歴史を知るための50章　川成洋 編著
151 ドイツの歴史を知るための50章　森井裕一 編著
152 ロシアの歴史を知るための50章　下斗米伸夫 編著
153 スペインの歴史を知るための50章　立石博高、内村俊太 編著
154 フィリピンを知るための64章　大野拓司、鈴木伸隆、日下渉 編著
155 バルト海を旅する40章　7つの島の物語　小柏葉子 著
156 カナダの歴史を知るための50章　細川道久 編著
157 カリブ海世界を知るための70章　国本伊代 編著
158 ベラルーシを知るための50章　服部倫卓、越野剛 編著
159 スロヴェニアを知るための60章　柴宜弘、アンドレイ・ベケシュ、山崎信一 編著
160 北京を知るための52章　櫻井澄夫、人見豊、森田憲司 編著
161 イタリアの歴史を知るための50章　高橋進、村上義和 編著

# エリア・スタディーズ

162 ケルトを知るための65章
木村正俊 編著

163 オマーンを知るための55章
松尾昌樹 編著

164 ウズベキスタンを知るための60章
帯谷知可 編著

165 アゼルバイジャンを知るための67章
廣瀬陽子 編著

166 済州島を知るための55章
梁聖宗、金良淑、伊地知紀子 編著

167 イギリス文学を旅する60章
石原孝哉、市川仁 編著

168 フランス文学を旅する60章
野崎歓 編著

169 ウクライナを知るための65章
服部倫卓、原田義也 編著

170 クルド人を知るための55章
山口昭彦 編著

171 ルクセンブルクを知るための50章
田原憲和、木戸紗織 編著

172 地中海を旅する62章 歴史と文化の都市探訪
松原康介 編著

173 ボスニア・ヘルツェゴヴィナを知るための60章
柴宜弘、山崎信一 編著

174 チリを知るための60章
細野昭雄、工藤章、桑山幹夫 編著

175 ウェールズを知るための60章
吉賀憲夫 編著

176 太平洋諸島の歴史を知るための60章 日本とのかかわり
石森大知、丹羽典生 編著

177 リトアニアを知るための60章
櫻井映子 編著

178 現代ネパールを知るための60章
公益社団法人 日本ネパール協会 編

179 フランスの歴史を知るための50章
中野隆生、加藤玄 編著

180 ザンビアを知るための55章
島田周平、大山修一 編著

181 ポーランドの歴史を知るための55章
渡辺克義 編著

182 韓国文学を旅する60章
波田野節子、斎藤真理子、きむ ふな 編著

183 インドを旅する55章
宮本久義、小西公大 編著

184 現代アメリカ社会を知るための63章【2020年代】
明石紀雄 監修 大類久恵、落合明子、赤尾千波 編著

185 アフガニスタンを知るための70章
前田耕作、山内和也 編著

186 モルディブを知るための35章
荒井悦代、今泉慎也 編著

187 ブラジルの歴史を知るための50章
伊藤秋仁、岸和田仁 編著

188 現代ホンジュラスを知るための55章
中原篤史 編著

189 ウルグアイを知るための60章
山口恵美子 編著

190 ベルギーの歴史を知るための50章
松尾秀哉 編著

191 食文化からイギリスを知るための55章
石原孝哉、市川仁、宇野毅 編著

192 東南アジアのイスラームを知るための64章
久志本裕子、野中葉 編著

193 宗教からアメリカ社会を知るための48章
上坂昇 著

194 ベルリンを知るための52章
浜本隆志、希代真理子 著

195 NATO（北大西洋条約機構）を知るための71章
広瀬佳一 編著

196 華僑・華人を知るための52章
山下清海 著

――以下続刊

◎各巻2000円（一部1800円）

〈価格は本体価格です〉